JN113560

自由をつくる vol.07

君たちに伝えたい❹

# ぼくが生まれた新宿、柏木団の人々と関東大震災。

中條克俊◉著
*Chujo Katsutoshi*

梨の木舎

# まえがき——教育の力

「理想の実現は教育の力にまつ」にどれだけ励まされたことでしょうか。これは、戦後すぐに制定された教育基本法（1947～2006年）の「前文」末尾にある言葉です。現行の教育基本法からものの見事に削除された文言ですが、いまでも現場の先生方へ「元気出して」という声が聞こえてきそうなエールです。

理想を語ることが、時には非現実的でその時代に対応できないと否定されることがあります。ぼくが中学校社会科教員を勤めていたときに、時の政府要人は「理想ではなく、現実を見よ」と語る場面が多々ありましたが、「本当であろうか」と生徒とよく話し合いました。現実を理想に近づけるのが本筋ではなかろうか、と話し合いは続きます。

ところが2022年の2月24日、ロシアがウクライナ侵攻すると、若者の「危機意識」は「戦争の足音が近づいて憲法九条が危ない」から「ウクライナを考えると日本の防衛が危ない」にシフトし始めています。大学で若者たちと意見交流するとそのことがよくわかります。

今こそ、「教育の力」に期待しなければと強く感じています。その「教育の力」とは、平和教育の力であり、生徒と共に学ぶ平和学習の力です。「武力」による解決ではなく、

「話し合い」による解決を、そして何よりも戦争を避けるために自分たちができることは何かを探究する学習が求められています。

明治維新から自由民権運動を経て、社会主義思想が日本社会に入ってきました。幸徳秋水、堺利彦、山川均、石川三四郎、大杉栄、荒畑寒村、管野須賀子たちが活躍することになります。彼らは「理想の社会とは何か」を追求し活動した面々です。たとえ空想的であると言われようとも、理想の実現をめざしたその姿にぼくたちは多くを学ぶことができます。

そこで、新宿・柏木につくられた初期社会主義運動コミュニティともいうべき「柏木団」と平民社の変遷（有楽町・新富町・柏木・巣鴨・千駄ヶ谷・大久保）についてぼくはまとめてみることにしました。その思想の分析には深入りせず「柏木団」メンバーの生身の生活を浮き彫りにすることに専念しました。中でも、管野須賀子、福田英子、大杉栄、山川均、幸徳秋水、堺利彦、そしてメンバーではないが大杉の妻となった伊藤野枝に注目しました。

ところで、「柏木団」という名称は当時の官憲が要監視集団として名付けたものです。山川均は1907年4月ころから08年当時の柏木を次のように振り返っています。

「ここに住居をもたない人たちも、暇さえあれば、柏木という地域をクラブのようにして集まっていた。柏木は社会主義者——とくに革命派にぞくする社会主義者の巣クツ（ママ）となり、警察では『柏木団』などと呼んでいた」（「『柏木団』の人々」『ある凡人の記

録』所収)

本書ではあえて官憲が名付けた「柏木団」という名称を用いました。危険集団としてとらえている官憲の不条理を明らかにするためです。実は監視され、弾圧された危険集団「柏木団」こそが、今につながる民主的な社会への変革をめざしていたのです。

最終の4章「ぼくの授業実践」では、教育実践「関東大震災・朝鮮人虐殺事件・もうひとつの大逆事件」の内容と子どもたちとの意見交流についてまとめてみました。大逆事件、韓国併合、朝鮮人虐殺事件、中国人虐殺事件、日本人虐殺事件、日本人社会主義者虐殺事件、そして大杉栄・伊藤野枝・橘宗一虐殺事件をとりあげました。その中には「もうひとつの大逆事件」の当事者であり、フレームアップにより大逆罪で死刑宣告(直後に無期刑に減刑)された金子文子という検定教科書はもちろん教育現場でもほとんど顧みられることのない人物を教材化してみました。

1981(昭和56)年に埼玉県朝霞市内の公立中学校社会科教員に着任してから現在に至るまで、平和・人権・民主主義がぼくの研究テーマです。これらのテーマを地域でどう教えるか―地域の掘り起こしとその教材化が最大の課題でした。

定年退職した2017年から「柏木団」中心に資料収集と整理、執筆そして現地調査と進めてきました。今年(2023年)は、有楽町平民社設立120年、関東大震災100年、そして金子文子生誕120年です。その節目の年に、本書をまとめることができました。

なお、本文中の「娼妓」、「遊女」、「飯盛女」「女郎」、「パンパン」、「オンリー」は、男性目線で男にとっての「慰安女性」であり、女性蔑視の差別的な語句です。しかし本書では、その当時の世相を理解するにあたってそのままに記述してある箇所があります。
みなさま方から忌憚のないご批評をいただけましたら、この上なくうれしいです。

中條克俊

# 目次

## 2章　平民社と「柏木団」……63

# 3章　関東大震災直後に何が起きたか……161

## 4章 ぼくの授業実践……179

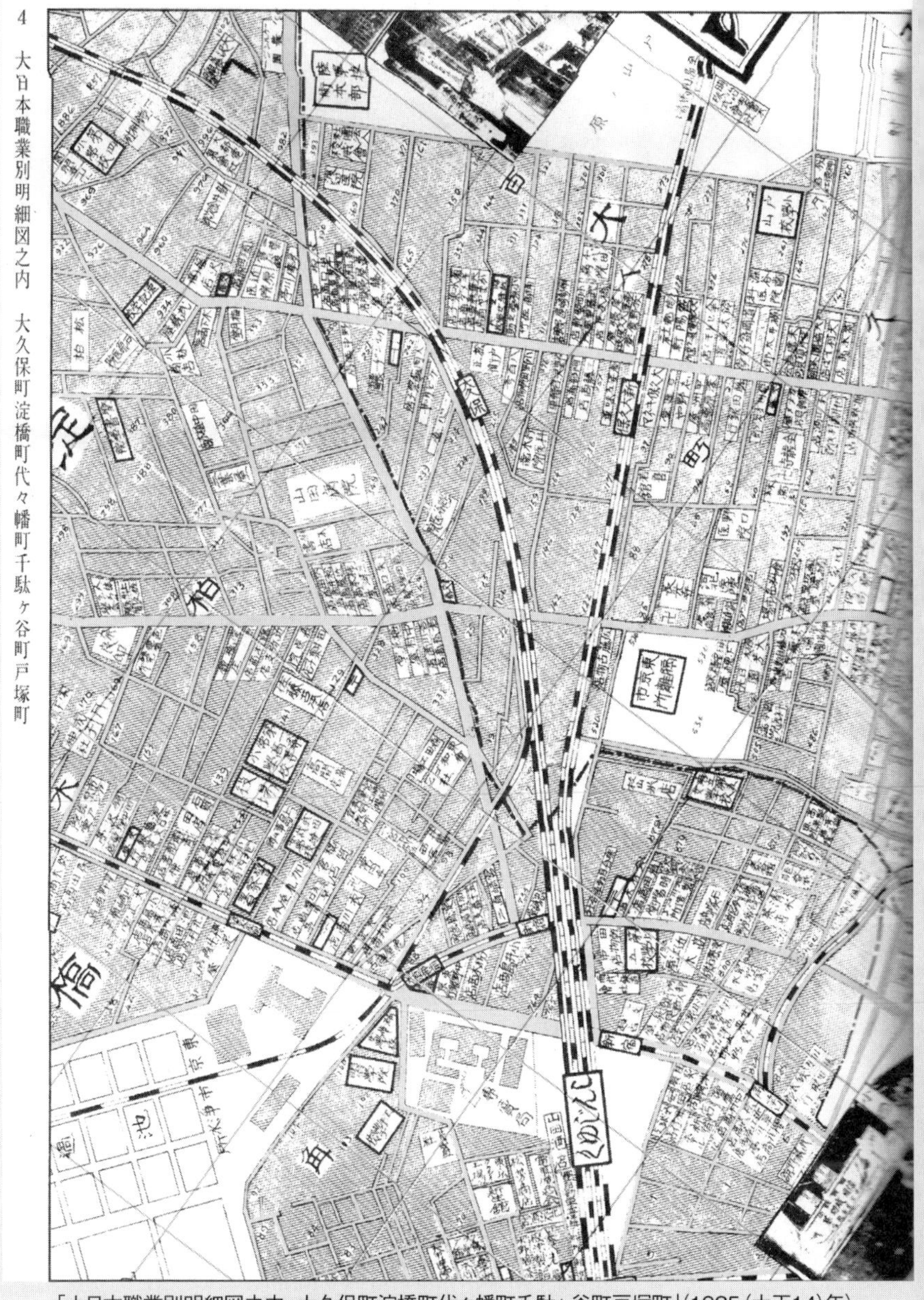


「大日本職業別明細図之内　大久保町淀橋町代々幡町千駄ヶ谷町戸塚町」（1925（大正14）年）
（『地図で見る新宿区の移り変わり　淀橋・大久保編』より転載）
地図中の真ん中あたりの「柏」と書いてある所の通りが「柏木団」コミュニティのメインストリートだ。その道をずっと東に向かって歩くと、商店が立ち並んでいる。その付近で、関東大震災直後の混乱する中、大杉栄、伊藤野枝、橘宗一が甘粕正彦ら憲兵隊に拉致、連行され、その日のうちに扼殺された。

戸山が原の箱根山。「柏木団」がここ周辺で親睦会を開いた。(2021 年必須撮影)

## ぼくと新宿

ぼくが幼少年期のころ、新宿駅頭では白装束の傷痍軍人（多くは在日韓国・朝鮮人）が、アコーディオンの悲しい音色を流していた。戸山荘と呼ばれた尾張徳川家下屋敷跡地は、箱根山（築山・標高44・6メートル）が残る戸山が原となり、後述する柏木団一行もたびたび園遊会を開いた行楽地であり、今も市民憩いの場である。一方、そこには陸軍戸山学校、生体実験をおこなった731部隊（石井部隊）と関連ある陸軍軍医学校がある陸軍の街でもあった。子ども心にも崩れかかった防空壕と古びた旧陸軍病院の建物に戦争の傷跡を感じ取ることができた。同時に、男の子たちは淀橋浄水場（1898～1965年）跡地での戦争ごっこにも熱中していた。デコボコする貯水池跡地にあの無機質な超高層ビル群が建ち上がる前の話だ。

経済白書で「もはや戦後ではない」（1956年）といわれた年に生まれたぼくの世代は将来に夢と希望を持つことのできる「黄金期の中学生」と先生方にもてはやされ、なるほど、新宿は京王プラザホテル（1971年）に始まるさまざまな超高層ビルが林立して、とうとう巨大建築東京都庁舎（1991年）のある新都心に変わった。その一方で、出身校の新宿区立淀橋第七小学校と淀橋中学校は少子化の波にさらわれて廃校となり、近くの団地では独居老人への見守りが現実となり高齢化対策が大きな課題となっている。

現在の大久保通り周辺はコリアタウンとなっている。写真は、新大久保駅近くの交差点。（2023年6月筆者撮影）

新宿区は、人口約34万６０００人（２０２２年）の内１割強の約４万人が外国人という「内なる国際化」が進む社会だ。裏通りに淫靡（いんび）な連れ込み宿の並んでいた大久保界隈は、この30年間で韓流ブームに乗りコリアタウン、さらに中東、東南アジア、アフリカ出身者の住むエスニックタウンへと生まれ変わった。年間１５００万人が訪れる新大久保には韓国グルメ、韓国美容、韓国ポップなど約６００店舗がひしめき、かつての連れ込み宿のあった路地はイケメン通りに様変わりして、怪しげな中年カップルから今やポップな感覚の若者たちが主流となって闊歩している。その一方で、ＪＲ新大久保駅前の大久保通りで旭日旗（旧日本海軍旗）を広げて、「朝鮮人撲滅」というプラカードをかざすヘイトスピーチデモが社会問題化したのは記憶に新しい。

ふるさと新宿はまさに多文化共存（共生とまでは言えない）の雑多な社会であり、そこには社会の表の顔（明）ばかりでなく裏の顔（暗）がある。

今の東京が政治・経済・文化の中心となった江戸時代の新宿から振り返ってみよう。

## 江戸入城と内藤新宿

歴史を振り返りながら、ぼくは新宿・柏木をじっくりと歩いてみることにした。

１６９８（元禄11）年に徳川家康の江戸入城（１５９０年）の先払い（先遣隊）として活躍した信州高遠藩（現長野県伊那市）２代目藩主内藤清成の名を取って内藤新宿（新宿の名の由来）は開設され、そこは一大遊郭地になった。そのこともあって、戦後しばらくまで、新宿の顔は宿場町内藤新宿のあった東口（元尾張犬山藩屋敷跡地）であった。新宿停車場が開業された1885年当時の地図を見ると、超高層ビル群のある西口一帯（元備中松山藩屋敷跡地）は田園風景の広がる地だ。

### 佐賀の乱と柏木

明治維新を迎え、江戸が東京になって間もないころ、明治政府の参議であった江藤新平は、後述する幸徳秋水が暮らしていた柏木平民社（豊多摩郡淀橋町柏木926・現新宿区北新宿3―11―16）のあった場所に一時期身を潜めていた。1873（明治6）年10月、征韓論問題が岩倉具視らによって握りつぶされると江藤新平、西郷隆盛、板垣退助、副島種臣の4参議は下野した。明治6年政変である。しかし、政府にとどまるように求められた江藤新平はここ郊外の柏木に身を潜めることにした。1874（明治7）年1月13日、江藤はここ柏木から横浜を経て佐賀に向かった。2月16日、蜂起した佐賀征韓党は政府軍にたちまち圧倒され、江藤は捕縛、審理不十分の裁判で死刑となり、千人塚でさらし首となった。世にいう佐賀の乱だ。この裁判については福沢諭吉を始め多方面から批判が上がった。30数年後、幸徳は偶然にも江藤潜伏地に住むことになる。

### 女性解放運動と大久保

柏木に隣接するJR大久保駅北口近くに日本キリスト教婦人矯風会（現新宿区百人町2―23―5）がある。1886（明治19）年6月、アメリカから来て講演した禁酒運動家メリー・レビットは女性の団結と行動を説いた。日本女性は立ち上がり、同年東京婦

日本キリスト教婦人矯風会
（2020年筆者撮影）

人矯風会を発足して1923年には全国組織となり、矢嶋楫子（かじこ）（1833〜1925年）が初代会頭になっている。禁酒禁煙・一夫一婦制・公娼廃止を訴える女性解放運動がここ大久保から始まることになった。1894年には大久保百人町に慈愛館が建設され、アジア太平洋戦争後には元日本軍「慰安婦」城田鈴子（1921〜93年）さんが生活していた。かつて大阪婦人矯風会（会長林歌子）へ入会、職員となった経験のある管野須賀子はここから歩いて数分の柏木に住んでいたが、日本キリスト教婦人矯風会とのつながりはなかったようだ。

### 辛亥革命・孫文（スンウェン）と大久保

日本最古の映画会社のひとつであるMパテー商会（日活の前身日本活動写真株式会社）を設立した梅屋庄吉（1869〜1934年）は、大逆事件前年の1909（明治42）年、東京府豊多摩郡大久保百人町（現新宿区百人町2―23）に撮影所を設立した。近くに住む詩人西條八十の父から広大な敷地を買い取り、そこに私邸を造り住んでいた（現在はスポーツ施設、教会）。梅屋は、香港で写真館「梅屋照相館」を開業していた1895（明治28）年1月に中国改革運動をしていた孫文と出会っている。その関係から、1913（大正2）年の第2革命に失敗して日本に亡命し第3革命のため中国へ帰国するまでの2年8ヵ月もの間、梅屋は孫文を大久保の自宅にかくまっていた。15年（大正4年）には、孫文は秘書をしていた宋慶齢との結婚披露宴をここ梅屋邸でおこなった。このころ柏木、大久保に住んでいた大杉栄、荒畑寒村は、梅屋庄吉の活動をど

成覚寺の「子供合埋碑」
（2015年筆者撮影）

正受院の奪衣婆像
（2015年筆者撮影）

のように見ていたのだろうか。

## 遊郭と投げ込み寺

ここで遊廓新宿の過去と現在を振り返ってみたい。1872（明治5）年のマリア・ルス号事件をきっかけに日本の「娼妓」は人身売買だと主張されると、日本政府はあわてて「娼妓解放令」を出した。その代わりに1873年に「貸座敷渡世規則」（「娼妓」に座敷を貸す形での公娼制度）をつくり、吉原・品川・新宿・板橋・千住の5カ所の旅籠屋は娼妓ではなく座敷を斡旋しているだけとこじつけて、売春営業を公認した。現在の新宿伊勢丹付近は大きな構えの旅籠屋「大美濃」があり、「遊女」を犠牲に大繁盛したという。

一方で「遊女」の悲劇は後を絶たなかった。投げ込みは、江戸のしきたりが続く明治半ばすぎまで続いた。新宿の総鎮守神社近くに投げ込み寺と呼ばれた成覚寺に「子供合埋碑」（万延元年・1860年）がある。旅籠屋（「女郎屋」）の主人は「飯盛女」（「女郎」）を「子供」と呼んだ。「飯盛女」は人身売買される性奴隷であり、犬猫にも劣るひどい扱いで、死んだ遊女は、着物、髪飾りなど身につけているものすべてを取り上げられ、さらし木綿のお腰1枚というあわれな姿で莚にくるまれて寺に投げ込まれた。その数はおよそ3000体。カラスがその死体にとびかかり目玉をつつくこともあり、夜になると燐火がおきて寺の名物になったともいわれた。さすがに強欲な旅籠屋の主人たちも「飯盛女」の共同墓地を建てねばと考えたのであろう。

現在の新宿２丁目付近
（2014年筆者撮影）

太宗寺の閻魔大王
（2015年筆者撮影）

成覚寺の隣には正受院があり、幕末嘉永年間に安置された高さ70センチの奪衣婆像が門前で迎えてくれる。奪衣婆とは、三途の川の渡し賃である6文銭を持たずにやってきた亡者の衣服をはぎ取る、恐ろしい形相の老婆の鬼のことだ。人を引き寄せ、衣服を脱がせることを生業としていることから、宿場の「遊女」も信仰し、心のよりどころとした。正受院から新宿通りに向かう途中に、内藤家菩提寺の太宗寺があり、大きなやっとこを傍らに置いて、高さ5・5メートルの閻魔像が参詣者を待っている。ここにも閻魔の横に奪衣婆が待ち構えている。

## 遊郭のその後——RAA・赤線そしてゲイタウン

戦後すぐに日本政府はアメリカに頼まれもしないのに、国家公認売春組織といってよいRAA（特殊慰安施設協会）をつくった。アメリカの女性団体の抗議でRAAは半年余りで廃止され、GHQの指令により公娼制度は終わりを告げた。公娼制度廃止はGHQの指令があってのことだった。ところが、働くすべのない多くの女性は、「パンパン」（米兵相手の女性）、「オンリー」（米兵の愛人）となり、内藤新宿の遊郭地帯（現新宿2丁目）はそのまま赤線地帯（赤線で囲まれた特殊飲食店街）となった。

1958（昭和33）年、売春防止法の完全施行により赤線の街は幕を閉じ、ゲイタウンの歴史が1960年代半ばから始まる。空き家となった赤線の店が次々にゲイバーとなったのだ。面積100平方メートルの空間はホモセクシュアル、女装・非女装トランスジェンダーが集まる場所となり、240メートルのメインストリートにはゲイバーが

新宿西口の「思い出横丁」
（2015年筆者撮影）

今や約450軒ひしめいている。

宿場町のあった新宿2丁目には、遊郭、赤線、「パンパン」という悲しみの女性史とゲイタウンという性風俗最先端地帯の歴史が刻み込まれている。

## 日本一の繁華街・歌舞伎町誕生

1945年5月25日夜10時半から始まった空襲で、翌日の午前4時にかけて新宿駅一帯は丸焼けとなった。焼け跡新宿の復興はテキ屋=露天商組織の闇市を抜きに語ることはできない。本来行政がやるべきであったがれきの山を整理して食を供給する仕事をテキ屋がおこなった。敗戦から1カ月も経たない9月7日、「光は新宿のマーケット街より」をスローガンとした尾津マーケット（東口の「中村屋」、「高野」あたり）がオープンする。これが闇市のはしりで、続けて和田組（東口）、野原組（東口）、安田組（西口）が縄張りを仕切った。東久邇宮稔彦元首相も、「人生の第1歩からやり直したい。その第1歩が露店商人だと思っている」と皇籍離脱後の1947年6月に新宿西口（安田組）で闇市の商売を始めた。最初は「宮様の出したお店」だと大繁盛したが、殿様商売で結局はつぶれている。この闇市の雰囲気を残しているのは「新宿西口思い出横丁」こと通称「ションベン横丁」だ。約2平方キロメートルの敷地に4棟の木造長屋が建ち並び、その中に居酒屋や定食屋など約70店が密集している。

復興の見通しがついた頃に、露店整理という名目で彼らが追放されたことにすこし割り切れない思いがある。露天商の多くは、葦が茂りまだ田園風景を残す花園神社近くの一帯に移転した。これが現在のゴールデン街の始まりだ。小学校時代のクラスメートに父親がテキ屋だというチャキチャキの女の子がいたが、いつの間にか転校してしまったことが思い出される。

新宿区役所を挟んでゴールデン街の反対側に、約340平方メートルの狭い地帯に日本一の繁華街・歌舞伎町がある。この地にはもともと大村乃森といわれた広大な沼があったが、淀橋浄水場（1898~1965年、現新宿新都心）建設時の残土でその沼を埋め立てて府立第五高等女学校（現都立富士高校）が建設された。戦後、焼け落ちたこの女学校跡地に歌舞伎劇場「菊座」建設計画が持ち上がり、安井誠一郎都知事（当時）が歌舞伎町の名付け親となった。しかし、財政難でその計画は中止されてしまうが町名だけはそのまま残った。現在では約4000店舗（その1割は風俗業）がひしめく巨大歓楽街となり、今も再開発によって膨張し続けている。

## 旭町と都立新宿高校生

戦後、占領軍が駐留した地域の学校の建物は、夜になるとほぼまちがいなく米兵用簡易宿泊所になった。アイケルバーガー率いる米軍第8騎兵師団第1師団64部隊は新宿伊勢丹を接収して、近くにあった都立新宿高校のグラウンドを進駐軍の隊列訓練に使われた。その校舎は夜になると米兵と「パンパン」（米兵相手の日本人女性）の仕事場に変わった。校舎の裏手には、細い通路が続くドヤ街（ヤド（宿）の倒語、簡易宿泊所を意味する隠語）の旭町（現新宿4丁目）があり、「パンパン」はここで生活していた。

ドヤ街だった旭町（現新宿4丁目）。
かつては木賃宿が建ち並んでいた。右は天龍寺。奥の高層ビルはNTTビル
(2015年筆者撮影)

当時を知る元新宿高校生は、占領下の風紀の乱れたすさまじい社会状況とその底辺に生きる人々の存在を間近に見て、まちがいなく社会を見る眼が開かされたと語る。貧民窟と見下された旭町だが、日中働く児童のための旭町分教場が大正年間に建てられている。子どもの綴り方に感銘した作家菊池寛は、欠食児童の多い分教場の卒業式に参加して、教育の機会均等こそ重要な社会政策だと看破した。

旭町には悲しみの歴史とともにたくましい歴史も残されており、そこには現代を見つめるヒントがあり、新宿高校を母校とするぼくも、先輩に倣って多くを学んでいる。

### 新宿西口フォークゲリラと文化的重層性

１９６８年10月21日、新宿駅東口でベトナム反戦を掲げた新宿騒乱事件が起きた。反戦のうねりは翌年になると新宿駅西口地下広場でのフォークゲリラとなって現れた。広場には「ウィ・シャル・オーバーカム」などプロテストソング、フォークソングを歌う若者たちで埋め尽くされ、多い時には６０００人ほどが集まった。小学校6年生になっていたぼくは、新宿駅方面からワーッという塊となった声が自宅にまで聞こえてきて「危ないから新宿駅には行くな」と母にきつく諭されたにもかかわらず、集会の翌日にこっそりと西口に覗きに行ったことを鮮明に覚えている。「広場」は「通路」とされ、集会を開くことができなくなってしまった。

高校入学の１９７２年には「日本列島改造論」の田中角栄首相が誕生し、「いけいけどんどん」の絶頂期を迎えるも、翌年には石油ショックが起こり、あっという間に高度経済成長時代は閉幕した。段ボールハウスの野宿生活者が列をなして寝ている姿が目立つようになり、新宿駅西口から東京都庁、新宿中央公園に通じる地下通路は、「1億総中流」から「格差社会」へ移行する日本社会の縮図となった。首都東京の恥部を剥ぎ取るように、野宿生活者は強制排除されたが、支援団体に支えながらも彼らは場所を変えて新宿に住み続けている。

さらに新宿駅西口再開発計画はとどまることをしらない。小中学生の時に「ビル遊び」（鬼ごっこ）をした小田急百貨店新宿店本館が営業終了（2022年9月末）し、取り壊された跡地には2029年完成予定の高さ260メートル、地上48階建ての商業施設が造られるという。隣の京王百貨店は2040年代に生まれ変わるようだ。

年齢、ジェンダー、職業、民族や国籍の違いなどの文化的重層性があり、ダイバーシティ（多様性）を自然と受け入れてくれる新宿の街並みはどんどん変化していく。しかし、マイノリティにやさしい街であり続けることは変わらないであろう。そのダイバーシティの端緒ともいえる動きは、明治末期の新宿・柏木に見出すことができる。理想の社会をめざした若者たちが新宿・柏木に集まって来たのだ。

## 「柏木団」誕生

柏木コミュニティ実行委員会発行のミニコミ誌『わがまちかしわぎ』（1989年8月）には、柏木の著名人である内村鑑三、西條八十とともに大杉栄、伊藤野枝が紹介されていたが、堺利彦、幸徳秋水、菅野須賀子たちのことは触れられていない。

新宿は今でこそ超高層ビル群と都庁のある都心であり、日本最大の歓楽街・歌舞伎町が不夜城の如く光を放っているが、現在の新宿駅西口大ガード近くに福田（旧姓景山）英子、堺利彦、石川三四郎、そして小滝橋通りを挟んで反対側の柏木に住んでいた幸徳秋水、管野須賀子たちは、今の新宿駅周辺を見たらひっくり返って失神するであろう。

明治末期、20世紀初頭の田園地帯であった東京府豊多摩郡淀橋町柏木に山川均、大杉栄、荒畑寒村、管野須賀子、森近運平たち多くの社会主義者が堺らを慕って住み着くようになった。いつしか、彼らは官憲から「柏木団」と呼ばれるようになった。

１９５６年に新宿柏木で生まれ育ったぼくにとって「柏木団」が住んでいた地域（現新宿税務署通り）は遊び場であり通学路であった。「柏木団」は正直に時代と向き合い、理想社会の実現をめざし、世の中をよくしたいという純粋な気持ちで議論して行動した。理不尽な官憲の弾圧と拷問を受けるもあらがい続けた「柏木団」とはいったい何だったのか。まず、「柏木団」誕生に深くかかわった堺利彦、福田英子、山川均の３人について触れていきたい。

## １ 「柏木団」リーダーの堺利彦（１８７１〜１９３３年）

「柏木団」リーダーといえる堺利彦の生い立ちと行動は興味深い。堺利彦は、世話好きのお節介焼きでおしゃべりなお人好し、つまり今風でいえば人たらしのおっちゃんである。堺自身の文章やまわりの堺評を読んでみると、その人柄がよくわかり、目の前に

萬朝報
明治四十年十月二十九日

『萬朝報』
1907（明治40）年10月29日号

堺がいて、本人と対話しているような錯覚に襲われる。

　堺利彦は、1871（明治4）年1月15日に福岡県仲津郡豊津村で旧小倉藩士であり農業を営んでいた父堺得司と母琴の3男として生まれた。86年に豊津中学校を主席で卒業後、16歳で上京（新宿神楽坂）して第1高等中学校を受験するも失敗。翌年合格して同校に入学し一ツ橋寄宿舎で生活を送るが、文学熱と遊郭に溺れそのまま放蕩癖が身に付き、89年初めに月謝滞納により同校を去っている。頭脳明晰であったが、遊郭通いの放蕩息子で一高除籍とは後の堺からは想像できない。堺に限らず、若いころの幸徳や山川も遊郭通いはあたりまえであった。当時の社会主義者は、自由民権運動家と同様に、ジェンダー思想の欠落は明らかであった。

　その後、堺は大坂天王寺高等小学校英語教員、大坂毎朝新聞、『新浪華』紙記者、実業新聞社と職を移り、96年3月に堀美知子と結婚して福岡日日新聞社に入社した。翌年には上京して『防長回天史』の編纂に従事し、99年7月に萬朝報社に入社して『萬朝報』(注)記者となった。

（注）『萬朝報』
　1892（明治25）年11月1日、「まむしの周六」こと黒岩涙香（るいこう）（周六）は萬朝報社（京橋区弓町21番地、現中央区銀座2丁目103番地）を興した。『萬朝報』創刊号は1枚1銭、1カ月20銭。「簡単・明瞭・痛快」をモットーにした。過激な醜聞暴露が受けて、一時は1日当たりの発行部数10万部を越す帝都一の新聞となった。通算68回を数えた「蓄妾の実例」では、犬養毅、森鴎外、北里柴三郎、西園寺公望、山県有朋などの醜状、私行摘発、お家騒動を暴いたので、大衆の好奇心はそそられ人気を博した。読んでみると、当時の政治家、文学者のジェンダー思想の欠落は明らかで

ある。スキャンダル紙面がある一方で、内村鑑三、幸徳秋水、堺利彦など一流記者の内容豊かな論説が、インテリ層、学生に刺激を与えて評判を呼んだ。

## 『萬朝報』時代――1899年7月1日初出社

堺の日記を読み返すと、「4月9日夜」に「我は萬朝報に入らんの望みあり、久津見、幸徳の2人に相談中なり」とあり、親しくなった幸徳に働きかけ入社したことがわかる。そして初出社のことを次のように記す。

「7月1日より朝報社に出づ、まずは軟派の手伝いなり、これもいたしかたなし、しばらく隠忍すべし、せめてよろず文学欄にて気炎を吐かんと欲す、懸賞小説選評委員長をおおせつけられたり」（「30歳記（日記）明治32年〜35年」／『堺利彦全集』第6巻所収）

## 長男不二彦の死と「精神的不具」――1899年12月22日

「処が大森に引越すと間もなく、或日不二彦が急に引きつけて人事不省となつた。子供にはよくある奴の、脳膜炎を起したのである。彼れの頭は福助の如く大きくて、平生から其の気遣があつたのだが、扨となつて見ると今更に狼狽した。親の病気も苦しいものだが、子の病気も辛いものだ。（略）到底回復の見込はなし、何時まで病院に置いても金の掛るばかりで仕方が無いので、又家に連れて帰つて介抱した。看護婦は雇ふ、肉汁は拵へる、金は矢張り中々かかる。斯くて又2か月ばかりして、12月の末、不二彦

は遂に死んだ。千円の金はホトボリもなくなつてしまつた。」（『半生の墓』1905年／『平民社百年コレクション』第2巻）

堺の長男不二彦は1899年12月22日9時10分に亡くなった。「ああ2年間の夢なり」と堺の悲しみは深く、酒でその苦しみから逃れた。その一方でなかなかできなかった禁煙をもって息子の死を受け入れて自分を納得させた。

不二彦の死を前にして、堺のいやおそらく当時の一般的な障がい者に対する認識が透けて見えてくる。9月10日の日記には「不二ややよしという、（略）ただ、回復後、不具たらざる無きをえんや、それも手足多少の不具は忍ぶべし、もし精神的に不具とならば、我ら夫婦および当人不二彦生涯の悲惨事なるべし、ああ」と嘆いている。

不二彦が「精神的に不具」になるのではないかという苦悩を堺は幸徳にも語っている。幸徳の同年9月4日の日記「時至録」（『増補決定版『幸徳秋水の日記と書簡』』）に「朝堺枯川来る」と書き始めて「予は愛児の病治して白痴となり生涯の不幸痛苦を見んよりも寧ろ其死するを甘んず」と苦悩する堺の姿に同情した。幸徳は堺の話を聞いて、「生存競争自然淘汰」の説を引き合いに出して、「其死するを甘んず」と述べた。

### 社会主義者を告白——1901年7月

不二彦の死の翌年、心労で衰弱して大森には住みたくないという美知子の願いから、現在の港区高輪に転居している。堺はこの年の7月に、北清事変（義和団事件の際、清朝政府は日本を含む8カ国に宣戦布告するも鎮圧された）の従軍記者として中国天津に

1か月半滞在することになった。病気の妻を残しての戦地への出張は心苦しかったが、戦地に向かった堺が目にしたのは、多くの死骸が転がる光景であった。この体験は堺の非戦の誓いの原風景となったに違いない。帰国後、堺は衰弱しきった妻美知子を静養させるために、1901年5月に鎌倉に転居した。

黎明期の社会主義＝初期社会主義が若者たちを中心に広まりつつあったときでもあった。堺利彦は「予の半生」（『半生の墓』所収）の中で自身が社会主義に目覚めた01（明治34）年の出来事を語っている。『萬朝報』記者によって結成された「理想団」の発起人となった時に社会主義者堺利彦が誕生した。

「34年5月10日、社会民主党の宣言が発表せられた。安部磯雄、片山潜、木下尚江、河上清、西川光二郎、幸徳伝次郎の6氏が其の創立者であつた。予は当時まだ明白なる社会主義者となつておらなんだ。／同じ年の七月に、萬朝報を中心としたる理想団が起こされた。内村鑑三、黒岩周六、幸徳伝次郎、五十雄、貞吉、円城寺清等の諸氏と共に、予も亦(ま)た其の発起人に数へられて居た。而(しか)して其時(そのとき)、予は既に社会主義者たることを告白していた。」（前掲書）

保守主義、日本主義の感化から脱して、進歩主義、世界主義に向かい遂に社会主義に到達したとも堺は述べている。明治の世の中になって、西洋文化がどっと流入してくると、舶来の社会主義思想も日本人の手で翻訳されることになった。平民社結成の1903年以前は、理想の社会をめざす社会主義は大隈重信はじめ支配層にも受け入れられて流行語になっていた。教員、銀行員さらに官吏までもが社会主義者を名乗ることができた。

その理想を語る社会主義が非戦そして現実の社会変革の思想として力を持ち、社会主義運動が高まると、国家権力は社会主義を途端に危険思想とみなした。

### 堺利彦の「和楽」(夫婦同権)と福沢諭吉

「自由民権の思想を守り、儒教の精神を貫こうとする正直な心」を持った堺は、保守主義・日本主義から抜け出して進歩主義・世界主義に向かい、ついに社会主義に到達したと振り返った。堺は孟子の教えの中に平和主義の思想を見出し、妻が病弱であったこともあって、家庭生活、家族、日常生活を大切にすることの延長が社会主義であり、それは人類平等の思想と理解した。社会主義理論を大切にしながら、生活者の視点から社会主義の必要性を説くという堺のスタイルはその後も首尾一貫した。

家庭生活・社会改良問題から社会主義に目覚めた堺が『家庭の新風味』(全6冊)を刊行したのは1901(明治34)年8月から翌年9月にかけてだ。堺が妻美知子の転地療養先として新宿を選び、住み着いたのが01年12月のことから推測すると、同書の大半は淀橋町角筈で書きあげたことになる。妻美知子を大事にしたことから生まれた堺らしい『家庭の新風味』といえよう。

堺は「予は福沢より多大の感化を受けた」とも明言している。福沢諭吉が『時事新報』に連載した「女大学評論」(1899年4月17日~7月23日)を読んだ堺は、「時事新報の女子論を読む、至極よしと思ふ」と日記に記し感服した。

「社会主義に到達する前、予はまずばく然として社会改良の諸問題に触れた。予が『家庭の新風味』と題する小著述を出したのはこの時である。萬朝報紙上に現れた予の文字にも、この社会改良問題より社会主義に至る順路が、明らかに現れておるはずである。『家庭の新風味』については、予は福沢先生より多大の感化を受けたことを明言しておく」（「予の半生」）。

堺と福沢諭吉の接点が語られており興味深い。堺が主張している家庭改良の特色は、「茶代廃止、手みやげ廃止、葬式の実質化、香典返しの廃止、飼い犬、遊猟の禁止、医師の車代廃止、筒袖・はかまの奨励、おじぎの簡略化、手紙における言文一致の奨励」等々生活の虚礼、非合理性を批判して、生活の合理化をめざした。そして、「和楽」つまり夫婦同権でなければならないとした。家庭改良から始まる社会改良過程の到達点が社会主義社会と考えたのである。それはある意味でユートピアに富んだ社会主義思想でもあった。[注]

（注）山泉進「堺利彦と佐竹音次郎のこと――堺利彦の社会主義者としての出発」（『初期社會主義研究』第11号、１９９８年）を参照されたい。

「ヤハリ自由民権説であり、ヤハリ儒教」

『平民新聞』の第３号から毎号「予はいかにして社会主義となりしか」が連載された。それらは『社会主義運動史話』にまとめられている。「予はいかにして社会主義となり

現在の新宿駅西口ターミナル。
左端の高層ビル「エルタワー」が内村宅跡地（京王デパート屋上より（筆者撮影2021年）。

しか」を少々長いが読んでみよう。

「予の少年の時、まず第一に予の頭にはいつた大思想は、論語孟子から来た儒教であつた。次にはすなわちフランス革命史から来た自由民権説であつた。しかるに憲法は発布され帝国議会は開かれたが、自由民権も実現せられず、仁義道徳も実行せられぬ。そこに忠君愛国の思想、ヤソ教の思想、進化論の思想、功利主義の思想などがゴッチャになつて、頭の中には大混雑が生じた。その不安の間に社会主義の新しい響きがかすかに聞こえたので、渇者の飲を求めるがごとく、ただちにこれにおもむいた。それから（多少の書物を読んだ後）、フランス革命の結果がその真の目的にそわなんだ次第と、したがって社会主義の起こりきたった理由とが、初めてよく飲み込めた。（だから）予の社会主義は、その根底においてヤハリ自由民権説であり、ヤハリ儒教であると思う。」（『社会主義運動史話』（1931年1月『中央公論』）・『堺利彦全集』第6巻所収）

堺にとっての初期社会主義思想は、「ソーシャル・デモクラシー」を思想の柱としながらも、キリスト教、自由民権運動そして儒教の影響を受けた日本社会の中から生まれたいわば和風社会主義であった。

## 1901年「柏木団」誕生へ——東京郊外の新宿へ

1901（明治34）年の暮れになると、堺は自宅を鎌倉から新宿に転居することを検討し始めた。筆まめな堺の日記を見てみよう。

「12月5日新宿

新宿大歩道橋から見た新宿西口大ガード。
この大ガードの左側に堺利彦、福田英子の自宅（淀橋町角筈）があった。
小滝橋通りをはさんで幸徳宅（淀橋町柏木）があった。
（筆者撮影 2021 年）

近々新宿に家を借りようかと思っている、そして自転車を始めようかと思う、そして3月にもなったら美知を連れてもどりたい、新宿なら空気もよし、水もよし至極よいかと思う。ただ冬は寒くてたまらぬそうな、新宿なら志津野の通学にも至極好都合、この間新宿に行って家を見て来た、そのついでに内村鑑三を訪問した、内村は楽しげに新宿に生活している」（「30歳記（日記）明治32年～35年」『堺利彦全集』第6巻所収）

堺がいよいよ新宿進出に動き出した。「柏木団」の第1歩だ。新宿転居の第一の理由は美知こと妻美知子の「転地療養」にあった。これ以外に転居に決めた理由に、内村鑑三が新宿停車場近くに住んでいたことがあげられる。内村と堺は『萬朝報』記者の同僚であり、かつ退社した時の同志でもあった。隣家には女性自由民権活動家のさきがけであった福田（旧姓景山）英子が住んでいたことも理由の1つで、その後福田は堺から社会主義の影響を受けている。なお、志津野とは堺の親戚の娘だ。

翌02年頭の堺日記「30歳記」には、新宅のことに触れている。

「1月4日夜〈新居〉

豊多摩郡淀橋町角筈738という所の新宅の一室に座している。これは去年の暮に引っ越してきたのである、おいおい暖かになってくれば美知も帰らねばならず、それには空気の良い所でなければならぬからこの引越しをやったのである、予は自転車で通うつもり、去年来からケイコをはじめもはやたいがい乗れるようになった、しかし、まだ車は買えぬ、道はたいへん不便な片いなかのようであるが実は新宿停車場から3町ばかりで新橋にも飯田橋にも便利がよい、近い所に内村鑑三君もいる、隣家には福田英子もいる、

1922年の青梅街道の新宿大歩道橋付近。
左側に現在の新宿西口大ガードがある。（新宿区立博物館提供、『新宿今と昔』1984年、編集発行新宿役所企画部広報課）

霜がはげしくて寒いことは寒いが、何だか気がせいせいとして朝など非常にここちがよい、汽車の音はすこしやかましいがその外にはまず申し分なし、もっとも美知が戻って来たら魚の少ないのに困るかも知れん」（前掲書）

堺の転居先住所は、「片田舎」であった淀橋町角筈738番地であり、同地の現住所は新宿西口大ガード近くの新宿区西新宿7丁目2番地5で、今そこは高層商業ビル（新宿公証役場近く）になっており、1階はカフェだ。

「新宿停車場」とは現在のJR新宿駅のこと。「3町ばかり」とあるが、どのくらいの距離か。尺貫法の1町は109メートルだから、堺宅から新宿駅まで約330メートルの近さだ。「たいへん不便な片いなか」の道は小滝橋通りのことで、新宿駅に向かって歩くと新宿西口大ガード横のションベン横丁（戦後焼け跡の雰囲気が残る「思い出横丁」）、さらに緩やかな坂を上ると小田急デパート、京王デパートと続く。当時の堺宅から は、煙を吐いて走る蒸気車（1885年新宿駅開業、幕末の頃は火輪車、その後、陸蒸気、蒸気車、蒸気機関車と呼ばれる）を見ることができた。

今でこそ新宿は大都会の新都心であり日本一の繁華街である歌舞伎町をかかえるが、当時は東京府下の豊多摩郡に属する田園地帯で国木田独歩『武蔵野』の一角であった。1月23日の日記では「いなかの住居はいかにもここちがよい」（前掲書）とまで言い切っている。

妻美知子の体調は芳しくなかったが、翌年（1903年）には娘の真柄（結婚後は近藤真柄）がここ新宿で生まれており、彼女は成人してから赤蘭会（1921年に結成さ

神田川の上に架かる「淀橋」
から見た新宿駅西口方面。
（筆者撮影2020年）

れた日本初の社会主義女性団体）結成はじめ女性解放運動に功績を残すことになる。なにはともあれ、官憲が恐れた「柏木団」の第１歩が踏み出された。

## 新しもの好きの堺

　新宿から皇居近くの萬朝報社までおそらく50分ほどかけて、堺が自転車通勤していたことに驚く。角筈の自宅から現在の新宿通りを真っすぐ、四谷を経由して皇居に向かって走り半蔵門に到着、そこから皇居を半周ほどして萬朝報社にたどり着いたのであろう。田園地帯の新宿から都心に向かっていく景色は変化に富んで、たのしいサイクリング通勤であったにちがいない。堺は１９０２年１月21日の日記に自転車を手に入れた喜びを次のように語っている。

「1月21日〈自転車〉
　自転車がヤッとできた、Vedetteという銘がついている、昨夜鎌倉から社に帰って、初めて社から自転車でこの家に戻った、四谷麹町とも通りは人が多くて困る、今朝は近所を乗り回してきたいと思っている、まだ骨も折れるし心配も多いけれど、とても愉快でたまらぬ」（前掲「30歳記」）

　反骨ジャーナリスト宮武外骨（１８６７～１９５５年）によると、自転車が舶来したのは１８７０（明治３）年頃だが、81年前後になっても、東京で自転車を見ることができたのはたった1度だけしかなかったという。ある日秋葉原の万世橋（万代（よろず）橋）から本郷台への帰り道で、外骨は西洋人が２輪の自転車に乗り聖堂の坂を見るのを眺めてい

『萬朝報』のサイクリストたち（1901年）
左から山県五十雄、加藤眠柳、松居松葉、中央に堺、右端が河上清。（『パンとペン』（黒岩比佐子、講談社、2010年）第二章扉の写真より転載）

たら、我慢ができなくなり父親から300円をもらって、東京、横浜、大阪川口居留地と探し、やっと神戸でイギリス人のダラム商会で中古のゴム付き3輪（後輪は直径1・2メートルの大輪）をみつけることができた。値段は170ドル＝当時の日本円で192円だ。うれしくなった外骨は、ふるさと讃岐高松で鼻高々に乗り回していたら、「嘲笑の種」になったとがっかりしている（『明治奇聞』・編者吉野孝雄、河出書房新社、1997年）。

明治20年代になると外国製自転車が200円もしたという。当時の1円を今に換算して2、3万円とすると、自動車1台購入できる金額となろう。実用化されるのは明治30年代だが、それでも当時としてはかなりの高額品であったにちがいない。世の中の動きに敏感であった堺は、何としてでも自転車に乗りたかった。

幸徳秋水も萬朝報社時代に自転車に乗っている。そのことを妻だった師岡千代子は自著『風々雨々』（1947年、隆文堂）で、「自転車が通勤に利用されたことは事実であるが、小男の秋水が自転車に乗るのは二十日鼠が車を廻すやうだと口の悪い誰れかに書かれて苦笑してゐた」と書き残している。幸徳はその後、子どもを避けるために電柱に衝突しておおきなたん瘤をつくってしまい、それに懲りて自転車を売り払った。

朝報社退社——1903年

「其の年（注・1903年）の秋に至って、『萬朝報』社内に非戦論と主戦論との衝突があつた。予は幸徳秋水君と共に社会主義者としての非戦論を取つて退社した。内村鑑三君も亦た基督教信者としての非戦論を取つて同時に退社した。是は予の生涯に於ける一大段落であった」(堺利彦『半生の墓』)

堺と妻美知子の長女真柄が柏木で生まれた1903年の秋10月10日に、堺は萬朝報社を退社している。堺と幸徳はその後『平民新聞』発行に向けて全力を注ぐことになる。

大逆事件後

堺は、後述する赤旗事件の刑を終えて、1910年9月20日出獄すると、12月に「冬の時代」を迎えた社会主義者の生活のために売文社を開業した。翌年、大逆事件で幸徳たちの死刑執行後の3月末から刑死者と無期懲役囚の遺族と家族のため5月初まで慰問旅行をしている。12年から盛んに文筆活動を行い、売文社も繁盛する。17年に衆議院議員選挙に立候補したが、弾圧を受けて落選。22年に日本共産党の創立に参加するが、翌年6月5日に第1次共産党事件で一斉検挙、市谷刑務所で関東大震災に遭遇している。そのせいで虐殺を免れている。24年3月に日本共産党の解党を決定して、27年に非共産党系の同志と『労農』を創刊、「労農派」と呼ばれた。29年2月に、日本大衆党から東京市議会議員選挙(牛込区)に立候補し、最高点で当選するも同党除名、翌年に東京無産党から第2回衆議院議員選挙に立候補したが、落選してしまう。31年に脳溢血が再発して路上で倒れ、自宅で静養していたが33年1月23日に死去、62歳であった。

堺の話は一旦ここまでにして、新宿角筈で隣家に住んでいた福田英子に目を向けよう。

## 2 「女壮士」だった福田英子(1865~1927年)

コラム1

## 景山英子（のちの福田英子）が大学入学共通テストに登場

知識・技能重視の大学入試センター試験（1990～2020年）が廃止されて、2021年1月16日に思考力・判断力・表現力を問うとされる大学入学共通テストが行われた。試験問題を見て、ある女性が登場していたのに驚いた。日本史Bの問題文に景山英子（かげやまひでこ）（のちの福田英子、1865～1927年）が写真（1904年頃の英子）付きで登場していたのだ。それでは、第5問の問題文を読んでみよう。

「第5問　女性解放運動の先駆者として知られる景山英子（後に福田英子）に関する次の文章を読み、下の問い（問1～4）に答えよ。

景山英子は、1865年に岡山藩のⓐ下級武士の家に生まれた。生活の苦しかった景山家では家計の為に寺子屋を開いていた。英子も幼い頃から学問に励み、小学校卒業後は小学校や私塾の教師をつとめた。自由民権運動に参加するなか、岡山に遊説に来た岸田俊子の影響を受け、数え年20歳の時に上京した。しかし、（ア）を企てた大阪事件に関与して、逮捕、投獄された。出獄後には、1901年にⓑ角筈（つのはず）女子工芸学校を設立したり、1904年に自伝『妾（わらわ）の半生涯（はんせいがい）』を刊行したりした。その後、（イ）の活動に参加することで社会主義に近づくと、1907年には雑誌『世界婦人』を創刊し、国際的な視野から「婦人解放」を訴えた。（後略）

（問1）は空欄（ア）、（イ）に入る語句の組合わせとして正しいものを①～④から1つ選べという質問で、その正解は①「ア朝鮮の内政改革　イ平民社」である。（問3）はこの史料の内容及び時代の背景に関して述べた組合わせとして正しいものを①～④から1つ選べという質問である。

正解は④「史料によれば、英子は新設の学校で、女性に生計の助けになる技術を教えたかったと考えられる」と「この学校が設立された後で、義務教育の期間が4年から6年に延長された」の組み合わせである。

この学校は英子の自宅近くにあって部屋は3部屋で、生計の助けとして絹ハンカチの刺繍技術を体得させた。（村田静子「角筈女子工芸学校と府立第5高等女学校」より）

問題文にあるように、平民社を通して社会主義に目覚めた英子は、女性解放運動で活躍していく。

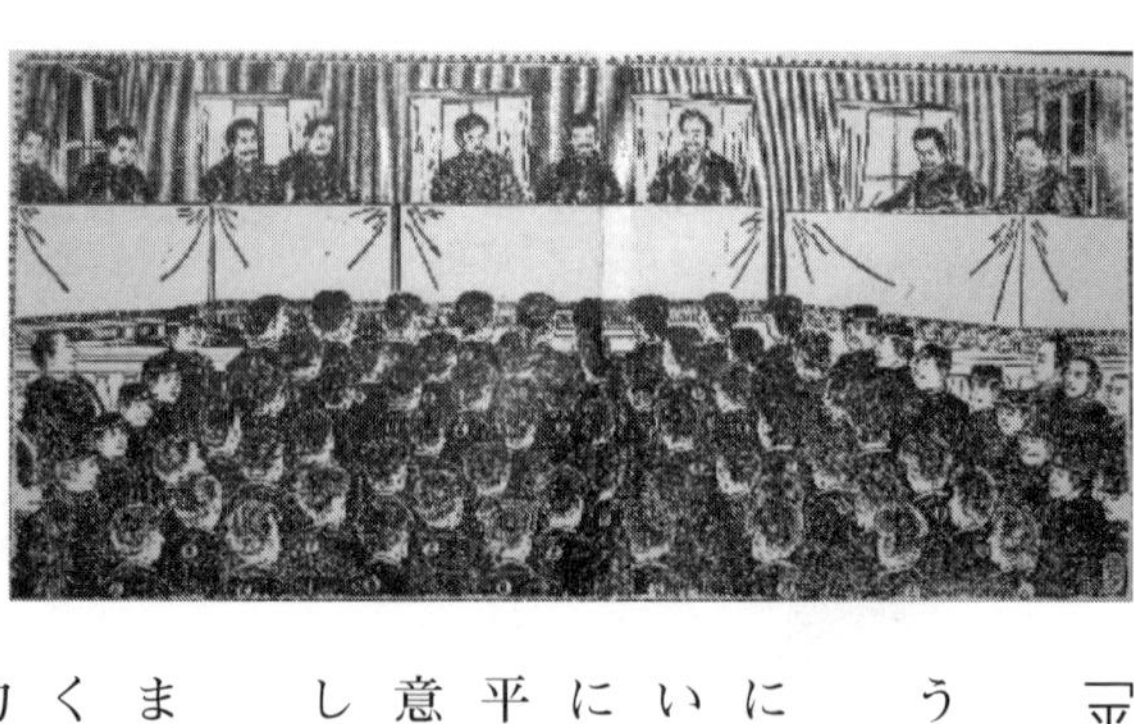

大阪事件公判
前列１番左が景山英子
（『福田英子―婦人解放運動の先駆者―』村田静子、岩波新書、1959 年より転載）

「平民社のシュウトメ」

新宿角筈に引越して来た堺は隣に住む福田英子のことをどのように評しているであろうか。

「福田英子元の景山英子。自由党の古い婦人名士。大井憲太郎らの国事犯、朝鮮事件に関与して、爆弾運びの任務に服した人。これがまた平民社出入りの常連で、石川と深い親近の間柄にあった」（「同志と友人」『社会主義運動史話』所収）と説明して、さらに「福田英子　最も古い歴史のある、大先輩の名物婦人たること前記のとおり、むしろ平民社のシュウトメとでも呼ぶべきか」（「平民社の人々」前掲書所収）と、親しみと敬意を表した。「柏木団」につながる中心人物とも言える福田英子の生い立ちと行動を詳しく見ていこう。

１８６５（慶応１）年に備前国岡山で下級武士の父景山確と武士の娘の母楳子から生まれた景山英子（本名英）は、教師として働き女子教育に熱心であった母の生活から多くのことを学んで成長していく。社会の移り変わりに関心のあった英子は、自由民権運動に興味を持ち始めた。自由民権家のことを「壮士」と書いて「おとこ」と呼ぶこともあった時代に、女性の自立、女権の拡張をめざしていくことになる。

16歳の英子に海軍少尉（後に海軍大将になる）から結婚の申し込みがあったが、軍人ぎらいの英子はこの縁談をことわった。また、同じころに後に首相となる犬養毅からも結婚を申し込まれているが、こちらもことわっている。「自分が愛情をかんじない男性とは、ぜったいに結婚しないというのが当時の英子のまじめな主張であった」（絲屋壽雄「解説」福田英子『妾の半生涯』所収）ことを物語っている。

「東洋のジャンヌ・ダーク」

自由党の別動隊として大阪に設立された立憲政党の弁士として女性の権利を主張する婦人運動家岸田俊子の演説（1882年5月13日）を岡山で聞いた英子は、自由民権運動に参加することになる。17歳の時のことだ。やがて政治のことを広く学びたいと家出同然で東京に向かい、19歳になった英子はキリスト教主義の新栄女学校（現女子学院・初代院長矢嶋楫子（かじこ）・日本キリスト教婦人矯風会初代会頭）に入学している。

1885年には、自由党員であった大井憲太郎（1843～1922年）らが計画した朝鮮改革運動に参加し始めた。20歳の英子は資金調達に走り、大阪まで爆発物を運搬し、行動隊に参加して長崎へ行くも、計画が発覚して同志とともに逮捕された。この「大阪事件」で、英子は三重県の津監獄に収監された。やる気のある立派な男＝壮士が起こしたのが自由民権運動であるといわれた時代に、国事犯として唯一女性で逮捕されて名をはせた英子は「女壮士」といわれるようになった。マスコミによって「女権の拡張者」「東洋のジャンヌ・ダーク」ともてはやされた英子は時の人となった。

獄中で大井から恋文をもらい感激した英子は内縁関係になって子を授かった。ところが、大井に妻子、愛人がいるとわかった英子は、大井と一緒になったことを「妾（わらわ）が終生の誤り」と後悔して離別している。しかし、大井との間に生まれた息子龍麿のことは常に気にかけ、死の床でも龍麿に会いたいと、うわ言をくりかえしていたという。

大井と別れたあとに『萬朝報』記者福田友作と結婚した英子は、生まれた子どもたちと新宿角筈の小さな借家に1898（明治31）年に引っ越した。3男千秋を出産した時に、夫友作は赤ん坊の産声を聞くと同時に発狂したという（村田静子『福田英子』では脳梅毒といわれている）。それから座敷牢で過ごした友作は、1900（明治33）年に36歳の若さで死んでしまった。翌年、夫を失った英子は生計の支えそして女性の自活の道を教えることを目的として、自宅近くに角筈女子工芸学校を設立したが、長くは続かなかった。

## 自由民権運動から社会主義運動へ

1901年12月、隣家に引っ越して来た堺利彦の影響で、英子は社会主義に目覚めた。翌年に英子は夫福田友作の書生をしていた石川三四郎を堺に紹介して、それが縁で石川は萬朝報社に入社している。しかし、日露戦争反対を掲げて03年11月15日に幸徳、堺らが平民社を設立すると、石川も萬朝報社を退社して平民社に入社した。英子も平民社にちょくちょく顔を出すようになり、平民社活動に参加した。

このころイギリスではサフラジェット（女性参政権獲得運動）が盛んになり、平民社でも社会主義婦人会が開かれるようになった。その動きに呼応するかのように出版された『妾（わらわ）の半生涯（はんせいがい）』は評判をよんだ。翌年には社会小説ともいうべき『わらわの思ひ出』を平民書房から出版して話題になったが、著者は、当時内縁関係にあった石川ではないかともいわれている（「筆者が英子自身であるか、石川三四郎あたりが、英子の名前を

コラム2

## 新宿停車場とタバコ工場

### 新宿停車場の始まり

1885（明治18）年3月、甲州街道と青梅街道の分岐点・角筈に新宿停車場が設置された。付近に民家はなく、今の山手線の前身である日本鉄道品川線（品川赤羽鉄道線）の1つの駅に過ぎず、ほかに開業した駅は赤羽、板橋、渋谷の3駅だった。主要な役割は旅客ではなく上州（群馬県）の生糸、織物などを横浜に輸送する貨物輸送が主で、2両編成の汽車が1日わずか3往復であった。今では乗降客が日本一であるが、当時の乗降客は1日50人そこそこで、雨の日はゼロということもあった。1904年、甲武鉄道（のちの中央線）は飯田町〜中野間で初めて電車運転を開始した。電車に乗ってくることを「来電」ということを幸徳秋水は私信の中で紹介している。

### 新宿駅西口前の内村鑑三宅

1899年9月、内村鑑三一家は淀橋町角筈101番地（現・新宿区西新宿1-6）に私立女子独立学校の校長となって移り住んだ。翌年に辞職するもここに内村は約8年間住んでいた。新宿駅西口近く、今はデパートの小田急ハルク筋向いのエルタワー、安田火災海上ビルあたりだ。

1904年2月10日、日露戦争宣戦布告をすると、戦費調達のためと政府は煙草税の確保のために、煙草製造の国産化を進めることになった。

### 1910年、東京第1煙草製造所（淀橋専売局）完成

内村は新宿駅西口を気に入っていたが、1907年10月、淀橋町柏木919番地に転居した。跡地に現在の日本たばこ産業株式会社の前身にあたる煙草専売局の製造所が建設されることになったからである。

1906年、新宿駅西口前の敷地1万4300坪に製造所の建設が始まり、建坪4658坪の煉瓦（れんが）造りの3棟が完成したのは1910年のことだ。女工1500人は煙草製造に精を出すことになる。製造所の近くには淀橋浄水場が広がり、まだまだ郊外の田園地帯が広がっている中で、工場から吐き出された煙が天に昇っていく風景は何とものどかであった。

「蒸気車往復繁栄の図新宿停車場明治22年」（『新宿駅80年のあゆみ』より、新宿歴史博物館蔵）引用・『新宿の1世紀アーカイブス』（佐藤嘉尚編著、生活情報センター、2006年）

使って書いたものであるかが今日ではちょっと判定を下しがたい」と、前掲書の絲屋寿雄「解説」にある）。

社会主義に目覚める一方で英子は、自宅から歩いて数分のところに住んでいた無教会主義キリスト者の内村鑑三宅の学習会にも参加していたが、後述するように内村は福田の出入りを禁止してしまう。

## 社会主義同志婦人会

平民社の女性の活躍はめざましかった。「婦人の政治上の自由を認めよ」と治安警察法第5条改正の請願書を提出したり、堺為子（堺利彦妻）らと社会主義同志婦人会を発起して新宿戸山が原で園遊会を開いたり、また07年には雑誌『世界婦人』（半月刊）を創刊して、その存在感を高めた。

石川の新宿角筈宅での足尾銅山鉱毒事件を訴えた田中正造の激励晩餐会（石川らが創刊した雑誌『新紀元』の企画）に参加した英子は、その実情を知るや現地視察・慰問を行うほど活動的であった。社会主義者福田英子の活躍が知られるようになると、人間関係にも変化が現れた。07年3月ころ内村鑑三は社会主義に走る英子の出入りを禁止して、同年6月には交流のあった二葉亭四迷が枇杷持参での英子の訪問を断っている。そんな福田英子を「柏木団」メンバーの山川均はどう見ていたであろうか。

「2月11日（明治40年）には、かつての大阪事件の出獄19年目の記念日だとあつて、編集部員一同、福田英子女史の夕食に招かれた。私ははじめて、有名な「女傑」をまのあたりに見た。しかし、このころの福田女史は、もう昔の豪傑からただの女性に成熟し、気のおけぬ、がらがらした、おしゃべりのただの小母さんだったが、昔の美人の面影の方はまだ残っていた。この堂々たる体格をした昔の「女傑」は丸出しの岡山弁で、しきりに『シャキャアシュギ』の気焔をあげるのだった。」（山川均『ある凡人の記録』）

目に浮かぶ光景だ。このとき福田は42歳であった。夫友作の死後、英子を「姉さん」と呼んでいた石川と英子は自然の流れで肉体関係が結ばれて事実上の夫婦になった。

１９１１年夏に石川三四郎が横浜に呼吸器の病気を治すために転居したことがきっかけで、翌年夏に英子一家も移り同居している。英子は１８９８年から１９１２年までの約14年間を新宿角筈で暮らした。

### 石川とのわかれ、そして死

石川と英子のその後はどうなったか。アナキストとなった石川は１９１３（大正２）年にヨーロッパへ亡命、出立した。11歳年上の英子との関係を断つためであったともいわれている。20年秋に一旦帰国した石川は、翌年末には２度目の渡欧をした。１年後に帰国した時、石川をパパと呼ぶ若い女性を連れており、２人はそのまま共同生活に入った。石川への愛情をなお燃やし続けていた英子との関係はもとにもどることはなかった（村田静子前掲書）。

１９２７（昭和２）年４月、孫を連れて日本橋三越へ出かけ、帰宅後に行水をつかったのがよくなかった。風邪をひいて寝込み、持病の心臓病を悪化させた英子は、５月２

日夕方6時過ぎ臨終、63歳であった。品川寺での葬儀の会葬者には石川三四郎をはじめ堺利彦、木下尚江、市川房枝ら約200人が集まった。英子の死の翌日には警視庁から特高（秘密警察の特別高等警察の略）の2人が検死にあらわれた。英子ともっとも深いつながりがあった石川の思いはどうであったろうか。石川は自らの死の病床（1956年11月28日死去）で、一番なつかしく思い出される女性として母の次に英子の名をあげたといわれている（村田静子前掲書）。

堺利彦、福田英子に続いて、山川均の眼から「柏木団」を見ていきたい。

## 3 「社会主義者の巣クツ」に住む山川均（1880〜1958年）

### 同志社退学

1901年末に堺利彦が新宿角筈に住み始めたことにより、初期社会主義者たちが続々と新宿にとりわけ柏木に集まり始めた。戦後も活躍した山川均は(注1)、初期社会主義の代表的人物で「柏木団」の主要メンバーだ。山川均とはどんな人物であったのか。

1880（明治13）年12月20日、岡山県窪屋郡倉敷村に農業を営む父山川清平と母尚の長男として生まれた。幕末まで郷宿という代官所に来る役人を泊める公認指定旅館も営んでいた家業が、明治維新で没落したため、東京遊学がままならなかった山川均は高等小学校卒業後にあるキリスト者の口利きで同志社に入学した。ボート部に所属し、琵琶湖での猛練習の一方でトルストイ、カーペンターの著書に感銘を受ける。しかしながら、教育勅語が授業に導入されたことに反発して、山川は同志社を退学してしまう。

1900年、東京に出て、同郷の守田有秋（本名文治）と雑誌『青年の福音』というキリスト教のパンフレットを出版した。守田が「人生の大惨劇」で大正天皇の結婚を大惨劇、皇太子妃を人身御供と書いたことが不敬罪となり、01年7月から3年半の獄中生活を送ることになった。巣鴨監獄ではもっぱら経済学の勉強に専念した。

04（明治37）年6月、仮出獄。読むことが認められなかった「看読不許」の中から週刊『平民新聞』創刊号を見つけて、岡山に帰る前に有楽町平民社に立ち寄り、幸徳秋水を知る。岡山に戻った山川は、義兄の薬屋を手伝うも満足できず、渡米していた幸徳秋水に渡米希望の手紙を送るが「アメリカなんて来るところではない」という返信が届いた。

06年に日刊『平民新聞』の編集委員にならないか、と帰国した幸徳から誘いを受けた山川は、同年12月に岡山から上京した。新富町平民社を訪問したところ、そこで堺と出会い、平民社の社員となる。

07年1月、日刊『平民新聞』創刊。この時に山川は、平民社から初めて収入を得た。ところが、日刊『平民新聞』は4月に廃刊となった。この時期に山川は守田とともに、社会主義者が多く住む淀橋町柏木に移り住むことにした。

「『柏木団』の人々」

出生から最初の妻大須賀里子を郷里への途中まで見送るところで終わる山川均自伝『ある凡人の記録』（1951年、『日本人の自伝9』所収）を読み進めていくと、「『柏木団』の人々」という小文にぶつかる。そこには、日刊『平民新聞』を廃刊した07年4月から9月にかけて「このあいだに、守田の家も3度ばかり引越しをしたが、私はあいかわらず、守田の家に寄生を続けていた」とある。

既に結婚していた守田の家に山川は寄宿していた。07（明治40）年4月ころ、山川均と守田一家は淀橋町柏木352番地（小滝橋通りと大久保通りの交差点の城南信用金庫があるあたり）へ転居した。この時から山川、守田は「柏木団」の一員になった。翌月には小滝橋通り沿いの柏木355番地に転居して、12月には再び352番地に転居した。08年1月には守田家は後の柏木平民社（幸徳秋水宅）となる柏木926番地に転居している。「幸徳さんの書いた金曜社の表札は、赤旗事件のときまで私の（すなわち守田の）家にかかっていた」（山川均前掲書）とあるように、転居後すぐに守田有秋宅に金曜社（金曜会）の表札が掲げられた。堺、幸徳、山川、荒畑、大杉らが「金曜会」を組織して演説会（金曜会）を別会場で毎月開いていたのだ。

08年5月、守田夫婦は中野に転居した。山川均は大須賀里子と結婚して柏木380番地に転居したが、1か月後に赤旗事件により山川は逮捕拘禁された。

柏木926番地の家のその後は、08年8月15日～9月30日まで金曜社、柏木平民社（幸徳秋水宅）、『日本平民新聞』（旧『大阪平民新聞』）本社の事務所となった。

### 幸徳秋水と堺利彦の議論

1906（明治39）年6月、アメリカから帰国した幸徳秋水はゼネラル・ストライキ

本建物は山川が住んでいた柏木352番地。大久保通りと小滝橋通りの交差点あたり。（筆者撮影2020年）

（一斉にストライキをする総同盟罷業）による直接行動で社会主義社会をめざすことを日本社会党（当時）の方針として演説会で提起した。そのことから「直接行動派」「硬派」と呼ばれた幸徳秋水を中心としたグループを山川は「革命派にぞくする社会主義者」とも呼んだ。社会主義者、無政府主義者たちは牽かれるようにここ淀橋町柏木に多く住み、何かあればすぐに同志が集まった。そのことから官憲は彼らを「柏木団」（『社会主義者沿革上』では「柏木組」）と呼び警戒した。思想的、運動的に対立した片山潜、西川光二郎らは普通選挙を実施して議会を通して社会主義社会をめざしたので「議会政策派」「軟派」「改良派」と呼ばれた。西川ら多くは本郷に住んでいたので官憲は「本郷団」と呼び警戒した。

１９０７（明治40）年4月以降に同志の多く集まる淀橋町柏木に引っ越して来た時のことを、山川は「幸徳さんは大久保の百人町に、堺さんはすぐ近くの柏木にいた」ので、会えば「幸徳、堺の2人が議論するのをよく聞いた」（『柏木団』の人々」）と語る。アナキズムを柱に据えた幸徳は社会主義者の堺利彦と「直接行動派」の方針をめぐって、柏木の地で厳しく議論を交わしていた。2人に限らず、儒教思想、キリスト教、自由党左翼、アナキズム等の混沌とした「柏木団」の社会思想状況の中で、議論は深まり、社会主義運動は高まりを見せた。「柏木団」は初期社会主義運動の中心メンバーとなった。

同年10月に、幸徳と堺が日本社会党の運動方針をめぐって協定した内容を確認するにあたって、山川も第三者の立場として声をかけられ、四谷見附のスキ焼屋「三河屋」の会議に参加した。その後、幸徳は慢性腸カタル、妻はリューマチということから、2人して病気療養のため10月27日に東京を発ち、土佐高知中村に向かった。

## 「柏木団」メンバー

堺、福田、山川を通して、「柏木団」のおおよそのことがわかってきた、堺利彦は日本の社会主義運動は平民社に始まり、この時期の社会主義を初期社会主義と位置付けた。ここでは、初期社会主義運動(注2)の源流であり発祥の地である豊多摩郡淀橋町柏木とそこで生活していた直接行動派(注3)の「柏木団」メンバーについてさらに詳しく見ていきたい。

山川が淀橋町柏木に住んでいた時期は1907年4月ころから08年6月22日の赤旗事件までの1年と2カ月余である。はからずもこの時期が柏木団全盛時代であった。山川は当時の柏木を「社会主義者―とくに革命派にぞくする社会主義者の巣クツ」(山川均、前掲書)と振り返り、「柏木団」メンバーとして、以下24人(山川含む)の名前をあげている(順不同、カッコ内は筆者が加えた)。

| | | | |
|---|---|---|---|
| 1 | 守田有秋(1882～1954、社会主義者) | 13 | 神川松子(1885～1939、社会主義者) |
| 2 | 幸徳秋水(1871～1911、アナキスト) | 14 | 徳永保之助(1889～1925、社会主義者) |
| 3 | 堺利彦(1870～1933、社会主義者) | 15 | 張継(1882～1947、清国留学生) |
| 4 | 森近運平(1880～1911、社会主義者) | 16 | 南助松(1873～1964、足尾銅山労働者) |
| 5 | 深尾韶(1880～1963、社会主義者) | 17 | 林小太郎(生没年不詳、足尾銅山労働者) |

1987年の新宿税務署通りと小滝橋通りの交差点。
新宿税務署通り（旧郡役所前通り）の道路幅は明治期と変わらなく、狭い。
堺たち多くの社会主義者＝「柏木団」は明治期にこの通り沿いに住んでいた。「柏木団」コミュニティのメインストリートと筆者は呼んでいる。
（「加藤嶺夫写真全集　昭和の東京 1」より転載）

|  |  |
|---|---|
| 6 | 大杉栄（1885～1923、アナキスト） |
| 7 | 堀保子（1883～1924、大杉妻） |
| 8 | 荒畑寒村（1887～1981、社会主義者） |
| 9 | 管野幽月（須賀子）（1881～1911、アナキスト） |
| 10 | 宇都宮卓爾（生没年不詳、社会主義者） |
| 11 | 百瀬晋（1890～1964、社会主義者） |
| 12 | 坂本清馬（1885～1975、社会主義者） |
| 18 | 大須賀里子（1881～1913、山川妻） |
| 19 | 小暮礼子（1890～1977、社会主義者） |
| 20 | 村木源次郎（1890～1925、社会主義者） |
| 21 | 森岡永治（1885～1911、車夫） |
| 22 | 戸恒保三（生没年不詳、下駄職人） |
| 23 | 竹内善朔（1885～1950、社会主義者） |
| 24 | 山川均（1880～1958年、社会主義者） |

以上のメンバーのうち、金曜講演会屋上演説事件（1908年1月17日）で逮捕、巣鴨監獄に拘禁されたのが、堺、大杉、山川、森岡、坂本、竹内で、「シナの革命党員」であった張継は巧みにその場を去ったと山川は言う。

詳しくは後述するが、赤旗事件（同年年6月22日）で守田・幸徳・森近・深尾・張継・南・林・戸恒以外の現地にいた「柏木団」ほぼ全員が逮捕された。

「もともとなんでもない出来事」を「政府が大事件に作り上げた」のが赤旗事件であり、「あるていどこれに対する復しゅう」を意味していたのが大逆事件であったと山川は言う。

その大逆事件で死刑に処せられたのが、幸徳秋水・森近運平・管野須賀子であり、特赦で無期懲役になったのが坂本清馬である。そして、関東大震災（１９２３年）直後の9月16日に陸軍憲兵大尉甘粕正彦らによって虐殺（扼殺）され、古井戸に捨てられたのが大杉栄、妻伊藤野枝そして大杉の甥で当時6歳の橘宗一であった。これをもって官憲は「柏木団」を壊滅させたのである。

注1　戦後も活躍した山川均
「赤旗事件」で出獄後の１９１０年9月、岡山に帰り山川薬店を開くことにした。16年1月、薬店を閉じて上京、売文社にはいり『新社会』編集に加わり、11月に青山菊栄と再婚している。22年、雑誌『前衛』を創刊して主筆となる。25年、農民労働党結成に協力して、27年に雑誌『労農』創刊に参画、労農派マルクス主義運動の中心的存在になった。37年12月、人民戦線事件で検挙、翌年巣鴨拘置所に収監、39年5月に出所した。
戦後は社会党左派の理論家として活躍して、１９５１年に社会主義協会を結成して、大内兵衛とともに代表となった。この年に山川均自伝『ある凡人の記録』が出版された。生涯にわたって在野の経済学者、社会主義者、社会運動家として活躍した山川均は、１９５８年にすい臓がんのため死去、77歳であった。

注2　初期社会主義運動
明治初期に輸入された外来語、外来思想に Social Democracy（ソーシャル・デモクラシー）がある。日本語に訳すと「社会民主主義」または「民主社会主義」となる。このソーシャル・デモクラシーは、イギリス・ドイツなどヨーロッパ先進国で発達して、政治的民主主義と経済的社会主義を結合させた考え方である。１９００年に日本で最初に発足した社会主義研究団体である社会主義研究会（後の社会主義協会）、翌年に結成された日本で最初の社会主義政党である社会民主党によって紹介された社会主義思想は、このソーシャル・デモクラシーの思想である（『初期社會主義研究』創刊号、１９８６年10月20日）。
03年に設立された平民社の社会主義もその流れを汲んだ。週刊『平民新聞』創刊号（同年11月15

日号）英文欄の「平民主義」の訳語がdemocracyである。平民主義＝民主主義と理解でき、『平民新聞』は民主主義を重視しながら社会主義を説く新聞であったことがわかる。

研究者の間では初期社会主義の始期を明治初期の加藤弘之、西周らがsocietyを「社会」、socialismを「社会主義」の翻訳語として紹介した時期とする説、日清戦争後の日本の産業革命期とする説、社会主義研究会、社会主義協会が設立された1900年前後とする説がある。終期は、大逆事件とする説、大逆事件後の運動の再建をも視野に入れての大正期とする説とがある（前掲『初期社會主義研究』創刊号）。

本書では、初期社会主義の範囲を「ほぼ1900年前後から1920年代前半まで」（荻野富士夫「日本の初期社会主義における『民主主義』の問題」（『初期社會主義研究』第10号、1997年9月30日発行））としたい。その区分は、大きく平民社結成前後から関東大震災直後の大杉栄・伊藤野枝・橘宗一虐殺事件までの時期になる。この時期区分は「柏木団」の歴史に重なる。

注3　直接行動派

1907（明治40）年1月15日、日刊『平民新聞』は創刊されるも同年4月14日第75号をもって廃刊せざるを得なかった。そのわずか3カ月の中で、日本社会党（06年2月創立）の方針をめぐって大きく揺れた。幸徳秋水は「余は正直に告白する」で始まる「余が思想の変化（普通選挙に就て）」を開陳している。05年の入獄と06年の渡米によって幸徳自身の「社会主義運動の手段方針に関する意見」が大きく変わったというのである。直接行動派の意見の一部を読んでみよう。

「『彼の普通選挙や議会政策では真個の社会的革命を成遂げることは到底出来ぬ、社会主義の目的を達するには、一に団結せる労働者の直接行動（ヂレクト、アクション）に依るの外はない』、余が現時の思想は実に如此くである」（日刊『平民新聞』第16号、07（明治40）年2月5日）

幸徳のいう「直接行動（ヂレクト、アクション）」とは、社会一切の生産交通機関の停止つまりゼネラルストライキをさし、昔風に言えば総同盟罷工となる。幸徳と堺の家が近いこともあって、会えば直接行動と議会政策の議論を続けていたことはすでに触れてある通りだ。

幸徳の直接行動について、堺利彦は「社会党運動の方針」（同第21号、同年2月10日）の中で「然し予の肚の中に於ては、殆ど幸徳君の意見と反対する所は無い」としている。そして「議会のみが唯一の噴火口」ではなく「議会以外に於て種々の噴火口」を作ることを幸徳が主張しているとして、堺は次のように述べる。

「故に予は、今後社会主義運動の大方針として、一方には議会政策を取り、一方には労働者の団結を計り、議会内と一般社会と常に相呼応して、平民階級全体の活動を勉るに在るかと思ふ」（同第21号）

直接行動派と議会政策派の接点を求めてまとめているところは、いかにも堺らしい。平民新聞では続けて、直接行動派に対して田添鉄二（１８７５〜１９０８年）が「議会政策論（上）」（同第24号、同年2月14日）、「議会政策論（下）」（同第25号、同年2月15日）で反論している。いわゆる議会政策派の意見開陳である。田添はその「議会政策論（上）」で「予が思想は堺君のと、殆ど同一である」と前置きして直接行動は「危道」として次のように述べている。

「予は斯くて好んで犠牲多き危道をのみ走せねばならぬ理由を少しも発見しない。むしろ、日本現社会の生活実態に照らして、犠牲少なき運動を、吾人の常道となすの優されるを思ふ。従って議会政策の利器を擁すべきは当然である。」（同第24号、同年2月14日）

社会主義者田添鉄二は実直な人物で直接行動派からも一目置かれていたが、翌年に結核で亡くなった。

## 4　初期社会主義者はなぜ淀橋町柏木に集まったのか

### 「柏木団」メンバーの居住地変遷

山川の「柏木団の人々」には登場しないが、福田英子（淀橋町角筈７３８番地）と石川三四郎（淀橋町角筈７３８番地・角筈７６２番地）も柏木に隣接する角筈に住んでおり交流もあったので、「柏木団」に加えることにした。そこで、もう少しくわしく「柏木団」メンバーの居住地変遷（活動内容を含む）を見てみよう（巻末資料１　柏木団メンバーの居住地変遷と活動内容）。

現新宿税務署通り（旧郡役所前通り）。
その左側が「柏木団」コミュニティとなっていた。
（住友グランドビルから2021年筆者撮影）

## 知的文化の中心

なぜ社会主義者は柏木周辺に住み着いたのであろうか。大久保で生まれ育ち地元の戸山小学校を卒業している経済学者大内力（故人、東京大学名誉教授・経済学博士）は、「新開地で安い貸家はいくらでもあるし、人口は急にふえつつあったという第一次大戦前後のこの地の状況の産物であったろう」とし、「ここに移り住んで来たのは多くは中下層のサラリーマンだったが、かれらは当時の日本の知識層を代表していた。他方、キリスト教徒社会主義といえば、明治から大正、昭和にかけて、日本の新しい知的文化の中心であった」（大内力「百人町界隈」『地図で見る新宿区の移り変わり――淀橋・大久保編』新宿区教育委員会発行、１９８４年）と述べている。落ち着いた知的な空気が漂っていた新開地柏木にキリスト者、社会主義者、文化人たちは集まってきたというわけだ。

山川均は同志が柏木に住み着いた理由として、「そのころのこのあたりは、ツツジ園のツツジを抜いてどんどん新築の住宅が建っていたころで、手ごろの新築の貸家がいくらでもあり、そこは手車１台でてがるに引越せる身分だけに、よく引越をした」と説明し、「とくに大杉などは引越趣味で、毎月のように引越していた。」（山川均「『柏木団』の人々」）と驚いている。

「柏木団」が住んでいた柏木は現在も賃貸アパート、マンション激戦地である。昔からの古いアパートが目につく中、最近は若者向け１Ｋルームのマンションが林立集中している。ぼくの祖母そして母も柏木でアパート経営をしていたから、山川の話はよくわ

しまう。周辺一帯は戦後闇市の混乱状態となり、様々な資本が入り込み、その結果コマ劇場、ミラノ座などが建設されて一大歓楽街ができ上がることになる。歌舞伎座は実現できなかったが、名前だけは残りその歓楽街は歌舞伎町と呼ばれることになった。

**副都心から新都心ついには都心**

明治末から大正時代にかけて新宿駅周辺の宅地化は進み、昭和の高度経済成長期には土地の有効活用が謳われた。駅から近い淀橋浄水場は1965（昭和40）年3月31日をもって廃止された。淀橋浄水場跡地の副都心構想——当時、都庁は有楽町にあったので新都心ではなく副都心と呼んだ——が動き出すことになる。

浄水池の水が抜かれてデコボコだらけになった淀橋浄水場跡地は戦争ごっこの絶好の遊び場となり、小学生であったぼくは日が落ちるまで走り回り、工事が始まった中学生の時にはグングン高くなっていく京王プラザホテル（1971年完成）の姿に感動した。

京王プラザに続けと、浄水池の窪地に住友ビル、三井ビル、野村ビルなどが次から次へと造られた。1979年に就任した鈴木俊一都知事が新都心構想として都庁新宿移転案を強力に推進した結果、92年12月に摩天楼と見まがう新都庁舎が完成、翌年4月に正式に東京都の行政の中枢機能を担うことになり、新宿は文字通り都心となった。2020年代になった現在でも、都庁周辺に超高層マンションはつくられ続けている。

約120年前の柏木団メンバーが今に生きかえってきたら、新宿柏木の激変に度肝を抜かされることであろう。いや、「柏木、最高！」と叫んで、尾行する官憲を煙に巻いて林立するビル街の雑踏に紛れ込んでいるかもしれない。

廃止（1965年）直前の淀橋浄水場（「東京都水道歴史観デジタルアーカイブシステム」より）

1970（昭和45）年7月23日淀橋浄水場跡地に超高層ビル第1号京王プラザホテル建設中の写真。（東京都「東京アルバム特集 いま・むかし」より）写真上部に新宿駅、写真下部は新宿中央公園。

コラム3

## 淀橋浄水場と日本一の歓楽街・歌舞伎町

**淀橋浄水場**

東京市民200万人（当時）の水がめが1898（明治31）年11月に完成、翌月1日に通水開始した。その水がめの名は淀橋浄水場、広さは34万平方メートル（約10万3000坪）、東京ドーム7．3個分だ。新宿は、今でこそ大都市であるが、明治末ころは竹林、茶畑が広がる田園地帯であった。1877年の東京の人口は58万人、87年には123万になり97年には200万人に達したとはいえ、西の郊外に位置する新宿はまだ文字通り場末であった。

地元の人たちや土工は建設中の淀橋浄水場のことを「ため（溜）」とよんでいた。土工たちはツルハシをふるって土を掘ったり、その土をトロッコにのせて押したりして、日当1日35銭から40銭であった。当時の湯屋代が大人2銭で、今の東京都の入浴料金は500円(2022年)であることから計算すると、当時の1円は現在の2万5000円となる。当時の日当は現在に換算すれは日当8750円から1万円だ。建設時期が日清戦争に重なったこともあって、戦争景気で町が沸き上がった。

鉄管が道路のあちこちでゴロゴロと転がされるようになると、カネもゴロゴロと転がされた。水道鉄管事件、世にいう疑獄事件が起きたのである。東京市から水道鉄管製造を請け負った鋳鉄会社が、検査不合格となった不良鉄管を市側と結託して不正に納入した事実が明らかになった。疑獄の当事者は鋳鉄会社社長の浜野茂と甲州財閥の雨宮敬次郎だった。尼ケ崎から東京へ出て来て米相場で当てた浜野は3万6000坪の「浜野の屋敷」を築き、しまいにはボート池や活動写真の備わった新宿最初の遊園地「新宿園」(1924年)を開園している（人気はさっぱりで4年後に閉鎖)。2021年東京オリンピックをみればわかるように、いつの時代にも巨大プロジェクトにはカネにまつわる巨悪が存在することがわかる。

紆余曲折はあったが、井の頭池を源とする神田上水、多摩川からの玉川上水、そして井戸水などの自然水が飲料水であった時代から改良水道の時代を迎えることができた。

**歌舞伎町の誕生**

淀橋浄水場は、当時の金額で1000万円（現在の2500億円くらい）が投じられた大建設工事であった。浄水池を掘った際の残土の活用が、日本一の歓楽街・歌舞伎町の誕生につながった。

現在の歌舞伎町あたりには、元長崎藩主大村子爵の大きな鴨池場があり、そこを埋め立てるのに残土が使われた。その後、そこに府立第五高等女学校が建設され、女子教育の場となった。しかし、東京空襲（1945年5月25日）で女学校は炎上して、一帯は焼け野原となってしまった。

戦後、府立第五高等女学校は中野区に移転して現在の都立富士高校となった。戦後復興に当たって、同高校跡地に歌舞伎座の建物を造る計画が上がったが、財政面から頓挫して

超高層ビルの中にある柏木界隈。(アイランドタワーから2020年筆者撮影)

かる。

堺利彦は、「山川均君についての話」(『堺利彦全集』第6巻所収)の中で「柏木団」について次のように述べている。

「日刊紙がつぶれてから、山川君は守田君と一緒に淀橋の柏木に住んでいた。守田君は山川君より1つ2つ年少であるけれども、細君はあるし、世話好きの性質もあるので、山川君を内に置いて世話しているという格で、同志間に『おじさん』と称されていた。そのころ、秋水は国に帰っていたが、わたしだの、大杉君だの、荒畑君だの、みなその近所に住んでいたので、新聞などでは我々のことを『柏木団』と呼んでいた。」

「しかし、なにしろいわゆる柏木団では、山川君と大杉君が花形で、『金曜講演』など盛んにやっていた。わたし自身についていえば、社会党時代から、ちょうど両派の中間に立つ地位にいたが、実際にはやはり柏木団に属していた。そして幸徳・大杉＝山川＝堺というボカシになっていたと思う。だから柏木団だけについてみれば、山川君が中央であった。」

幸徳・大杉はアナキズム、堺はマルキシズム、そして両端の接着剤役が山川という分析だ。酔うと、ガスの火が燃えている、猫が座っているのがおかしいと「エヘラエヘラ」と「軽い静かなタワイない笑い方」をすると、山川の思わぬ一面も書き残している。

## 演歌師も集まる

堺は、この４人とは異質なメンバー添田唖蟬坊も紹介している。

「唄といえば、柏木団のころ、みんなが添田唖蟬坊を師匠にして、ラッパ節の呼び売りをやったことがあった。」（前掲書）

ラッパ節とは「社会党喇叭節」のことだ。大衆にとって演説は難しいが、演説を歌にした演説歌、略して演歌は大衆に幅広く受け入れられた。『オッペケペー節』の川上音二郎の陰になりやすいが、１９０６年日本社会党結成時の評議員をつとめ、演歌を社会主義伝道の力強い手段とした添田唖蟬坊は、すぐれた大衆芸人だった。

## 「柏木団」の全盛時代は１９０７〜08年

堺が初めて柏木３５４番地に住居を移し、文字通り「柏木団」のリーダーになるのは１９０６年10月のことだ。翌年３月には近くの柏木３１４番地に移りそこに同年11月まで住み、その後柏木１０４番地に転居するという具合に柏木を根城にしていた。08年６月、あの赤旗事件に直面している。

「柏木団」メンバーの居住地変遷から、その全盛時代は１９０７〜08年であることがわかる。多くの初期社会主義者が堺、山川の住む柏木に集まり住むようになったのだ。そのピークの始まりはイギリス労働党創立者のケア・ハーディが柏木の堺宅に泊まった時であろう。大病後の療養旅行の道すがら日本に立ち寄ったケア・ハーディは、07年８月21日に豊多摩郡淀橋町柏木３１４番地（現新宿税務署あたり）の堺宅に１泊した。この時期に柏木の堺宅周辺に住んでいた主なメンバーは、山川均、守田有秋、幸徳秋水、坂本清馬、大杉栄、堀保子、荒畑寒村、管野須賀子、森近運平、南助松、福田英子、石川三四郎等々と初期社会主義者のオールスターキャストである。

現在の新宿税務署通り。道路幅は拡張されて、ごちゃごちゃした雰囲気はなくなった。(筆者撮影2021年)

## 「柏木団」のメインストリート

郡役所前通り（現新宿税務署通り）は「柏木団」全盛時のメインストリートであり、そこからは見晴らしの良い田園風景を楽しむことができた。それから60年後、ぼくが幼少の頃（１９６０年代）は、自動車がすれちがうのもギリギリで、八百屋、肉屋、魚屋、酒屋、菓子屋、荒物屋、刃物屋、材木屋が所狭しと建ち並び、どちらかというと下町的雰囲気が漂っていた。古い地図を引っ張り出して現在と比較して見ると道幅は同じであった。

現在、この道路は拡張されてきれいになり、両側には高層マンションが建ち並んでしまった。しかし、１歩路地裏に入ると明治期の雰囲気はわずかであるが残っている。柏木団全盛時代の「直接行動派」（山川いわく「革命派」）に属する社会主義者・無政府主義者たちは、ここ柏木に多く住み、何かあれば近隣からすぐに同志が集まるサロン地と化していた。彼らの濃密な人間関係が浮き彫りになってくる（巻末資料２　柏木団の年度別 居住地一覧）。

柏木は、社会主義というひとつの理想社会を求めたさまざまな人間が集まる場所となった。新興住宅地の柏木は、それにふさわしい場所であった。淀橋町柏木の移り変わりの中で、柏木団は真摯に時代と向き合い、理不尽で不条理な官憲の弾圧と拷問にあいながらも権力にあらがいながら世の中をよくしたいという純粋な気持ちを共有した。

革命と恋愛に命を懸ける「柏木団」のライフ・ヒストリーは魅力的だが、恋愛に「フリー・ラブ」という社会主義の論理が導入される（こじつけられる）とそこからジェンダー思想が抜け落ちて男の論理がまかり通ってしまう危険もはらんでいた。

「僕はまたここに添田平吉君を思い起さざるをえぬ。彼は読み売りを業とするものである。このごろの霜の夜にその美声を振り絞って、社会党ラッパ節もしくは『ああ金の世や』を街頭に歌い、いかに多くの平民労働者にその自覚を促していることぞ。社会党の事業は千差万別でなければならぬ。彼のごときは実に独特の一新方面を開きえたものである」

唖蝉坊は戸山が原でひらかれた柏木団たちの運動会・園遊会にも参加し、自慢ののどを披露している。

### 柏木団と添田唖蝉坊

堺は次のような思い出も語っている。

添田唖蝉坊が師匠となってラッパ節の唄練習を「柏木団」でしている時のことだ。「山川、大杉、荒畑らの諸君もみんなやった。ただわたしだけには、どうしてもそれだけの音楽的才能が欠けていた」(「山川君についての話」『堺利彦全集』第6巻)

堺は音痴だったのだなあと堺の弱点を知ったぼくはなぜかニヤリとした。

1908年1月1日の『日本平民新聞』は読者に呼び掛けた「唱歌を募る」の入選作「革命歌」を発表しているが、唖蝉坊はこの歌を広める役割も果たしている。そんなこともあって、唖蝉坊の陰にいつも私服刑事がまとわりつき、尾行していた。その刑事が定年になったときに、なんと演歌師になりたいと唖蝉坊に弟子入りしたという逸話も残っている(2020年7月26日「ニッポン人脈記」朝日新聞)。唖蝉坊は、社会主義「冬の時代」に堺が設立した売文社の同志茶話会、同志忘年会にも参加して交遊を深めた。

全国行脚をしていく中で、最後は「くず屋」の2階で72年の生涯を終えた唖蝉坊は、最下層の人々が住む貧民窟で演歌を生み出し、貧民窟で死を迎えたホンモノの演歌師であった。

1906(明治39)年、牛込戸山が原にての園遊会、運動会。後列向かって右より7人目堺利彦、前列右添田唖蝉坊(『堺利彦全集第2巻』より)。

1911年12月24日、売文社(四谷左門町、堺自宅)での同志忘年会。前から3列左添田、ひとりおいて大杉、堺。(『大杉栄全集第2巻』より」

コラム4

## 添田唖蝉坊と「柏木団」

### 壮士の演歌に憧れ

神奈川県大磯の中農に生まれた添田唖蝉坊（本名平吉、1872～1944年）は、明治・大正・昭和期の風変わりな演歌師である。演歌といっても演説歌の略であり、政府批判を唄うので演歌節は壮士節ともいわれた。あの自由民権運動の壮士である。国を憂えた壮士は街頭で演歌を唄った。

1890（明治23）年、18歳の少年平吉は自由民権運動の壮士の演歌に感激した。約30年の演歌師生活で作った歌は約200。街角で歌って、歌詞を印刷した歌本を販売する「読み売り」が演歌師の生活の糧だ。妻に先立たれた後、唖蝉坊は息子の知道と下町の四畳半一間の長屋に、関東大震災で被災するまでの13年間住んでいた。最下層の人々が暮らす中から『ノンキ節』は誕生した。

庶民の声を代弁し、権力や権威、特権階級、金の亡者を風刺して、その社会的風潮も痛烈に揶揄した。現代の拝金主義、貨幣の物神性にもつながる『金々節』（1番～21番）は、第1次世界大戦のバブル景気による成金の出現で格差社会が露見したころに作られた。

「金だ金々　金々金だ　金だ金々　この世は金だ／金だ金だよ誰がなんと言おと　金だ金々　黄金万能　／　金だ金々　金々金だ　金だ金々　その金欲しや／欲しや欲しやの顔色目色　見やれ血眼　くまたか眼」

以下、「学者、議員も政治も金だ」「神も仏も　坊主も金だ」「金だ教育学校も金だ」と21番までつづく。

路上パフォーマンスのシンガー・ソングライターの元祖、さらにコミックソングはたまたプロテストソングのはしりを1人あげるとすれば、添田唖蝉坊ではなかろうか。権力と結託した特権階級に対する痛烈な唖蝉坊節は庶民に大いに受けた。

### 堺利彦と「社会党喇叭節」

演歌師添田と「柏木団」とのつながりは深い。堺利彦は「社会党喇叭節」の「読み売り」で有名になった唖蝉坊の文章のうまさについて次のように語る。

「四月二四日夜　＜唖蝉＞
唖蝉の『春のゆうぐれ』という一文を福岡日日新聞に読む、優美にして雅致あり、惜しむべき筆なり」（「30歳記（日記）明治32年～35年」『堺利彦全集』第6巻所収）

堺は社会主義を広める運動には、理論的な言説だけではだめだとわかっていた。大衆にアピールするには面白みがなくてはならないと唖蝉坊を当初から高く評価していた。そうこうするうちに、社会党を宣伝するから「社会党喇叭節」を唄わせてくれと堺のもとに現れた。堺は2つ返事で了承して、添田唖蝉坊はそれより同志となった。1906（明治39）年、日本社会党結成と同時に添田は評議員を務めることになった。

堺は一文「獄中より諸友を懐う」（『堺利彦全集』第6巻）の中で唖蝉坊を思い起こした。

# 2章　平民社と「柏木団」

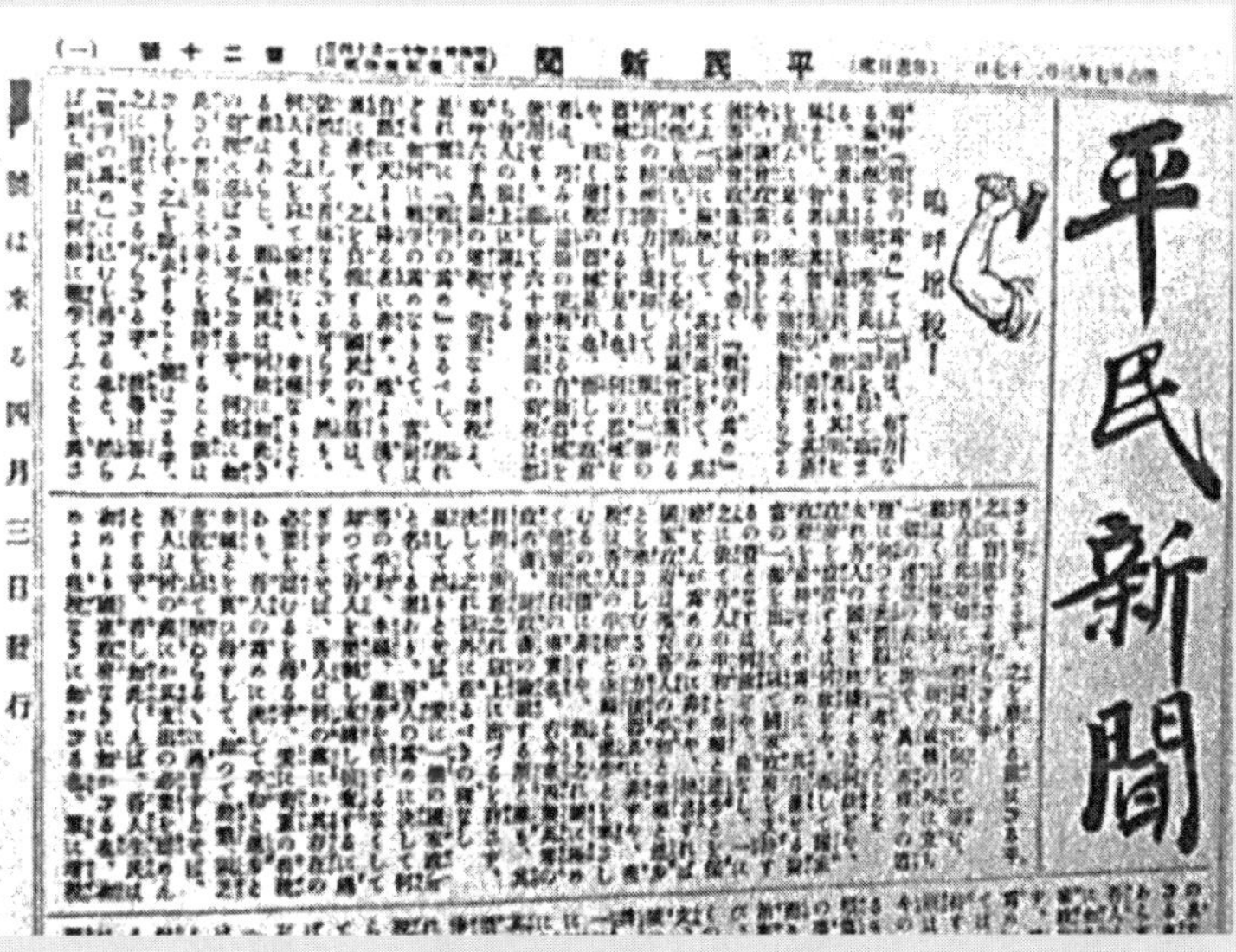

平民新聞

嗚呼増税！

次號は來る四月三日發行

『平民新聞』第 20 号 1904（明治 37）年 3 月 27 日
幸徳秋水の書いた社説「嗚呼増税」で堺利彦が社会主義者として初めて巣鴨監獄（現サンシャイン 60）に入獄した。堺は巣鴨監獄を「理想郷」と皮肉った。

平民社創立幹部
左幸徳秋水　中央上堺利彦
中央下 石川三四郎。
右 西川光二郎

編集局の写真「一方が幸徳と神崎。一方が堺、石川、西川、柿内」と紹介されている。
（『平民新聞』第41号、1904（明治37）年8月21日より転載）

## 1　平民社のはじまりと「柏木団」

初期社会主義運動発祥の地は柏木

堺利彦は、死の2年前に雑誌『中央公論』に連載した『社会主義運動史話』(『堺利彦全集第6巻』所収)の中で、後々の研究者のためにと「平民社時代――初期社会主義者の運動と生活――」と題して当事者の眼から見た日本の社会主義の移り変わりを分析している。ちょっとそのさわりを見てみよう。

「日本社会主義運動の歴史は、自由党左翼の活動を前期となし、明治34年の社会民主党前後を第1期、36年の平民社から43年の大逆事件までを第2期となすべきであるが、『厳密には』(荒畑寒村君の言葉を借りれば)『日本の社会主義運動は平民社に始まると言うもあえて過言ではない。』」(「平民社時代」『中央公論』1931年1月号)。

幸徳秋水は、彼の師である中江兆民(1847~1901年、土佐藩の足軽の子として生まれるも、岩倉使節団に同行し、帰国後自由民権思想家となる)の書生として生活を共にして多くの薫陶を受けた。そして小島龍太郎(1850~1913年、高知出身)ら「自由党左翼」の自由民権運動を引き継いでいた。

それに続く第1期は、アメリカ帰りのキリスト者の安部磯雄、片山潜と幸徳秋水らの社会民主党設立(1901年)宣言期の運動である。キリスト者でない幸徳は創立者に名前はあれど活躍の場はあまりなかった。黎明期の日本社会主義運動はクリスチャンと自由党系の混在であり、さらにそこに堺のように孟子が説く儒教の影響を受けた自由党系も加わった。

第2期は、1903年からの平民社時代の活動であり、その中心は幸徳秋水、堺利彦であった。平民新聞の宣言の中には、自由民権思想やフランスの啓蒙思想が反映されていた。

第3期の運動の中心は幸徳、堺、石川、西川の合議経営による平民社となった。運動の機関紙『社会主義』を経営していた片山が渡米により抜けた後、社会主義協会の本部も1904年1月から平民社に移った。

以上見ての通り、キリスト教思想あり、自由党左翼あり、儒教思想ありと、ごちゃまぜの日本の社会思想状況の中で生まれた初期社会主義は、メイド・イン・ジャパンの和風社会主義と言ってよいのかもしれない。そして、平民社に始まる初期社会主義運動の中心メンバーは「柏木団」であることから、その発祥の地は淀橋町柏木ということになる。

### 平民社宣言と週間『平民新聞』——1903年11月

日露戦争が迫る中、非戦論を貫いていた『萬朝報』社主の黒岩涙香は、販売部数激減に耐えられず、主戦論に走った。この間の経緯を少し詳しく見ていこう。

社会民主党は結党2日目の1901年5月20日に治安妨害の理由で解散が命じられるや、7月2日に『萬朝報』は「平和なる檄文」を発表して「理想団」の結成を呼びかけた。その結果、黒岩涙香、内村鑑三、幸徳秋水、堺利彦ら8人が発起人となって「理想団」は立ち上がった。堺は翌年1月24、25日の萬朝報で、兵士とその家族のために兵役を3年から2年に改めよと訴え、大きな反響をえた。しかし、03年になると「開戦論の流行」が各新聞社記事にも露骨にあらわれたので、理想団の幸徳、内村、堺は非戦記事を萬朝報で展開することにした。ところが、10月8日、黒岩は3人に何の相談もなく、「平和の道がなく戦争」という開戦論に方針を転換してしまった。

これを知った幸徳と堺は、10月12日に「退社の辞」を萬朝報で発表した。堺は萬朝報社退社のことを次のように記した。

「其の年（注・1903年）の秋に至つて、萬朝報社内に非戦論と主戦論との衝突があつた。予は幸徳秋水君と共に社会主義者としての非戦論を取つて退社した。内村鑑三君も亦た基督教信者としての非戦論を取つて同時に退社した。是は予の生涯に於ける一大段落であつた」（『半生の墓』）

淀橋町角筈で長女真柄が生まれた年の秋10月10日に堺は萬朝報社を退社した。堺と幸徳はその後『平民新聞』発行に向けて全力を注いだ。

1903年11月15日、堺利彦・幸徳秋水・石川三四郎・西川光二郎らは週刊『平民新聞』を創刊した。8000部を発行したといわれ、当時としては破格の発行部数だ。巻頭の「宣言」に注目したい。全部で5項目からなる。その中で「平民主義を奉持」「社会主義を主張」「平和主義を唱道」と3つの主義主張を宣言した。それぞれ見てみよう。

第一項目

「一、自由、平等、博愛は人生世に在る所以の三大要義也。」

第二項目

「吾人は人類の自由を完からしめんが為めに平民主義を奉持す、故に門閥の高下、財産の多寡、男女の差別より生ずる階級を打破し、一切の圧政束縛を除去せんことを欲す。」

第三項目

「吾人は人類をして平等の福利を享けしめんが為めに社会主義を主張す、故に社会をして生産、分配交通の期間を共有せしめ、其の経営処理に社会全体の為にせんことを要す。」

第四項目

「吾人は人類をして博愛の道を尽さしめんが為に平和主義を唱道す、故に人種の区別、政体の異同を問はず、世界を挙げて軍備を撤去し、戦争を禁絶せんことを期す」

第五項目

「吾人既に多数人類の完全なる自由、平等、博愛を以て理想とす、故に之を実現するの手段も、亦た国法の許す範囲に於て多数人類の輿論を喚起し、多数人類の一致協同を得るに在らざる可らず、夫の暴力に訴へて快を一時に取るが如きは、吾人絶対に之を非認す。」

平民社同人

有楽町平民社。
麹町区有楽町２丁目１番地（現有楽町マリオン数寄屋橋寄り）『堺利彦全集』第３巻より転載

堺34歳、幸徳33歳の時に2人で協議されたもので、立案と執筆は幸徳であった。「宣言」が「自由、平等、博愛」を掲げたことは「明らかに自由民権運動の思想的系統」によるものと堺は述べている（『社会主義運動史話』）。

驚くべきは「平和主義」と「戦争を禁絶」をこの時期に訴えていることだ。しかし、これらが現実化するのには、１９４７年の日本国憲法施行を待たねばならない。憲法前文と憲法第９条に象徴的にみられる平和憲法成立までに43年の年月を要した。

この「宣言」記事を読んで大いに感動した荒畑寒村は、社会主義の運動に入った。多くの若者を魅了した社会主義運動、平和運動、非戦運動の原点となった平民社を詳しく見ていこう。

## 2　平民社と「柏木団」

明治期の初期社会主義者が設立した平民社本社は最初の有楽町から4回移転している。便宜的にそれぞれの所在地から（1）有楽町平民社（2）新富町平民社（3）柏木平民社（4）巣鴨平民社（5）千駄ヶ谷平民社と名づけよう。さらに大逆事件後に創立した（6）大久保平民社をいれると5回移転している。それぞれの平民社と「柏木団」のつながりについて見ていこう。

### ⑴ 有楽町平民社と「理想郷」

現在の数寄屋橋交差点。有楽町平民社跡地には、有楽町マリオンがある。（2023年筆者撮影）

〈住所〉麹町区有楽町2丁目1番地
〈期間〉1903（明治36）年11月15日～05（明治38）年10月9日

### 最初の社会主義新聞

前述した通り、非戦論を唱えて朝報社を退社していた幸徳秋水と堺利彦は、あらたに平民社を設立して、石川三四郎、西川光二郎とともに最初の社会主義新聞となる週刊「平民新聞」を創刊した（巻末資料3　週刊『平民新聞』）。『共産党宣言』の日本初の翻訳が掲載された創刊1周年記念号は、すぐさま発行禁止となった。その後も政府の弾圧は続き、1905年1月29日の第64号で廃刊せざるを得なかった。マルクスの『新ライン新聞』の終刊号にならって，全紙面赤刷りであった。同年10月9日、平民社は解散した。

### 幸徳秋水一家が堺宅近くに転居―1903年12月

有楽町平民社は、数寄屋橋（現暗渠）近くの現有楽町マリオンの角あたりにあった。2階建て平民社の階上は10畳と7畳半の2室ある編集室、階下には事務室、食堂と寝室を兼ねた9畳、4畳半、3畳、2畳の4室があった。最初の頃は階下に幸徳秋水の一家が住んでいた（荒畑寒村『寒村自伝上』）。しばらく幸徳一家は平民社社屋で暮らしていたが、1903年の年の瀬に、幸徳一家は新宿に転居した。『平民新聞』第9号（04年1月10日発行）で、幸徳傳次郎の名で豊多摩郡淀橋町字柏

幸徳秋水一家が堺宅近くに転居―1903年12月
まっすぐ延びる小滝橋通りの奥左側が幸徳宅、奥右側が堺宅と福田英子宅。写真奥交差点右に新宿大ガード。写真中央右側は「思い出横丁」。(小田急歩行者デッキ「カリヨン橋」から2022年筆者撮影)

木89番地に移転したことを「謹告」している。近所となった同志の堺はいう。

「平民社と幸徳家と同居では、いろいろ不便なこともあるし、幸徳家の人々の健康のためにも悪し、かたがた去年の年末に幸徳一家は淀橋に引っ越した。堺一家はそれ以前から淀橋にあったので、今では幸徳と堺と半町とは隔てぬ所に住んでいる。出でても入っても何かの打ち合わせにはこのうえもない便宜を得ることとなった。」(「平民社籠城の記」、『平民新聞』第17号、1904年3月6日)

昔の尺貫法では、1町は109メートルなので、半町は約55メートルだ。堺家から幸徳家まで半町もないというからあっという間の近所であった。

堺は幸徳一家が有楽町平民社に遊びに来ることにも触れている。

「秋水の細君は、もとよりのことであるが、その姉君の師岡須賀子女史もおりおり編集局を見舞ってくれる。秋水のオッカさんも退屈まぎれの気晴らしにチョイチョイと遊びに来なさる。」(同前掲書)

堺宅の隣に住む女性自由民権活動家の先駆けだった福田英子に関しても「三日に一度ぐらいは顔を見せてくださる」と喜んでいる。

同じ年の秋には家族ぐるみの付き合いのことも記した。堺は久しぶりに幸徳家に立ち寄った際に、半日幸徳と語り合い、夕飯時は幸徳の母親、妻を交えて「微酔」を楽しみ、最後に柏木の様子を次のように語る。

「夜ふけて秋水と二人、月下に影を踏んで郊外に散歩した、空は澄み渡り、木の葉は落ちつくしている、何だか知らぬがしきりに感慨を催した」(「平民日記」『平民新聞』

青梅街道（横）と小滝橋通り交差点
右に新宿西口大ガードが見える。
福田英子・堺利彦宅跡地
淀橋町角筈738（現西新宿7-2-5）
写真右奥が跡地の現在。
幸徳秋水宅跡地
淀橋町柏木89番地（現西新宿7-9-17）
写真左奥が跡地の現在。
（2022年筆者撮影）

第55号、1904年11月27日）

そこは東京府下と呼ばれる片田舎であったが、堺、幸徳宅からは近くを走る甲武鉄道（現中央本線一部）の線路が見えていたはずで、蒸気機関車から電車への移り変わりもわかった。幸徳一家は1903年12月年末から05年11月14日（幸徳秋水が戒厳令下を離れての渡米日）まで約2年弱柏木89番地に住んでいた。

新宿駅西口周辺に内村鑑三、堺宅隣地に福田英子、堺宅から道路を挟んで50メートルくらいのところに幸徳が住んでいたことがわかり、現地を歩くことにした。現在の住居表示西新宿7-9-17は新宿駅西口大ガード近くで、数多くの居酒屋、事務所、飲食店が立ち並んでいる。

### 堺の「理想郷」と番号「1990号」―1904年4月

堺、幸徳ふたりにとって、近所となったことは幸福であった。堺の妻美知子は、1904年元旦の日記に「好き天気にてあたたか、まことにしづかなる元日」と記した。午前に近所の幸徳秋水、隣家の福田英子、石川三四郎らが来てにぎやかに過ごした。しかし、堺一家が無事を願った元日の願いは3か月後にあっけなく打ち砕かれた。堺が「理想郷」に入ったのである。

堺は週刊『平民新聞』（第24号、04年4月24日）に「告別の辞」を載せた。

「花見には少しおくれたれど、小生は本日より2か月の間、面白き「理想郷」にはいりて休養いたします」

幸徳秋水宅跡地
淀橋町柏木89（現新宿区西新宿7-9-27）青梅街道に向かって道路右側が幸徳宅。居酒屋となっている。奥に見えるのは新宿新都心の超高層ビル群。（2020年筆者撮影）

福田英子、堺利彦宅跡地
淀橋町角筈738（現西新宿7-2-5）小滝橋通りに面してのビル1階がカフェになっていた。（2020年筆者撮影）

そして、同年6月26日の週刊『平民新聞』第33号に次の文を載せた。

「小生は去る19日をもって2か月の休養を終わり、20日午前5時をもって巣鴨の『理想郷』を出でました」

堺の言う「理想郷」とは一体どこであったか。

幸徳秋水の社説記事「嗚呼増税！」（『平民新聞』04年3月27日）が発禁処分を受け、編集・発行人の堺利彦は社会主義者入獄第1号（巣鴨監獄、軽禁錮2か月）となった。「理想郷」とは監獄のことであり、堺一流の皮肉であった。

4月21日に、堺は15～16人と一緒に2台の馬車で巣鴨監獄に送られ、身体検査後の堺利彦は「1990号」と呼ばれた。

「先づ玄関の様な一室で素裸にせられて、それから次の室で『口を開けい』『両手を揚げい』『四這いになれい』などと云ふ命令の下に身体検査を受けて、そこで着物と帯と手拭と褌を渡される」（『半生の墓』）

ぶちこまれた巣鴨監獄の中の様子を「獄中生活」（『空々零生』の名前で『平民新聞』第33号に掲載）としてルポしている。

「監房は4畳半の1室で、チャンと畳が敷いてある。高い天井には電灯が点れて居る。室の一隅には宛かも炉を切った如き便所がある。他の一隅には少き3角形の板張りがあつて、土瓶、小桶などが置いてある。りや中々しゃれたものだと予は思うた」（同前掲書）

巣鴨監獄は今はなく、そこには超高層ビルサンシャインシティがそびえ立つ。ここは、

巣鴨監獄跡地のサンシャインシティ
巣鴨監獄は、戦後にGHQに接収されてスガモプリズンとなり、A級戦犯の東條英機らの絞首刑が執行された。現在、その跡地には超高層ビルサンシャインシティがある。
（2014年筆者撮影）

占領期（１９４５年９月２日～54年４月28日）にはスガモプリズンとなり、東京裁判でA級戦争犯罪人28人のうち７人が有罪で絞首刑となり、ＢＣ級戦犯者を含めると、全部で60人がスガモプリズンで処刑された。60階建てのサンシャインシティの「60」は、処刑人数＝シークレットナンバーが刻み込まれたといわれている。

**巣鴨監獄の出獄─１９０４年６月**

堺は出獄の様子も『平民新聞』第33号に記した。

「６月20日午前９時、秋水の謂（い）はゆる「鬼が島の城門のやうな」巣鴨監獄の大鉄門は、儼然（げんぜん）として其の鉄扉（てつぴ）を開き、身長僅かに５尺１寸の予を、物々しげに此の社会に吐き出した」（『半生の墓』）

04年６月20日、まだよちよち歩きの娘真柄が「隣家のヲバさんなる福田英子」に手を引かれて迎えてくれたが、父の顔は覚えていなかったと堺は振り返る。当時の池袋は野と畑が広がる田園地帯であった。池袋停車場から汽車で向かった先は新宿停車場、ここで下車すると秋水妻が走り寄り迎えてくれた。淀橋角筈の自宅では病妻美知子が好物の豆飯（まめめし）を炊いて待っていた。しかし、堺は靴を脱がず、そのまま近所の秋水宅を訪ねた。秋水は病床に臥しており、半ば身を起して堺の手を握った。

６月26日、角筈十二社梅林亭で堺利彦出獄歓迎会を兼ねた園遊会が開催（発起人安部磯雄）されることになった。９時開会、会場にはおでん屋、ビヤホール、団子屋なども設けられた。昼の弁当が配られた後に余興が始まるという大宴会であった。同志ら

「十二荘菖蒲の図」(1860年)(新宿歴史博物館蔵)
一松齋芳宗(1817～1880年)が描いた十二社の弁天池。数人の若者が泳ぎ、池の周辺は花菖蒲が満開。菖蒲の他に桜名所となり、この浮世絵と同じ景色があったと思われる。園遊会の時も池で泳いだり、滝に打たれて遊んだりしていた。

150人が参集してにぎやかとなり、天皇直訴事件以来たびたび平民社を訪れている田中正造も出席していた。

ほっとするのもつかの間、獄中で毎日朝夕に我が家の安穏を願っていた堺に待ち受けていたのは美知子の死であった。出獄から2か月ばかりして堺の妻は亡くなった。

### 管野須賀子と堺利彦との出会い——1904年7月

1903年4月末に『大阪朝報』が休刊したことから、管野須賀子は大阪婦人矯風会(会長林歌子)に入会、職員となった。翌年7月13日、管野は上京して大阪支部代表として婦人矯風会大会(神田区青年会館)に参加した。18日、帰阪前に管野は有楽町平民社を訪れて堺利彦と初めて出会い、そこで管野は今までの半生とつらい体験を語った。それを静かに聞いていた堺はあなたは何も悪くないと応え、「社会主義思想を有せる管野須賀子」と「平民日記」に書き残している。

05年1月に管野は『平民新聞』に「大阪社会主義同志会」設立を発表して社会主義への第1歩を踏み出した。10月になると、堺利彦から『牟婁(むろ)新報』記者をすすめられ、社外記者として採用された。

### 妻美知子の日記とその死——1904年8月

「美知最後の日記」(1904～05年)には、堺の入獄から妻美知子が病で亡くなる直前までのことが記されてある。日記をのぞいてみよう。

1968年頃の弁天池。この弁天池は埋められて、現在はない。跡地はマンションとなった。(「加藤嶺夫写真全集　昭和の東京1」より転載)

「4月21日天気。今日、夫ハ入獄。夜も目の醒める度に、どうして御出かとや思ひ出で、おちおちと眠れず」

4月22日の日記には堺入獄の翌日ということもあって、「今日見舞ひに来てくれし人、円城寺(天山)、斎藤兼次郎、加藤(米司、梅)夫婦、内村(鑑三)おくさんの諸氏、幸徳さん、おばあさん、おくさん、福田さん、石川さん、たいへんにぎやかであった」とある。

「5月7日好き天気。急に思ひたち、石川氏、福田さんと巣鴨へ行って面会してくる。赤い着物の姿を見て悲しくハあつたれど、ゆふべ石川さんと約束した言葉もあれバじつと耐へて涙一つこぼさぬが、声がふるひて、云ふ事が分らなかつたかも知れぬ」

「5月24日雨天。腰が痛み頭痛ハする。(略)甲州屋からチキンカツレツをとつて食べた。何を食べてもおいしくない。牢にゐる夫の事を考えるともつたいない。」

「6月5日天気。今日もやつぱり腰が痛い。体のだるい事。(略)夕方、幸徳のおばあさん、福田さん、子供2人来て、いとにぎやか」

美知子の日記は6月19日で終わっている。夫の利彦が出獄してくる前日である。

「くもり。いよいよ明日となった。どうか天気だといいけれど。今日は何んだか世話しない。……」

日記から、隣に住む福田英子、石川三四郎、道を挟んですぐの幸徳秋水・幸徳の母、淀橋浄水場近くの内村鑑三の妻たちが美知子に心遣いしているのがわかる。美知子の健康は日に日に悪くなった。日記には、幸徳秋水との金銭的なもめごとなども記されてい

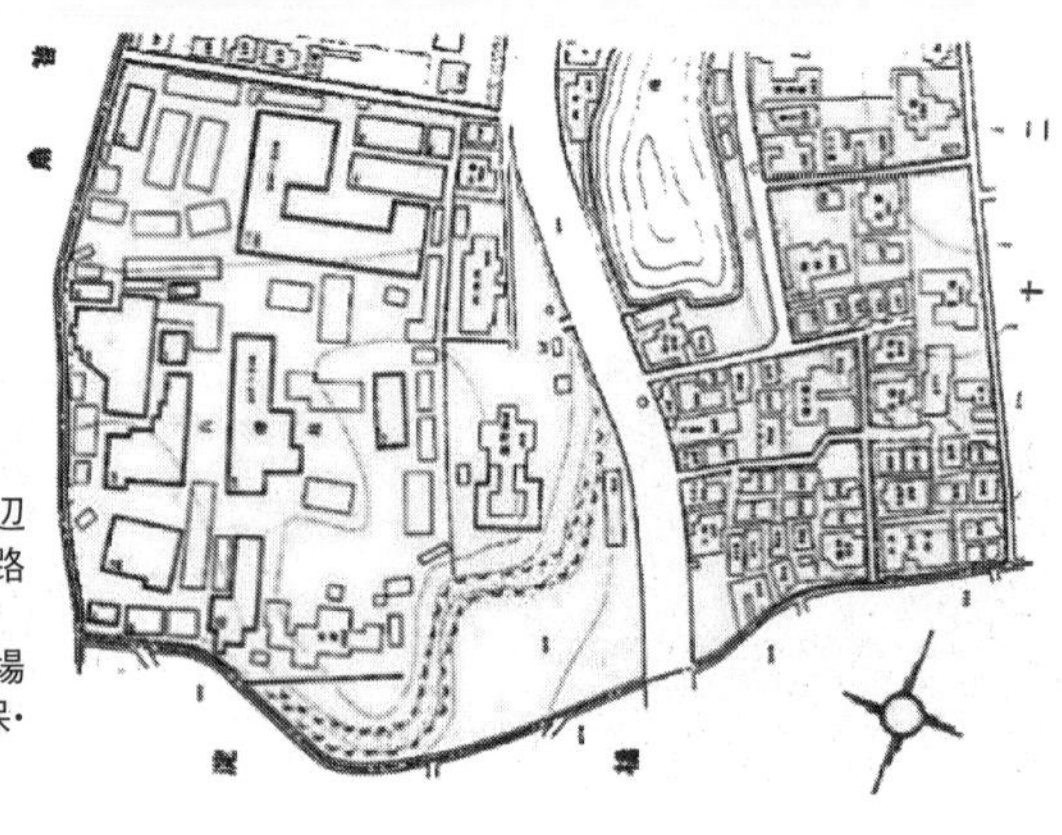

1938（昭和13）年の十二社周辺の地図。道路右上に池がある。道路左は現在の新宿中央公園。ここが「柏木団」の園遊会等の会場になった。『新宿区の民俗　大久保・淀橋地区』より転載）

てそれはそれで興味深い。

翌日巣鴨の監獄から帰って来た堺は妻の痩せた姿にギョッとしている。妻美知子は8月18日に神奈川の加藤病院で亡くなった。深い悲しみが堺を襲った。妻の死後、堺は娘真柄を知人に預けて、ただ1人有楽町平民社に住むことにした。堺はせっかく手に入れた自転車を残された家族の生活費に充てるために売却した。「ただ自転車を売り飛ばして多少の息をついたのみで、あとは平民社にお頼み申して出かけて行った」（『予の半生』）

幸徳の入獄――1905年2月

今度は幸徳が入獄することになった。すでに『平民新聞』は廃刊となっていたが、『平民新聞』第52号の石川三四郎「小学教師に告ぐ」その他の筆禍事件により禁錮5か月と罰金50円の刑を受けて、05年の2月28日に幸徳は西川光二郎とともに巣鴨監獄に入獄した。その直前に日比谷公園で入獄記念の写真を撮影している。

写真には、幸徳を中心にその横に妻の千代子、西川光二郎、堺利彦、石川三四郎、木下尚江らが写っている。幸徳にとって初めての入獄から5か月後の出獄日の様子を堺利彦は次のように記している。

「7月28日午前4時ごろ、予と石川君とは巣鴨監獄所門前の茶店の寝床において呼びさまされた」（「幸徳君出迎えの記」『堺利彦全集第3巻』所収）

幸徳の妻千代子は内藤新宿署の刑事や巡査と車で「鬼が島の城門」（巣鴨監獄の門の

幸徳秋水出獄の日の写真
1905（明治38）年7月28日
柏木89番地の幸徳家の前。
2列目真中に幸徳、その右横に母の姿が見える。
（『堺利彦全集第2巻』より転載）

こと、幸徳が名付けた）の前にやって来た。そのうちに60～70人が集まり、午前5時30分に丸坊主のいがくり頭で羽織はかまの幸徳が3人に抱かれて現れた。幸徳は物静かに挨拶を述べ、一同は電車で池袋停車場から新宿停車場に向かい、そこから歩いて数分の幸徳家に着くと堺利彦は幸徳の母に真っ先に挨拶した。

「予は幸徳家に着いて、『まずご安心でございましょう』と一番にオッカさんにあいさつした」（同前掲）

幸徳は妻千代子が用意した布団の真白き敷布の上に横たわり、客の男女は振舞われた寿司とあずき飯をご馳走になった。生け花の山ゆりの香と庭の花壇の花々を見て、堺は「実に愉快」「まずめでたしめでたし」（同前掲）と幸徳の無事を喜んでいる。

出獄の日に柏木89番地の幸徳宅前で撮影された記念写真がある。写真の中には留守を預かった幸徳の妻千代子と老母多治が写っている。堺は幸徳の衰弱と心労きびしい幸徳の母と妻の健康を案じて「我々は切に皆さんのご静養を望む」と締めくくった（同前掲）。

平民社は1905（明治38）年10月9日に弾圧のため解散した。その後、11月14日に幸徳は留学と保養を兼ねて渡米するが、平民社の再建と日刊『平民新聞』の創刊を図っていた。次に、有楽町平民社解散後の動きを見てみよう。

## 『直言』―1905年2月5日創刊～同年9月10日廃刊

05年2月5日、平民社の活動を継続するために、加藤時次郎らが発行していた『直言』が平民社の機関紙となった。紙幅、体裁ともに週刊『平民新聞』と同型。『平民新聞』時代の社員、執筆陣もそのまま移った。定価は1部3銭5厘、発行部数4100〜4500部。しかし、財政面での行き詰まりと日比谷焼打事件に関する巻頭論文「政府の猛省を促す」の発行停止が重なり、同紙は9月10日に廃刊。10月9日に平民社は解散となった。

『新紀元』――1905年11月10日創刊〜06年11月10日廃刊

平民社解散決後、木下尚江は石川三四郎とともにキリスト教社会主義の機関誌発行を計画し、安部磯雄の積極的参加も得て、1905年11月10日に『新紀元』を発行した。紙幅は縦約27センチ、横約19センチで毎号46ページほどの邦文と2ページの英文欄からなる月刊雑誌だ。発行所は東京府豊多摩郡淀橋町角筈762番地の石川宅の新紀元社とした。執筆者は創刊者以外に徳冨蘆花、大川周明、赤羽一、内村鑑三、斯波貞吉、高島米峰、山口孤剣、小野有香、幸徳秋水、金子喜一などがいた。

幸徳のアメリカからの帰国後に平民社再興の機運が高まると、日刊『平民新聞』発行に向けて石川も参加することになった。『新紀元』は06年11月10日付第13号を最後に廃刊となった。内村鑑三はこれ以後社会主義者との関係を断ち、福田英子の講習会参加を拒否した。

**『光』——1905年11月20日創刊~06年12月29日廃刊**

『直言』の後継紙として、旧平民社同人で科学的社会主義の立場の人々が発行した社会主義新聞に『光』がある。定価、紙幅とも『平民新聞』と大体同じで、初め月2回、第30号から月3回となった。執筆者は、西川光二郎、山口義三、森近運平、田添鉄二、片山潜、荒畑寒村、竹内余所次郎、金子喜一、大石禄亭、久津見厥村、児玉花外、白柳秀湖、大塚甲山、小野有香、土屋窓外、原霞外、岸上克己、幸徳秋水、堺利彦で、ほぼ平民社の執筆陣であった。06年1月26日に日本社会党が結成されると、その機関紙となった。幸徳帰国後の平民社再興と日刊『平民新聞』発行が決まると、同年12月29日に『光』は第31号をもって発展的廃刊となった。

**幸徳秋水が大久保町百人町に転居——1906年9月**

1906年6月23日にアメリカから帰国(渡米したのは05年11月)した幸徳秋水は、同月28日に開かれた歓迎会で「革命の運動か、議会の政策か、多数労働者の団結を先にすべきか」と演説した。渡米先で目に触れ耳にした世界革命運動の潮流に影響を受けた幸徳は、合法的な議会主義の路線からいわゆる直接行動派へと大きく傾いた。

それ以前の同年2月、堺利彦は深尾韶とともに日本社会党を結党し、3月には電車賃値上げ反対運動を起こしていた。この反対運動によって幹部は検挙され、のちに西川は社会主義運動から遠ざかった。そのような中での直接行動派の誕生であった。

帰国後に郷里高知中村に戻った幸徳は、06年9月7日に再上京して堺宅に寄宿しなが

新宿税務署通り（職安通り）近くの幸徳秋水自宅から見えた現在の山手線路。写真右は長光寺、この裏手が幸徳自宅であった。（2023年6月筆者撮影）

ら、家探しの毎日がつづいた。9月20日、やっとのことで百人町84番地（現百人町1―8―24で長光寺の裏）に転居することができた。

親戚の幸徳駒太郎外一同宛の手紙（9月21日付）で「毎日毎日の家さがし疲れました。昨朝見て午後引うつりました。道具なしで困って居ります。所は東京府下大久保南百人町84番地です。柏木のレールのそばで御座います。」（『幸徳秋水の日記と書簡増補決定版』編者塩田庄兵衛、1990年、未來社）と綴った。

「柏木のレール」とは、品川線（現山手線）のことで新宿―新大久保間に自宅はあった。山川均『ある凡人の記録』には「幸徳さんは、いまの国電大久保駅と新大久保駅との中間で、やや大久保よりのところを戸山ケ原の方にはいると、すぐ左側にいた」と記されてあるが、山川の記憶違いであろう。この説明では大久保通りの左になるが、実際は郡役所前通り（現新宿税務署通り）の山手線の鉄橋を過ぎてすぐに左側に曲がったところが幸徳の住居（隣地は長光寺）であった。日当たりがとても良く、庭の柿の木には赤い実が4つ、5つ残っている幸徳宅、で堺と幸徳は直接行動論についてよく意見交換した。

ぼくは早速、大久保の幸徳宅の現在を見に行くことにした。新宿税務署通り（または職安通り）を直進して総武線ガード、続けて山手線ガードを過ぎると左手に長光寺がある。長光寺手前の小道を入ってすぐが幸徳宅だったが、現在はビジネスホテルになっていた。住所は大久保だが、同志が住む「柏木団」コミュニティは、道1本で歩いて5分ほどのところだ。

幸徳宅跡地（専門学校の看板が見えるあたり）。東京府下大久保百人町84番地（現百人町1-8-24）。1906年9月20日から翌07年10月27日まで住んだ。（2021年筆者撮影）

## 堺利彦が淀橋町柏木343番地に転居――1906年10月

堺一家は、新宿駅西口からほど近いところ（淀橋町角筈738番地）に1901年12月末～04年8月6日まで2年9か月住んだ。その間に、秋水社説記事「嗚呼増税！」の筆禍により堺は巣鴨監獄に初入獄、出獄後まもなくの8月に妻美知子が病死した。

堺は、8月6日から翌年8月まで、愛娘真柄を医師の加藤時次郎宅に預けて有楽町平民社に1人住むことにした。05年9月に延岡為子と一緒になり、由文社（堺の出版社）を麹町に移して結婚生活をはじめた。同年10月9日に平民社は解散。『家庭雑誌』を発行していた由文社も解散して、06年10月下旬に堺一家は麹町区元園から、東京府下淀橋町柏木343番地（現在の新宿税務署あたり）に引越した。幸徳の自宅から道1本（現職安通り、新宿税務署通り）で距離にして「2、3町」（約200～300メートル）だ。ここを選んだのは、病身の幸徳の近くに住むことを願ったからであろう。

柏木の堺宅は安普請とはいえ8畳、6畳、2畳の間取りで家賃8円25銭、20坪の長方形の庭には五葉松が6、7本あった（前掲『家庭雑誌』）。新築間もなく、門前には岡穂（おかぼ）（陸稲）の畑が広がっていた。間もなく新築の家があちこちに建ち始めると、柏木は田園地帯から少しずつ新興住宅地へ変化した。

## 森近運平が淀橋町柏木347番地に転居――1906年8月

この時期の森近運平にも注目したい。森近とは、大逆事件で絞首刑になった一人だ。

1968年の新宿税務署通り(当時の柏木3-38)。
左奥辺りが柏木343番地で堺宅跡地。この道を直進すると小滝橋通りにぶつかる。左の電信柱に「柏木3-338」との表示がある。(「加藤嶺夫写真全集 昭和の東京1」より転載)

元々は岡山県の官吏であったが、『平民新聞』に触発されて社会主義者になった森近は実直で誠実な人物だ。05年1月初旬に平民社大阪支部設立を堺からすすめられた森近は、3月20日に自宅(大阪市北区中之島宗是町)に大阪平民社を創設した。社会主義研究会を重ねたが、大阪平民社の維持が難しくなり、既に妻子のある身であったが上京することにした。

東京で「平民舎ミルクホール」という商売をはじめたが、ここは日本社会党の本部ともなり多忙を極め、病弱な妻への負担は計り知れなかった。06年8月27日、妻の静養のために「平民舎ミルクホール」は店じまいした。

森近は「僕一身の事情により長く其管理を続くること能はず」と語り、「僕は実に社会主義以外何等の希望も何らの事業を有することなし。唯此主義と始終し此道に死なんのみ」と社会主義運動に邁進する確たる決意を表明した(「ミルクホール廃業につき諸君に訴ふ」『光』20号、06年9月5日)。

森近一家は、社会主義者が多く住む東京府下淀橋町大字柏木347番地、堺の自宅の裏に転居(06年8月~07年3月)した。家族そろって「柏木団」に加わった瞬間であった。近所となった幸徳、堺、森近の3人は日刊『平民新聞』創刊に向けて結束して行動した。

山川均は「そのころの柏木の住人は、誰も彼も貧乏においてはひけをとらなかったが、このおぜいの貧乏を一人で象徴していたかのような風采をしていたのが森近だった。私はあの色のあせたインバネスに中折帽、モサモサした天神ヒゲと、口の悪い山口

小滝橋通りから見た新宿税務署通り
真ん中あたりのマンションが旧柏木343番地で堺宅跡。（2020年筆者撮影）

孤剣がヨギのソデといった厚いクチビル、いかにも生活にスリへらされたといったように、ホオのこけた森近を忘れることはできない」と印象深く語る（「柏木団の人々」）。

### (2) 新富町平民社と「柏木団」壊滅

〈住所〉京橋区新富町6丁目7番地
〈期間〉1907（明治40）年1月15日～4月14日

劇場新富座（当時）の芝居茶屋を借り受けた新富町平民社は、2階を編集室、階下を営業部と印刷部にあてていた。

06年2月に結成した日本社会党は、労働運動に対応するために、翌年1月15日から、日刊『平民新聞』を発刊した。現在の京橋税務署近くに平民社はあり、近くには萬朝報社があった。石川三四郎は堺のすすめで平民社に入り、『新紀元』は廃刊となった。

#### 日刊『平民新聞』発刊と柏木団全盛期へ——1907年1月

06年10月に柏木343番地に引越した堺は近所の幸徳、森近と共に日刊『平民新聞』発刊に向けて大きく動き出した。山川が幸徳から日刊『平民新聞』創刊の編集委員に誘われたのもこの時期だ。

10月27日には福田英子、堺為子、幸徳千代子が発起人となり、戸山が原で社会主義同志婦人会の園遊会が開かれて、添田唖蝉坊（平吉）の発案で堺利彦、竹久夢二らも参加して運動会も行われた。庶民になじまない生真面目さだけの初期社会主義運動でなく、レクリエーション的要素を入れた運動はおそらく堺のすすめもあったのであろう。

07年1月15日、晴れて日刊『平民新聞』が創刊（巻末資料4　日刊『平民新聞』）。発行所は京橋区新富町6丁目7番地の新富町平民社である。編集兼発行人は、『新紀元』を廃刊して合流した石川三四郎。このことを荒畑は「精神主義者と唯物主義者とが、ふたたび合同」（『寒村自伝上』）と記した。

堺利彦が淀橋町柏木に転居したことにより、多くの社会主義者が郡役所前通り（現新宿税務署通り）に集まり始め、いよいよ柏木団の全盛時代を迎える。郡役所前通りは柏木団コミュニティのメインストリートとなった。

## 管野須賀子が柏木342番地に転居――1907年1月下旬から2月初旬

日刊『平民新聞』創刊の日に、荒畑寒村らは牛込区田町の管野宅に集まってにぎやかに過ごしたが、2人はまだ同居はしていない（『寒村自伝上』）。あわただしく年が改まった07年1月、管野は『牟婁新報』（第664号）の「としのはじめ」で荒畑寒村との結婚を「牟婁日誌に記されし寒村との結婚、可笑しきは人の運命と、ただ微笑の外なし」（絲屋寿雄『管野すが』岩波文庫）と公表した。おそらく1月末または2月初めに柏木342番地で同棲したと思われる。管野が「柏木団」入った瞬間だ。隣家は寒村の親代わりの堺利彦の自宅であった。しかし、2人の同棲は短期間で終わった。

## 「足尾銅山暴動事件」――1907年2月4日

時代のうねりを肌で感じられるほど世の中は労働運動、社会主義運動が高まった。

07年2月4日に足尾銅山で労使対立が激化して、いわゆる「足尾銅山暴動事件」がおきた。夕張炭鉱から足尾銅山にやってきた南助松は、賃上げや労働条件の改善に努め、日本労働至誠会足尾支部を結成して労使交渉に入るも、間代（能率給のこと）に不満を持った坑夫が見張所を破壊する行動に出た。

南は、労使交渉の中心的存在で、堺利彦は「北海道夕張炭山の坑夫として最初の労働運動に参加した。日刊『平民』の時には、足尾銅山の大ストライキの首領として捕らわれた」（「平民社時代」）と語り、荒畑寒村は「鉱山労働運動の先駆者」（『寒村自伝上』）と評している。

2月5日には、幸徳が『平民新聞』第16号1ページを使って全労働運動のゼネラルストライキの「直接行動」を主張して、ここに幸徳らの「直接行動派」と片山潜、西川光二郎らの「議会政策派」に分かれた。官憲は「直接行動」を過激集団「柏木団」による「暴力革命」と見なして、日本社会党への弾圧を一層強めた。

2月7日、幸徳の意見を受けた荒畑寒村は『二六新報』記者に成りすまして足尾銅山に急行して、坑夫たちへの弾圧のさまをつぶさに見てきた。同日、足尾銅山暴動は社会主義者と関係があるとみなして、官憲は京橋区新富町の平民社を、続けて堺（柏木343番地）、幸徳（百人町84番地）、石川（角筈762番地）の家宅を捜索した。その後幸徳宅に、管野、大杉栄・堀保子夫婦が見舞いに行っている。「大ハイ＝大杉ハイカラ」（『寒村自伝上』）と呼ばれた大杉は前年夏に深尾韶と婚約していた堀保子（堺の妻美知子の妹）に猛アタックして結婚していた。

1907年6月に移転反対と谷中村で最後まで抵抗していた農家が官憲の手で強制撤去された。谷中村450年の歴史が終わった瞬間である。

赤麻遊水地（現渡良瀬遊水地）が造られるが、その後上流にダムが建設されたためにその遊水地は皮肉な結果ではあるが現在そこはラムサール条約に登録される広大な湿地帯が広がり、市民憩いの場となっているが、周辺の農作物の生育が遅れるなど足尾銅山鉱毒事件の傷跡は今も残り、傷口は閉ざされていない。

1913年,田中正造臨終の枕元には、菅笠と信玄袋が置かれてあった。袋の中には、日記や草稿、新約聖書、帝国憲法、鼻紙そして小石3個が入っていた。これが田中正造の全財産であった。衆人に顧みられず、車に砕かれる小石を愛した田中正造であった。田中正造絶命の瞬間に夫人は「おしまいになりました」と語ったという。堺利彦は田中正造を次のように評している。

「平民社が誇りとした最大の来客の一人。有名なる足尾の鉱毒問題には、平民社の関係が決して浅くなかった」（「平民社時代」『中央公論』1931年1月号所収）。

堺利彦出獄歓迎会（1904年6月26日）、角筈十二社梅林亭で盛大に開かれ、大杉ら150人が参集した。歓迎会後の記念写真には、白髭姿の田中正造の姿が後列右から7人目に見える。（『堺利彦全集第2巻』より）

（左）現在の「福助」近くにあった梅林亭の跡地。2020年筆者撮影
（右）十二社児童遊園、かつての梅林亭・桜並木の一部と思われる。2020年著者撮影。

コラム5

## 田中正造と「柏木団」

中学校社会科教員時代に「高度経済成長と公害」をテーマに授業をしたことがある。その時に公害の原点である足尾銅山鉱毒事件に焦点を当てて授業を展開していくことにしていた。

教科書に写真付きで紹介されている田中正造（1841～1913年）は、日本の幕末から明治時代にかけての村名主、政治家。足尾銅山鉱毒事件で生涯をかけて闘った。衆議院議員選挙に当選6回、最後は衆議院議員を辞して、天皇に直訴したことを大石真『たたかいの人ー田中正造』（偕成社文庫、1976年）を種本に教材化した。死の1年前に、田中正造は日記に次のように記した。

「真の文明ハ山を荒らさず、川を荒らさず、村を破らず、人を殺さざるべし」(1912年)

田中正造自身は社会主義者ではないが、足尾銅山鉱毒事件の闘いの中で出会った名文家で知られていた『萬朝報』の記者幸徳秋水に天皇直訴文の草稿を依頼している。1901年12月10日に正造は天皇直訴事件が起きた。ただし直訴文は天皇のもとには届かなかった。すぐに拘束されたが、狂人扱いされて釈放されている。しかし、正造の闘いは終わらず、「柏木団」との関係も深まった。

週刊『平民新聞』（1904年12月25日号）の「平民日記」（幸徳担当）には、「二十日（火）朝、田中正造翁来社して曰く、私の甥は中尉ですが今度出征するので、入営を祝すとか何とか言って騒ぎだすから、私は夫(それ)位なら人道の戦ひで監獄へ行く人も、入監を祝すといふ旗でも立てて送らねばなるまいと言ってやりました」とある。

1906年4月、『新紀元』（1905年11月に安部磯雄、石川三四郎、木下尚江が創刊したキリスト教社会主義の機関紙）の例会が淀橋町角筈762（新宿西口大ガード付近）の石川の自宅で開かれた際には、田中正造が2時間にわたり「土地兼併の罪悪」を演説している。

1907（明治40）年2月17日午後2時からは、日本社会党の第2回大会が神田の錦輝館で開かれた。幸徳は数日前の足尾の暴動（同年2月4日）に触れて次のように語った。

「田中正造翁は尊敬すべき人である。数十年の後といえどもかくの如き人を議員に得るのは難しいと思う。しかるに田中正造翁が20数年間議会において叫んだ結果は、どれだけの反響があったか。諸君、あの古河の足尾銅山に指1本さすことができなかつたではないか。しかるに足尾の労働者は3日間にあれだけのことをやった、のみならず権力階級一般を戦慄せしめたではないか」（山川均『ある凡人の記録』）

その7日には、戒厳令が出されて軍隊が出動する騒ぎとなり、結果的に628人が逮捕されてしまった。検事側は労働組合の至誠会が暴動を示唆したと主張したが、南助松には無罪判決が出された。至誠会は解体されたが、銅山側は2割の賃金アップ要求をのまざるをえなかった。

南助松は、これまでの労働運動の疲れをいやすために、08年春に堺利彦宅近くの柏木308番地（現外国車販売店）に住み「柏木団」の一員となった時期がある。週刊『社会新聞』（08年3月1日）の「人事片片」に「南助松君は府下柏木にあり君近頃非常に健康を害し静養中なるも種々心配事あり又君は自分及同志のパン問題に関して苦心中なり」とある。心身ともに痛めつけられた南は「柏木団」の住む地を静養の場所と選んだのだ。

足尾銅山は1973年2月24日に閉山し、近代化の負の遺産として360年の歴史にピリオドを打ったが、「公害の原点」といわれる足尾銅山鉱毒事件はまだ終わっていない。旧渡良瀬川の流路を埋め立てた稲作農地の稲の生育不良は鉱毒の後遺症である。

## 管野の妹秀子の死――1907年2月22日

2月9日、寒村が足尾銅山から柏木342番地の自宅に戻ったところ、管野の妹秀子が肺結核で苦しんでいた。「私が2月9日の夜に入って足尾から帰京し、郊外なる柏木の自宅につくと、義妹の秀子が病状にわかに悪化して、姉の須賀子はどうして入院の費用をつくろうかと心を砕いている最中であった」（『寒村自伝上』）

森近運平宅にて、1907（明治40）年。大阪平民新聞の担い手と一緒に右より森近繁子、百瀬晋、森近菊子、森近運平、福田武四郎（『堺利彦全集』第２巻より転載）。

医者に見せることもできずに、22日に秀子は自宅で亡くなった。翌日、落合村の火葬場（現落合斎場、新宿区上落合3－34－12）で荼毘に付し、その後甲州街道筋にある正春寺（渋谷区）に葬った。4年後に管野自身もここに眠るとは本人は思いもよらなかったであろう。

寒村は『谷中村滅亡史』の執筆に追われ、「秀子の病死につづく須賀子の臥床（筆者注・肺結核）で、私の生活は実に憂鬱極まるものとなった」（『寒村自伝上』）と語り、2人は口論が絶えない最悪の関係となった。

日刊『平民新聞』廃刊と森近一家は大阪へ――1907年4月

幸徳らの直接行動派と片山潜ら議会政策派の内部分裂と結社禁止による日本社会党の解党が重なり，日刊『平民新聞』は07年4月14日の第75号で廃刊せざるをえなかった。ミルクホールを閉店後、森近は社会主義演説会での演説活動を積極的に行いながら8カ月ほど柏木で生活したが、日刊『平民新聞』廃刊となるので07年3月下旬に一家で大阪へ戻ることにした。

01（明治34）年1月以来「嘲世罵俗」をモットーに『滑稽新聞』を主宰刊行していた反骨ジャーナリスト宮武外骨は大阪社会主義研究会の機関紙『活殺』の編集者として森近を抜擢した。その『活殺』が1号限りで廃刊となると、同年6月1日に森近は宮武外骨から5000円の資金提供を受けて、直接行動派社会主義の『大阪平民新聞』を創刊することにした（巻末資料5　半月刊『大阪平民新聞』）。宮武は「自分は社会主義者ではないが、極端なる社会主義は政府を恐喝するの用に適す」と語り、森近を援助したのだ。

大阪平民社の多彩な活動は治安当局の癇にさわり、新聞紙条例違反、治安警察法違反、読売取締規則違反に問われるなど弾圧が緩むことはなかった。08年5月22日、大阪平民社は解散式をおこなった。森近は記事「農民号事件」で軽禁錮2か月の実刑判決で7月8日から9月6日まで大阪堀河監獄の獄中の身になった。この間の6月に後述する赤旗事件が起きた。

## 「日本伊豆初島ニテ」――1907年5月

07年5月初、妹秀子が結核で死亡して、疲労困憊、心労も重なった管野は転地療養のために伊豆の初島に向かった。荒畑はその見送りで熱海まで同行した。小田原からの乗り物は、6～8人乗る客車を人足3人が押し出す豆相人車だ。小田原から熱海まで4時間かかったというから、のんびりしていた。管野だけが、熱海近くの網代港から初島行の郵便船に乗り込んだ。

初島について間もなく、管野はアメリカ在住の弟正雄宛に「日本伊豆初島ニテ」と手紙を出している。この手紙でわかったことは、当時の初島の戸数は42戸で、新藤彦平方で療養していたこと、そして「右肺を4分ばかりやられて居る」ことだ。管野の肺結核は40パーセントまで進行（清水卯之助「管野須賀子の書簡2通」『初期社會主義研究』創刊号）していた。不治の病に侵された管野は、この時26歳だった。

社会主義夏期講習後の十二社での記念写真。
前列左から4人めに幸徳秋水、その後ろに堺利彦、前列1番右に森近運平の姿が見える。(『堺利彦全集2巻』より転載)

今では、熱海港から10キロメートルほど離れた初島まで高速船で30分ほどで着く。明治時代には温暖な気候を生かした転地療養地であったが、現在はリゾート・アイランドになっており、港を降りればズラリと海鮮食堂が並んでいる。現地を訪ねたところ、新藤姓を名乗る方は5人いたが、新藤彦平に関しては何も残されていなかった。

## 「柏木団」と「本郷団」の決別―1907年8月1日〜10日

07年夏には幸徳秋水、堺利彦、山川均らの直接行動派と西川光二郎、田添鉄二、片山潜らの議会政策派をめぐる出来事が続く。日刊『平民新聞』廃刊後に滞在した米国でアナルコ・サンジカリズムに学び、労働運動中心のゼネラル・ストライキを提起した幸徳秋水たち直接行動派と片山潜たち議会主義派の対立は深刻になっていった。

それでも8月1日から10日まで、直接行動派と議会主義派は、協同で社会主義夏季講習会を開くことになった。会場は麹町区九段下のユニヴァサリスト教会であった。講師は6人、会費は80銭、毎日午後7時より10時まで3時間、全国から80人が参加した。直接行動派＝「柏木団」からは幸徳秋水「法律論、道徳論」、堺利彦「社会の起源」、山川均「社会主義の経済学」、議会政策派＝「本郷団」からは田添鉄二「社会主義史」、西川光二郎「ストライキ論」、片山潜「労働組合論」が講義された。

講習会の親睦会は場所を移して「柏木団」常連の新宿角筈十二社(じゅうにそう)でおこなわれた。どんな様子だったのだろうか。『大阪平民新聞』の発行兼編輯人の森近運平が7日に大阪に帰るということで、6日午後11時から十二社の梅林亭で歓送会を兼ねて懇親会が開か

道路標示板辺りが新宿税務署で、ケア・ハーデイが泊まった堺利彦宅（2021年筆者撮影）

れた。参加者40数人、片山、田添、森近、幸徳が演説し、余興で福田英子が二弦琴を弾いた。暑気払いで、目の前の弁天池で泳いだり、熊野神社の滝に打たれて楽しむ者もいた。記念撮影もあって和やかなうちに午前5時に会はお開きとなった。

撮影された記念写真には、直接行動派と議会政策派が納まっていた。この1枚の記念写真をもって両者の蜜月期は終わりを告げた。表面的には友好的に終わったかに見えたこの講習会は結果的に両派の思想の違いを鮮明にしてしまい、ケア・ハーディ来日によってその対立は一層深まった。

## 労働党創設者ケア・ハーディが柏木に来る――1907年8月21日

「柏木団」の全盛時代は、日刊『平民新聞』を発刊した1907年1月に始まり、後述する08年6月の赤旗事件による「柏木団」大量検挙までの期間だ。そのピークはケア・ハーディが柏木の堺宅に泊まった時であった。

社会主義夏季講習会から10日後の8月20日、イギリス労働党の創立者ケア・ハーディ（James Keir Hardie、スコットランド生まれ、1856～1915年）が、大病後の療養旅行の道すがら日本に立ち寄った。翌21日にはハーデイが「柏木団」コミュニティのメインストリートにある柏木314番地の堺宅（07年3月末に柏木343番地から転居）に夜9時ごろ到着、1泊することになった。

「8月21日夜、ケア・ハーディー翁は、予の家に1泊した。翁は、けだし直接に日本の家庭を見、日本の生活を見んと欲したのである。僕はあえて翁と言う。ハーデー氏の

1907年8月22日。
柏木の堺宅に宿泊した翌日に講演会場の錦輝館（神田）にて記念撮影。前列左端に幸徳秋水、右から3人目に荒畑寒村、中列右より7人目がケア・ハーディ、その左横には管野須賀子、中列左より4人目が堺利彦、前列中央の子どもは堺の娘真柄（5歳）。そして中列右から2人め口髭の人物が演歌師添田唖蝉坊こと添田平吉（『堺利彦全集 第3巻』より転載）

年は実にまだ51であるが、そのややはげたる灰色の髪と、おおかたしらがばかりの、モジャモジャしたる口髭顎髭とを見ればどうしてもモウ宛然（えんぜん）たる翁である」（堺利彦「ハーディー翁」１９０７年９月５日）

ケア・ハーディが上着を脱いで縮みのシャツ１枚で足を投げ出したり、あぐらをかいたりしたことを、堺は次のように語る。

「翁が足にはサンダルという皮のわらじをはき、頭には古びたパナマの帽をかぶり、背広の胸あらわにして、太きパイプを横ぐわえにしたるところ、さすがは労働党の首領である。どこまでも質素で、どこまでも飾りなしで、たれが見てもいなかおやじと評する外はない」（同前掲）

そのうちに深尾、山川、守田、荒畑など「柏木団」メンバーが集まって来た。ハーディは、桃を出すとむしゃくしゃ食べ、猫が来るとじゃらし、堺の娘真柄が珍しがっていると、満面の笑みで握手して、その手にキッスした。日本の唱歌を聞きたいというので、「柏木団」メンバーが「富の鎖」（社会主義者の愛唱歌）を歌えば、ハーディはリクエストにこたえて「フランス革命の歌」を歌った。11時すぎに、床を敷いて蚊帳（かや）を吊り、それが珍しかったようであるが、横になるとグウグウといびきをかいて眠りこけた。

翌22日朝、朝食にご飯とみそ汁を出すが口に合わず、卵、牛乳、くだものだけに手が伸びた。そのうちに幸徳夫妻、管野須賀子、大杉の妻になっていた堀保子たちが集まりった。

8時半過ぎにハーディは、皮のわらじをはいて車に乗りこんだ。世界に知れ渡った名士のハーディについて、堺は「ソンナえらい人をわが家へ迎えた気持ちはない」と拍子抜けした。

午後、錦輝館（神田にあった多目的会場）で歓迎講演会が開かれた。通訳は片山潜。両腕のシャツをまくり上げての演説はそれほど上手ではなかった。演説でハーディは議会活動の必要性を力説して、エンゲルスらが創立したイギリス労働党こそが自分やマルクスが考えていた社会主義政党だと自賛したものだから、議会政策派は得意顔になった。講演会後の堺たちは内心不愉快であったが、新橋停車場のプラットフォームでハーディを見送った。

面白くなかった直接行動派は、9月6日に開かれた第1回金曜講演会のテーマを「ハーディを評す」として反論の場を作った。講演内容については「僕らは賛成できぬ点が多い」として、階級闘争を邪魔ものにしている労働党に対して「予はこの態度には反対する」と堺は明言した。

堺は麹町にあった由文社再建のために、07年11月に柏木314番地から柏木104番地に転居して、そこを由文社にした。以前住んでいた角筈近くで小滝橋通りに面した新宿駅に近い便の良い場所だ。

堺、幸徳、山川の3人の名で「金曜講演」を始めたのであるが、毎日曜日に講演会・地方遊説をしていた議会政策派の社会主義同志会に対抗するものでもあった。金曜講演の主体として金曜社（金曜会とも呼ばれた）ができあがり、幸徳が書いた金曜社の表札が後に柏木平民社本社となる柏木926番地の守田有秋・山川均宅に掲げられた。金曜講演は赤旗事件までつづき、毎回30人から90人くらいの人が集まった（山川均「柏木団の人々」）。

### 屋上演説事件——1908年1月17日

08年1月17日、本郷弓町の平民書房2階でおこなわれた金曜講演の弁士は守田有秋で、主題は「トーマス・モアのユトピアの話」であった。ところがある場面で監視の警官が「弁士中止」、「この会は解散を命ず」と叫んだ。ある場面とはこうだ。

ユトピアでは金銀財宝には価値はなく、労働だけが神聖で貴いものだった。ある時、アネモリア国の大使がキンキラキンの礼服の胸に金モールの飾りをつけてやった時に、ユトピアの少年たちがこれを見て笑った。

こんなたわいない話で「中止解散」とされた。司会の山川均は閉会宣言を出し、後刻同じ場所で茶話会を開くことを付け加えた。ところが、警官は入り口で住所氏名のチェックを始めたので聴衆は3分の2に減ってしまった。堺が米国の恐慌の話をすると、再び「解散」とあったが、素直に出ていくものはいなかった。温和な堺が大きな声で「黙っているとつけあがる。1人ひとり引っ張り出せ」とどなり、誰かが会場照明を消したので、暗闇の中で乱闘が始まった。堺、大杉、山川は憤慨して窓から屋上に出て群衆に警官の暴虐ぶりを演説した。

この屋上演説事件で、堺、山川、大杉、森岡栄治（赤旗事件でも逮捕。大逆事件で逮捕されるも罪は免れ、出獄後自殺）、竹内善朔（05年から平民社に参加。亜州和親会に

管野が伊豆初島の転地療養から帰って来た時に住んでいた淀橋町柏木142番地（現新宿区西新宿8-3-7）あたり。（2020年9月筆者撮影）

参加して張継、劉師培と交流。大逆事件には連座を免れ、事件後運動から離れた）、坂本清馬（幸徳の書生、大逆事件で死刑判決の翌日無期懲役、１９４７年特赦で刑が失効）が神田本富士警察署に連行され、２晩留置後１月19日に鍛冶橋の警視庁に送致、20日には市谷の東京監獄に収容された。２月７日、東京地裁で公判、１０日に森岡、竹内、坂本は軽禁錮１か月、大杉、堺、山川は治安警察法違反と再犯加重で軽禁固１か月半の判決を受け巣鴨監獄に収容された（山川均「柏木団の人々」）。

堺の自宅はそのまま柏木１０４番地であった。入獄中、堺が妻為子宛に送った手紙（獄中書簡）が残されてある。08年２月１日には「マアさんはどうしているか、相変わらず元気で善く遊んでるだらう」と満５歳になる長女真柄（書簡ではマアさん）のことを案じている。15日には「去年行った、戸山が原の下の方の田圃に行って、ゲンゲの根を掘って来て、庭に植ゑて置いて呉れないか、クロバアの隣にゲンゲが咲くと面白い」と、およそ獄中からとは感じられない家庭的な雰囲気の書簡を出している。文中の戸山が原とは、前年３月に日本社会主義同志婦人会の親睦会が戸山が原で開かれたことをさしている。

３月26日早朝に出獄した３人が柏木に戻ると「柏木団」は元気を取り戻した。４月には、屋上演説事件が気になって『大阪日報』を退社して帰京した荒畑寒村は、管野のところへ行かずに（この時には管野との関係は冷え切っていた）柏木３２６番地の「按摩屋前田方」に向かった。そこには村木源次郎（06年から平民社に参加。大杉虐殺後に報復を試みるが失敗）、佐藤悟（赤旗事件で逮捕、房内の落書きが不敬罪に当たるとして重禁錮1年が3年半に加重された)、宇都宮卓爾(赤旗事件で逮捕、入獄中の房内落書きの真犯人といわれる)が合宿していた。百瀬晋(07年平民社に給仕として参加。その後森近運平の大阪平民新聞を手伝う。大逆事件では連座を免れた)も加わって共同生活が始まり、気勢をあげた(「小伝」『管野須賀子全集3』所収)。さらに同下旬、堺宅での読売歌(演歌)の稽古に大杉、山川らが参加して、大道読売(演歌師)の添田唖蝉坊が社会批判をしていた。(『日録大杉栄伝』)。これらの活気は同年6月に起きた赤旗事件でぶっ飛んでしまう。

## 寒村・須賀子の離別と誤った「妖婦説」――1908年4月

『大阪日報』同僚から悪意に満ちた管野の噂話(男性遍歴)をさんざん聞かされた寒村は、猜疑心をこめて次のように語る。

「彼女は私に6歳の年長で、色こそ白かったがいわゆる盤台面で鼻は低く、どうひいき目に見ても美人というには遠かったが、それにもかかわらず身辺つねに一種の艶冶な色気を漂わせていた」と容姿をあげつらい、「新聞記者となってからはますます放縦淫逸な生活にして、沈湎してさまざまな男と浮名を流すに至らしめた」(『寒村自伝上』)と噂話を事実のように語った。

一度は恋愛関係になった相手に対して、あまりにも容赦のない言いぐさだ。ここから「管野須賀子妖婦説」が流布され、荒畑自身の管野に対する曇った眼が管野を妖婦にしてしまった。マスコミは、といっても当時は新聞・雑誌だが、面白おかしく「妖婦管

赤旗事件の赤旗
「無政府」「無政府共産」と白書きした2枚の赤旗
（左）大須賀里子（山川均妻）、（右）堀保子（大杉栄妻）
『堺利彦全集』 第３巻より転載）

野」を取り上げ、読者、大衆も興味本位の刺激を求めて菅野を徹底的にフシダラなオンナにして溜飲を下げて、日ごろの不満のハケ口とした。

誤った菅野像は広まり定着した。しかし、日本女性史の中で、菅野こそ日本最初の女性新聞記者であり、女性の自立と解放を求めたジェンダー理論をいち早く世に知らしめたという事実は間違いなく、その正当な功績と評価を伝えていかなければならない。

## 理不尽な赤旗事件――１９０８年6月22日

屋上演説事件から半年も経たない０８年6月22日に、またもや不条理で理不尽な赤旗事件がおきた。この事件は、社会主義者への大弾圧の仕上げとしての大逆事件につながった。事件を振り返ってみよう。

あいつぐ筆禍事件で仙台監獄に入獄した山口義三（狐剣）が1年2か月の刑期を終えて出獄した。対立はしていたが、堺・山川たち直接行動派と西川・片山たち議会政策派が両派協同で出獄歓迎会を神田の錦輝館で午後1時に開催することになった。

司会者は石川三四郎であった。幸徳は病気療養のため故郷高知中村に夫婦で帰省していたが、この会には堺、山川、荒畑、大杉に加え、管野須賀子、大須賀里子、神川松子、小暮礼子の女性も参加していた。

さて閉会という時に、若い大杉、荒畑は「無政府」「無政府共産」「革命」と白書きした赤旗を振り回し、「無政、無政、無政府万歳」「アナ、アナ、アナーキー」と叫び、まるで明治のロックン・ローラーのごとく「革命歌」を歌いながら場内を練り歩いた。たちまち、警官隊と赤旗の奪い合いが始まった。それを制止しようとしたのは堺、山川たちであった。その場で大杉栄、荒畑寒村、堺利彦、山川均、森岡永治、宇都宮卓爾、村木源次郎、百瀬晋、佐藤悟は検挙され、心配して後から警察署に向かった管野須賀子、大須賀里子、神川松子、小暮礼子もつかまり、全員神田錦町警察署の留置場に放り込まれた。全員「柏木団」のメンバーであり、一網打尽であった。署内で、もっとも敵視されていた大杉は靴で左腹をけとばされ、両足を持って床上を引きずられ、長い髪を引っ張られるなどの暴行を受けて負傷している（『大杉栄全集』別巻）。

### 西園寺内閣総辞職と柏木団壊滅――1908年7月14日

赤旗事件は政界に激震を起こした。大杉と荒畑が「イタズラ半分に計画した」（『寒村自伝上』）という直接行動派の議会政策派への威嚇・デモンストレーションが時の内閣を総辞職に追い込んだ。政界の最高権力者の元老山縣有朋が、社会主義取り締まりが弱いと西園寺政権を批判して、内閣退陣を迫った結果、7月14日に第1次西園寺公望内閣は総辞職。代わった第2次桂太郎内閣は社会主義関連の出版や集会を抑える思想弾圧方針を打ち出し、社会主義者の尾行・監視が日夜繰り返されることになった。

「柏木団」の面々は、官吏抗拒罪、治安警察法違反で起訴、市谷の東京監獄につながれた。8月15日、東京地裁第2号法廷で赤旗事件の公判が開廷、8月29日に判決が出た。大杉は重禁固2年6か月、罰金25円、堺、山川、森岡は重禁固2年、罰金20円、荒畑、宇都宮は重禁固1年6か月、罰金15円、女性は執行猶予付きの無罪であった。「柏木団」はほぼ壊滅状態となった。このとき大杉は24歳、荒畑は22歳、堺は39歳、山川は29歳、そして管野は28歳であった。

管野はすさまじい拷問と辱めを受けたこの事件をきっかけに、無政府主義者となって革命のほかに手段はないと覚悟する（田中伸尚『大逆事件』）。一方の政府、官憲は社会主義者、無政府主義者大弾圧に向けて大逆事件捏造へと露骨に動き出していく。

### (3) 柏木平民社と幸徳秋水

〈住所〉豊多摩郡淀橋町柏木９２６番地
〈期間〉１９０８（明治41）年８月15日～９月30日

#### 幸徳の上京と柏木平民社

大久保駅北口から大久保通りを中野方面にまっすぐ進むと小滝橋通りの交差点にぶつかる。さらに進むと右斜めに曲がる道があり、そこを２００メートルほど行った左側に柏木平民社（淀橋町柏木９２６番地、現新宿区北新宿３―11―16）はあった。一帯は武蔵野台地の田園風景が広がる地であった。

08年６月25日、高知中村で療養していた幸徳のもとへ「サカイヤラレタスクカエレ」の電報が守田有秋から届いた。７月21日、幸徳は単身高知中村を発ち、途中和歌山新宮町の大石誠之助（禄亭）を訪ね寄宿、送別会を兼ねて熊野川で舟遊びに興じた（これが官憲により「大逆陰謀の発端」とでっち上げられる）。その後、幸徳は伊勢神宮に参拝、

コラム6

## 日刊『平民新聞』の記事から

日刊『平民新聞』(1907年1月15日創刊～4月10日第75号廃刊)から、ぼくが気になった記事や広告、告知を拾ってみた。

**「兵士　軍人家族　被雇人　学生及薄給者　此広告切抜持参者に限り診察無料薬価及手術料半減　ばい毒専門」(広告、『平民新聞』(1907年1月29日10号)**

「ばい毒専門」治療という性病対策の広告が『平民新聞』に掲載されるのはけしからんと杉村縦横((楚人冠、朝日新聞記者)から苦情が寄せられた。堺利彦は苦し紛れに次のようにこぼしているのが面白い。

**「広告の事に就て杉村縦横君から皮肉な攻撃が来た、そりゃ我々だって妙な広告なんぞ載せたくはない、然し今日の世の中で新聞をやる以上は広告はネセサリィ。・・広告の毛嫌をする程なら廃刊するより外はない」(「平民社より」、『平民新聞』(1907年2月2日14号)**

堺は広告掲載の交渉が上手だったに違いない。かつての週刊『平民新聞』では、「包茎手術」の広告まで出したことがあった。

**「給仕入用　13、4歳にして多少文字を読み得る者、本社編輯局の雑用に使いたし、勤務時間は午前10時より午後7時まで。報酬は面会の上相談す　平民社」(『平民新聞』(1907年2月24日33号)**

求人募集の記事だ。当時は小学校卒業が一般的な最終学歴。小卒で平民社に入社した少年は、大いに社会勉強ができたのではなかろうか。ぼくの亡き父の学歴は、尋常高等小学校中退だ。卒業後に高等小学校にすすむも1年とたたないうちに「勉強は嫌いだ」と、家業の大工を手伝いその後に六桜社現(コニカミノルタ)に就職している。1902年に設立された六桜社(後に淀橋工場と改称)は、「柏木団」が園遊会を開いた十二社と目と鼻の先にあった。今は新宿中央公園内に「写真工業発祥地記念碑」が建っている。

**「序(つい)でだから書いて置くが、荒畑寒村には爪をかぢる癖がある。10本の指の爪が1つとして満足な者はない(堺生)」(「平民社より(6日)」、『平民新聞』(1907年3月7日42号)**

堺は、身内のどうでもいいようで興味深い癖を書き残している。寒村の爪かじりはさびしがり屋の証明なのか、ストレスによる自傷行為なのか、とぼくの想像力が掻き立てられる。

**「廃刊の辞」**

**「暴虐なる政府、陰険なる権力階級は、遂に其目的を達したり。」(『平民新聞』(1907年4月14日75号)**

いよいよ、日刊『平民新聞』の最期だ。政府の徹底的な攻撃は止まらなかった。悔しかったに違いない。

現在の大久保通り。この通りの左側に柏木平民社があった。
直進すると小滝橋通り、大久保駅がある。(2021年筆者撮影)

8月14日に東京に到着した。

翌15日、幸徳は岡野辰之助の名を借りて、守田有秋・山川均の旧宅(金曜社)に住み、ここに平民社の看板を立て柏木平民社とした(9月30日まで)。岡野辰之助とは元々は巣鴨監獄の看守であったが、後に同志となった人物である。監獄に入って来た堺利彦たちの思想や書物に関心を抱き、岡野は彼らの生活態度、行動から多くのことを学び、看守を辞して自分に正直に生きる道を選んだ。

淀橋町柏木926番地には、金曜会と『大阪平民新聞』(後の『日本平民新聞』)本社と柏木平民社が置かれ、ここが「革命派社会主義」の中心地になった。現在、同地を訪れてもその痕跡は何も残っていない。

同地は、前述した通り佐賀の乱直前に江藤新平が一時期身を潜めていた場所だ。ここに約1カ月半過ごした幸徳はこのことを知っていたであろうか。

## 柏木平民社と坂本清馬と森近運平

坂本清馬は5月に熊本評論社に入社したが、7月中に上京して赤旗事件関係者を慰問し、以後幸徳の書生となり(絲屋寿雄『管野すが』)、8月15日から9月末日まで幸徳と一緒に住んだ。坂本は、柏木平民社を次のように振り返っている。

「柏木の平民社の間取りは、確か、2畳、3畳、6畳、4畳半の4間で、おてるさんが4畳半だったか奥の2畳か3畳の部屋に寝て、私と幸徳さんとが、蚊帳の関係から6畳間に布団を並べて寝たので、その頃の幸徳方はその3人だけです。私は9月末に広

柏木平民社（淀橋町柏木926番地）跡地（現北新宿3-11-16）
このあたりに佐賀の乱を起こす江藤新平が潜んでおり、計画実施を確認した後に佐賀へ向かった。ここから目と鼻の先に内村鑑三が住んでいた。（2021年筆者撮影）

島へ立ち、11月9日に上京したときは、幸徳さんは巣鴨に移っていました」（坂本清馬「幸徳秋水と私」『幸徳秋水全集』第6巻「月報」所収）。

おてるさんとは岡野の妹てる子のことで、生活全般の世話をしていた。翌年3月に幸徳が妻千代子と離縁後にもてる子は幸徳の世話をするが、その時にひと騒動が起きている（後述）。

柏木平民社には「幸徳秋水氏と共に社会主義の日刊新聞を発行する」（『滑稽新聞』第171号、08年9月20日）ために上京していた森近運平も9月23日から合流同居した。近くに住む管野須賀子ら「柏木団」の面々も出入りすることになった。管野は赤旗事件で検挙され、未決監で拷問を受け2か月以上拘禁され、8月に無罪釈放後、体制打倒に向かう血気盛んな時期でもあった。この神谷荘から柏木平民社までは、歩いて4、5分の距離だ。

## 清国留学生寮神谷荘と「柏木団」の女性——1908年9月～09年2月

中国人革命家と「柏木団」は、ここ柏木を舞台に緊密な関係を持っていた。07年夏に張継（ジャンジー）、劉師培（リウシペイ）、章炳麟（ジャンビンリン）が中心となって、インドの同志と協議して亜洲和親会を結成した。反帝国主義、民族独立、アジア各地の革命運動の相互扶助を図り、アジア連邦結成を展望するものであった。張継は毎日のように柏木にやって来て、「柏木団」のメンバーみたいになっていたとは山川の回想だ（「『柏木団』の人々」）。「柏木団」メインストリートの新宿税務署通りの近くに神谷荘はあった。

清国留学生寮神谷荘
赤旗事件後に清国留学生の賄担当で生活していた神谷荘跡地（淀橋町柏木365）。現在近くに児童遊園地があるこの道を直進するとすぐに大久保通りにぶつかり、柏木平民社があった。（筆者撮影2021年）

赤旗事件後、堺為子、堀保子そして荒畑と離別した管野は当面の生活をどうしのぐかが最大の課題であった。大杉の妻保子は運よく、08年9月から翌年2月ころまで神谷荘の炊事、賄をして生計を維持することになった。神谷荘には中国革命党の3人が住んでいたが、彼らは大杉のエスペラント語受講生でその恩義から保子を助けたのである。堺の妻為子は神谷荘に一時住み込むが、すぐに自宅を柏木104番地から柏木308番地に移した。堺は08年7月25日に、東京監獄から引っ越し先の為子に手紙を出している。「マガラの病気は如何」（前妻との子真柄のこと）に始まり「マアさんや、早く善くなって迎えに来て呉れ」で終えている。8月18日には「今日はカボチャと小豆のイトコ煮が昼のお菜だった。中々ご馳走があるよ」と監獄メニューまで記して、いかにも堺らしい。

09年1月3日に、幸徳は中国人革命家と親交のあった初期社会主義者竹内善朔（ぜんさく）（1885〜1950年）とともに神谷荘を訪れて、堀保子、管野らが作った中華料理を食べている（原英樹「竹内善朔論――その生涯と思想」『初期社會主義研究』第14号、2001年）。

1月15日には、箱根の林泉寺住職内山愚童（1874〜1911年、大逆事件で死刑）が柏木の神谷荘に現れて、管野との話の中でダイナマイトが話題にのぼった。

### 幸徳と内村鑑三

幸徳は柏木周辺を「春は麦畑に雲雀賜り、秋は柿の梢に百舌（もず）鳴きて長閑（のどか）」と称える一方、「俗悪なる貸家軒」は排水設備はなく、下水があふれて臭気がすごかったと記して

内山愚童の顕彰碑
ぼくは仏教者で社会主義者の愚堂を知りたくて箱根大平台にある曹洞宗林泉寺に向かった。大逆事件で僧籍剥奪されるも1993年に宗門僧侶として名誉回復した愚堂の言葉として顕彰碑の中で「人類ノ終局目的は独立自活、相互扶助ニアル」「自由・平等・博愛ノ実現ニアル」と紹介されてある。
（筆者撮影、2023年）

いる（「郊外生活」08年11月3日『幸徳秋水全集第6巻』所収）。

柏木平民社から歩いて1、2分のところに内村鑑三（1861～1930年）の自宅と聖書講堂（淀橋町柏木919）があった。新宿駅西口前にあった内村宅周辺が煙草専売局の煙草工場になるということで07年に転居していた。柏木平民社（08年8月15日～9月30日）と内村鑑三の自宅（1907～30年）は目と鼻の先でほぼお隣さんの位置にあった。内村と幸徳はかつて『萬朝報』の同僚記者であり、知らない仲でないにもかかわらず、交流の記録が残されていないのは、前述した通り、日刊の『平民新聞』発行によってキリスト教社会主義の『新紀元』が06年11月に廃刊になり内村は社会主義と一線を画したからだ。07年2月には「角筈パムフレット」（『基督教と社会主義』の抜粋）を刊行して、キリスト者と社会主義者との違いを明らかにした。

### (4) 巣鴨平民社と「フリー・ラブ」

〈住所〉豊多摩郡巣鴨村大字巣鴨2040番地
〈期間〉1908（明治41）年9月30日～1909年3月18日

「11月謀議」

08年9月30日、平民社を豊多摩郡巣鴨村大字巣鴨2040番地（現在の大塚駅北口付近。現豊島区北大塚2丁目14番地）に移転し、幸徳もここに住むことになった。まだ幸徳・管野の恋愛関係は明らかになっておらず、この巣鴨平民社に坂本清馬、森近運平も

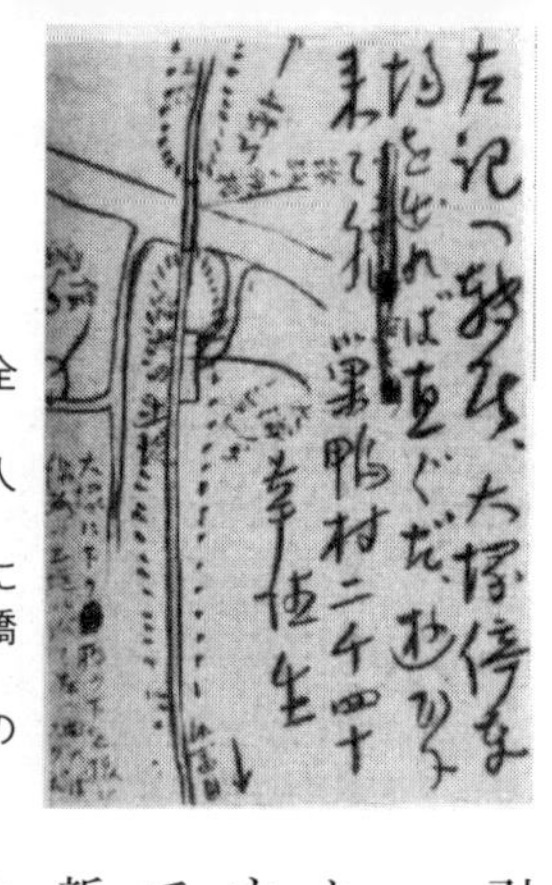

幸徳自筆による巣鴨平民社の地図（『幸徳秋水全集第９巻』より転載）
大塚平民社（巣鴨村2040）の地図付きの友人上司延貴宛のはがき（1908年10月1日付）。
「左記へ転居、大塚停車場を出れば直だ、遊びに来てくれ。巣鴨村二千四十幸徳生　大塚に下り橋の下を抜け線路の土堤に沿て左へ曲ればスグだ。」
はがき左上方に「僕の家」とあり、そこは現在のJR大塚駅北口広場付近。

引き続き寄宿した。

11月3日、長野の宮下太吉が差出人不明（のちに内山愚童と知る）の「無政府共産」と横書きされたパンフレットを受け取った。13日に森近は宮下太吉から国民の目を覚ますためには天皇を倒す必要がある、東京で事があればすぐ行くという旨の手紙をもらって、それを幸徳にも見せた。幸徳はこの時初めて宮下の存在を知ることになった。19日、新宮から上京した大石誠之助（禄亭）が巣鴨平民社に滞在するが、これがのちに検察によって「11月謀議」にデッチ上げられ、清馬もそれに参画して「大逆」を実行したとみなされた。

12月、管野が幸徳に「爆裂弾を作って大逆罪を犯し、大仕掛けの革命をおこしたい」と心の内を明かすも、幸徳は堺、山川、荒畑、大杉ら同志不在の中ではと、その話にはのらなかった。

## 幸徳の嫉妬心とジェンダー平等

柏木平民社、巣鴨平民社に寄宿していた坂本清馬はたびたび柏木の神谷荘に遊びに来て、自分の失恋の打ち明け話を管野にしていた。幸徳は清馬を弟のように可愛いがっていたが、だんだんと清馬と管野の仲が怪しいとねちねち厭味をいうようになった（瀬戸内寂聴『遠い声』岩波現代文庫）。

09年1月18日、幸徳の妻千代子が上京して巣鴨平民社に住むことになる。ところが、幸徳周辺で「秋水と幽月（須賀子）があやしい」と守田有秋、堀保子、坂本清馬らが騒ぎ始めた。

同年1月31日、清馬と管野が1日外出したことに、幸徳が「君は管野さんに恋をしているのではないか」「ラブ・イズ・ブラインド」「荒畑の妻に間違いがあると同志に申し訳ない」と諭すと、清馬はつまらない嫉妬にムッとして「貴様が革命をやるか、俺がやるか、競争するぞ」と怒鳴って幸徳家を飛び出し、以後絶縁状態となった。管野は清馬が目にごみが入った時に妹によくしたように、舌でとってやったことも幸徳は不快に思い癪にさわったようだ（瀬戸内寂聴前掲）。「すこしやきもちをやいていたらしい幸徳が叱りつけたことが衝突のキッカケとなった」（絲屋寿雄『管野すが』）とあるが、坂本にしてみれば、「わしゃ、秋水先生に尽くしたのに、先生は革命を捨てて、恋に奔った」（田中伸尚『大逆事件』）であった。

坂本ばかりでなく、清国留学生の張継が管野に夢中になった時もみっともないほど幸徳は嫉妬した。「口ではフリー・ラブを称えながら、自分の女の貞操に対しては、いたって厳格を求めるのは、従来の男と同じだった」（瀬戸内寂聴　前掲書）と厳しい。「フリー・ラブ」は男の都合であって、現代ならばジェンダー平等とは大きくかけ離れた男の論理と糾弾されるであろう。

その後の坂本は、1910年6月に幸徳が逮捕されてから2か月ほどたって、浮浪罪で逮捕されてしまう。絶縁していたにもかかわらず、幸徳の秘密命令で決死隊をつくるために平民社を出て全国遊説したとでっちあげられ、あれよあれよという間に大逆事件に巻き込まれたのだ。死刑判決の翌日に無期懲役に減刑され、秋田監獄、高知刑務所の獄中生活が続き、仮出獄になったのは逮捕から24年後の1935年のことだ。戦後も再審請求の闘いを続けたが棄却されてしまい、無念のうちに坂本はこの世を去った。

## 幸徳の離婚と「手ごめ」

前述した通り竹内善朔は幸徳とともに柏木の神谷荘を訪れたが、月末には幸徳と管野の関係を到底容認することができないと再三にわたって忠告した。竹内は最後には絶縁状を幸徳に送りつけた。竹内が大逆事件に連座しなかったのはこの1件があったからだ。

2月中旬、管野は持病の肺結核が悪化して幸徳の勧めで鎌倉の寺に転地療養した。3月1日に幸徳は妻千代子と協議離婚をしている。その結果、炊事、賄は岡野辰之助の妹てる子が担当することになったが、次の出来事があったという。

「三月の一日、お千代さんは秋水から離縁されて、巣鴨の家から出て、すでに名古屋の姉さんのところへ去っていた。お千代さんが秋水の郷里に療養中は、同志の岡野辰之助の妹てる子が女中がわりに来ていた。秋水がてる子を手ごめにしたとかいうので、出版社の校正係をしていた辰之助が、秋水のところへどなりこんできたというような騒ぎもあって、てる子は岡野がつれ帰る」（瀬戸内寂聴　前掲書）という「手ごめ」騒動が起きた。ここにも、幸徳の中にある男の都合が露わになっている。

## 森近運平の失望と帰郷

話をすこしもどす、1909年2月13日、宮下太吉は初めて巣鴨平民社を訪ねて森近に天皇暗殺の相談をした。しかし「家族があるから」とことわられ、幸徳も積極的にその計画に参加することはなかった。

柏木平民社に引き続き巣鴨平民社に住んでいた森近は、その後古本屋（古物商）開業に向けて妻子を呼び寄せて小石川区水道端2丁目22番地の借家に引っ越した。ところが、同志とのトラブルですぐに廃業して巣鴨の岡野辰之助の近所に転居している。

生活難に加えて直接行動派が急進化したのに反発しさらに幸徳秋水と管野須賀子との「フリー・ラブ」に失望した森近は、生まれ故郷の岡山に帰って農業に専念する決意をした。09年年3月10日に東京を出発して帰郷した森近は、地元で当時高等園芸といわれた温室栽培など農業改良運動に専念した。

共同謀議にまったく関与していないにもかかわらず、森近は大逆罪に連座、死刑宣告となった。「死刑！　まったく意外な判決であった」と弟に手紙でその理不尽な結果を嘆いている（『寒村自伝上』）。

### (5) 千駄ヶ谷平民社と「ネット裏の不思議な家」

〈住所〉豊多摩郡千駄ヶ谷町千駄ヶ谷903番地
〈期間〉1909（明治42）年3月18日～1910年3月22日

新宿駅南口近くの千駄ヶ谷平民社

3月18日、巣鴨平民社は急遽引っ越した。官憲は幸徳自宅兼平民社の道路の両側にテ

千駄ヶ谷平民社
新宿駅南口から初台方面への下り坂。標識板の「千駄ヶ谷」に進むと暗渠とされた葵橋が見える。その左側に千駄ヶ谷平民社があった。（筆者撮影 2021 年）

ントを張り、巡査が詰めて日夜監視し尾行し、家主にも圧力をかけていた結果だった。見つけた今度の家は、前の居住者が首を吊ったとかで借り手がなく、家賃も11円で当時としては破格の安さであった。首吊りとは、その後の幸徳たちの運命を示唆するかのようなエピソードだ。

古河力作（1884〜1911年、大逆事件で死刑）と2人の人夫が引っ越しを手伝うことになったが、荷物は大八車1台でまだゆとりがあるほど軽かった。そのころの幸徳がいかに貧窮をきわめていたかがわかる。

豊多摩郡千駄ヶ谷町903番地（現渋谷区代々木2丁目7番地）は、幸徳と管野の終の棲家となった。住居表示は千駄ヶ谷だが、幸徳が初めて柏木に住んだ場所（柏木89番地）近くなので地理感覚的には新宿だ。新宿駅南口改札口を出ると目の前は甲州街道で、そこを初台方面に下り最初の信号（「西新宿1丁目」交差点）を左折するとすぐに葵橋が見える。橋といっても川はなく、旧玉川上水の暗渠とされ現在遊歩道になっている。その葵橋近くに千駄ヶ谷平民社はあった。

「ネット裏の不思議な家」

新宿駅南口から甲州街道にまたがる一帯は延焼を防ぐ「火除（ひよ）けの原」と呼ばれた広大な原っぱで、江戸時代は「新屋敷火除御用屋敷」であった。明治になるとその跡地に鉄道線路が敷設された。雪の夜の狐の鳴き声は有名で、新宿停車場構内で狐の親子が列車にひかれたという話はいくらでもあった。幸徳宅兼千駄ヶ谷平民社はこの原っぱの中にあり、田圃、畑、肥溜めがところどころにある、まったくの寂しい場所であった。

明治末期に野球が盛んになると、この「火除けの原」は野球の練習場になった。そこには、淀橋チームの剛腕ピッチャーでヒーローとなり、後に進学した一高でも活躍した内村鑑三の息子祐之（後に東京大学教授）の姿があった。彼ら野球少年たちにとって、千駄ヶ谷平民社は「ネット裏の不思議な家」で有名だった。

「丁度ホーム、ネットを張るところに、生垣に取囲まれた閑静な住居があって、ネット裏がそこの家の裏門になっていた。不思議なことに、その裏門にはいつも縁台が出ていて、屈強な男や口髭いかめしい中年ものが、麦湯をのみながら張番をしていた。僕等も練習に疲れると時々その麦湯を頂戴に及んだものだ。だんだんなれてくるに従って、縁台の男は高等視察刑事であり、その家の主人公が幸徳秋水であることを知った。当時の自分には著述家の幸徳秋水がどうして表門ばかりか、裏門まで、かくの如く刑事の警衛を受けなければならないのか解らなかった。その年の秋、大逆事件が勃発した」（野村敏雄『しみじみ歴史散歩　新宿うら町おもてまち』1993年、朝日新聞社）。

千駄ヶ谷平民社の間取りは、3畳の玄関に、左横の4畳が新村忠雄（1887～1911年、大逆事件で死刑）の部屋、その隣が女中部屋になっていた。玄関右側の4畳半が管野須賀子の部屋で、玄関奥の6畳は談話室となっており、その奥の8畳が幸徳の部屋であった（絲屋寿雄『管野すが』）。この幸徳の部屋の左横に裏門があり、そこから張り番が幸徳の部屋を監視していた。

千駄ヶ谷平民社前の道を挟んでそこには警察官詰め所があり、平民社右横には警察官

葵橋から代々木駅方面を見た写真
左奥ビル辺りが千駄ヶ谷平民社。
その周辺が「火除けの原」だった。
（筆者撮影2021年）

宿直所まで設置されており、ネズミ1匹の見逃しも許さない完全監視体制であった。祐之少年は、父鑑三のかつての同僚であった幸徳秋水をどのように眺めていたであろうか。

## 千駄ヶ谷平民社と管野須賀子

清国留学生の張継ばかりでなく、馬宗豫（マゾンユ）も管野にしつこく言い寄って管野が迷惑していると新村忠雄から聞いた幸徳は、それならば千駄ヶ谷平民社に来ればよいと誘っている（瀬戸内寂聴　前掲書）。

そこで管野は赤旗事件後の08年9月から～翌年2月まで賄手伝いをしていた神谷荘（清国留学生寄宿舎）をたたみ、千駄ヶ谷平民社で幸徳の秘書となり、同棲生活（09年3月～10年3月）をはじめた。その代償は大きく、多くの同志は2人の関係に嫌気がさして幸徳の元を去った。千駄ヶ谷平民社には幸徳、管野そして巣鴨平民社時代から同居していた新村忠雄だけの生活になった。

かつて「柏木団」には今でいう女子会も存在していた。基盤は平民社婦人部で、世話役の福田英子、幸徳千代子（幸徳秋水妻）堺為子（堺利彦妻）、神川松子（社会運動家・翻訳家）、大須賀里子（山川均妻）、堀保子（大杉妻）、管野らが集まっていたが、千駄ヶ谷平民社時代には開かれることはなかった。

1909年6月10日には幸徳、管野で『自由思想』第2号を発刊したが、即日発禁処分（新聞紙法違反）、罰金刑に処せられた。

在りし日の「天野屋旅館」（大正時代の旅館パンフレットより）。

## 荒畑と離婚

8月14日、管野が獄中の寒村に幸徳との結婚と離婚の確認を書簡で知らせた。荒畑は「幸徳との結婚と私との絶縁を通告して来た時には、もう改めて怒る気など起こらず、むしろやっと救われたという感じが先に立って、心が重い軛（くびき）から解き放されたように軽くさえなった」（『寒村自伝上』）とするも、「秋水は獄中の同志から愛人を奪ったのだ、管野は陣笠を首領にのり替えたんだ」と、大杉が大きな眼をグルグルさせて怒りをぶち上げていることを付け加えている（同前掲書）。その大杉も、数年後に「フリー・ラブ」を唱えて、10年間大杉を支えた妻堀保子と離縁して伊藤野枝と一緒になっている。

9月6日、荒畑が「僕はここで謹んで秋水兄とアナタとの新家庭の円満、幸福ならんことを祈るのみです」（同前掲書）と返信しているが、後述するように出獄すると2人が滞在していた湯河原温泉天野屋旅館にピストルを懐中に報復に向かった。

仲間が少なくなったけれどもたのしいひと時はあった。「革命の歌」の作者である築比地仲助は、歌のうまい知人と一緒に千駄ヶ谷平民社に立ち寄り、管野や新村と一緒に「山路こえた」「花ちりうせては」「思い出づるも」など、賛美歌をよく歌ったと回想している（「平民社回想録」『労働運動史研究第16号』1959年7月）。しかも「神」というところを「主義」といれかえて「ただ主義の結ぶ愛あり」のようにしてうたったという。築比地は、管野の歌が「絹糸のような美しい細い声で、非常に上手だった」（絲屋寿雄『管野すが』）と褒めている。

## ４人で爆破計画

11月３日、宮下太吉は明科の山中で１個の缶爆弾を投げつけ、破裂させることに成功すると、その報告のために上京して、12月31日に千駄ヶ谷平民社に１泊している。

幸徳は宮下の計画に乗るのは主義のためにも利益にならない、文筆をやりたいと考えていたことがわかったので、管野須賀子、新村忠雄、宮下太吉、古河力作の４人だけで天皇爆破計画をすすめることになった。10年１月23日には古河力作が来訪して、管野、新村の３人で投弾の図上演習をしている。

千駄ヶ谷平民社を閉じる約１カ月ほど前に、幸徳と管野は石川三四郎に会っている。石川三四郎が「墓場」（『世界婦人』第38号、09年７月５日）の筆禍で３月28日の入獄が決まったことから、２月25日夜に幸徳と管野は京橋区三十間堀の富貴亭で別宴を設けた。管野は死刑宣告４日前に石川三四郎にあてた書簡の中で富貴亭の晩餐が永遠のお別れの記念になったことに触れて、辞世の句を認（したた）めた。

やがて来む終の日思ひ
限りなき生命を思ひ
ほほ笑みて居ぬ

10年３月22日、孤塁を守った千駄ヶ谷平民社を閉じて、幸徳と管野は湯河原温泉天野屋旅館に向かった。千駄ヶ谷平民社での生活はわずか１年で終わりを告げた。

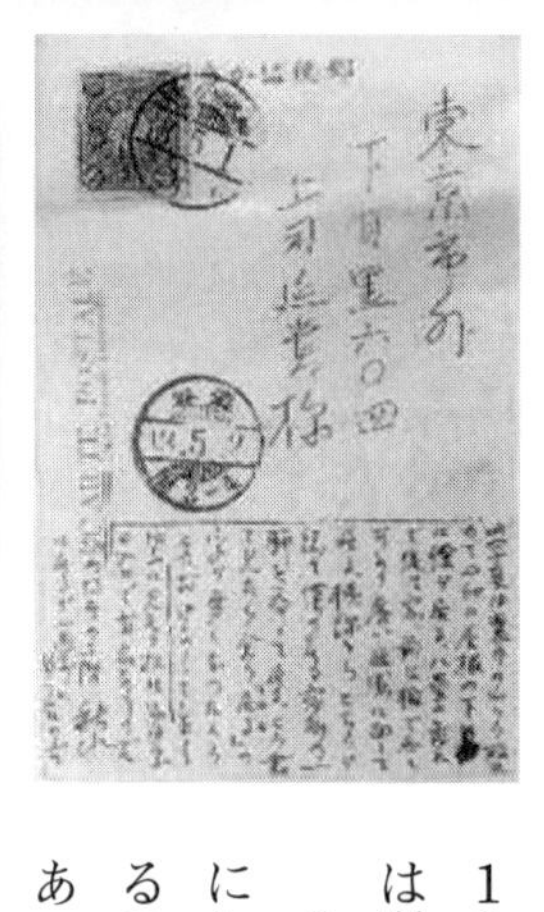

1910年4月30日に上司小剣に送った絵葉書。天野屋写真に「△印の屋根の下に僕が居る」と書いてある。（町立湯河原図書館提供）

湯河原天野屋旅館と管野須賀子

八方ふさがりの状況下、『自由新聞』記者時代の同僚で親友小泉策太郎（1872〜1937年、政治家、号は三申）が『通俗日本戦国史』の執筆をすすめて、幸徳と管野は湯河原温泉の天野屋旅館に滞在することになった。

2022年の春、ぼくは幸徳と管野の2人が共に過ごした最後の地湯河原に行くことにした。東海道線湯河原駅は熱海駅の1つ手前である。そこから山に向かってバスに乗ること10分から15分、湯河原温泉街の西北端で最も高い所に2人が逗留した天野屋はあった。現在は近代的なホテルとなっていた。目の前には藤木川が流れているのは変わらないが、温泉地周辺にかつての賑わいはないようだ。温泉につかりながら幸徳と管野のことを振り返ることにした。

天野屋の古いパンフレットをめくってみると、万葉の世から泉量豊富で「外傷性諸傷害、リウマチス、神経痛、胃腸病」等に特効ありと記されてある。宿泊料（朝夕2食付き）は、本館4円よりとある。幸徳は天野屋本館2階の24番部屋（8畳間と2畳間）で、担当仲居おふみさんの面倒で温泉療養（室伏忠利「湯河原雑記55」）しながら『通俗日本戦国史』ではなく幸徳最期の著作『基督抹殺論』を起稿した。

ところが、湯河原で2人の思想的、恋愛的感情が微妙にずれてしまう。管野は発禁となった『自由思想』の罰金400円が払えず換刑（罰金の代わりに入獄して労役に服する）のために労役場に入ることにして、5月1日に湯河原温泉から単身帰京した

5月17日、出獄した荒畑寒村は復讐のためピストルを持って天野屋旅館に行くが、幸徳も上京して不在で未遂に終わった。

大逆事件のはじまり

東京に戻った管野は計画を具体化していく。5月17日に宮下不在の中、管野、新村、古河と天皇爆破事件の投弾の順番をくじ引きで決め、実行日は管野出獄の秋以降とした。翌18日に管野は入獄した。

ところが、5月25日に宮下の爆裂弾実験成功が発覚してしまった。宮下は不用意にも爆弾を知人に預けていた。こともあろうにその知人の妻と密通、痴情のもつれから、その妻が爆裂弾計画を官憲に流したのであった。その結果芋づる式に新村が、そして宮下とは最後まで面識がなかった古河が逮捕され、31日には「爆発物取締罰則違反」容疑から「刑法第73条」いわゆる大逆罪に切り替えられた。子どもだましの稚拙な計画が強引に大逆罪にフレームアップされ、管野は牢獄の中で逮捕された。

1910年6月1日朝6時に天野屋旅館玄関前に1台の人力車が待っていた。幸徳はその人力車に乗り東京に戻ることにしていた。軽便鉄道の門川駅まで走ってもらい、車賃は20銭のところを30銭払って高杉待合所で幸徳は降りた。すると待ち構えていた警察官に囲まれて即刻に逮捕、湯河原の駐在所で取り調べられた幸徳の身柄は東京に運ばれた。

現在の湯河原駅よりずっと海岸に近いところにあった門川駅は今はない。天野屋に続いてこの門川駅跡地を訪れた。湯河原駅から歩いて20分ほどすると、門川駅跡地にオートバイ販売店の看板が見えてきた。中年の店主は当時の面影は全くないと話し、さらに近くの1934年生まれの古老に尋ねるとすでに線路はなくなったが、この前の通りに軽便鉄道の線路が走っていたという。幸徳はここ門川駅跡地周辺で逮捕された。

## 3　管野須賀子と大逆事件

部落差別をテーマにした『橋のない川』に代表される作品を残した住井すゑ（1902〜97年）に「縁（えにし）」（『幸徳秋水全集』第9巻附録、1969年12月）という一文がある。1910年6月、数え年9歳の住井が小学校の朝礼について触れている。「ご真影に対し奉り、最敬礼」が終わった後に校長の訓辞「大悪党の首領は、こうとくしゅうすい、名はでんじろう」が続いた。反戦を唱え、貧富の差別撤廃を叫んだ人を「大悪党の首領」という校長に対して、「そんなら校長先生よ、私もこうとくしゅうすい、名はでんじろうのような人間になってやる。いや、そんな人間になりたい」と決心した。「大悪党の首領」の愛人であった管野須賀子も長い間「妖婦」とされ、真っ当に評価されてこなかった。あらためて、大逆事件に連座した管野須賀子の生い立ちと行動を見ていきたい。

### 管野須賀子（1881〜1911年）の少女時代

「豆相人車鉄道　門川駅跡」ここ門川駅跡地あたりで幸徳は逮捕された。（2022年筆者撮影）

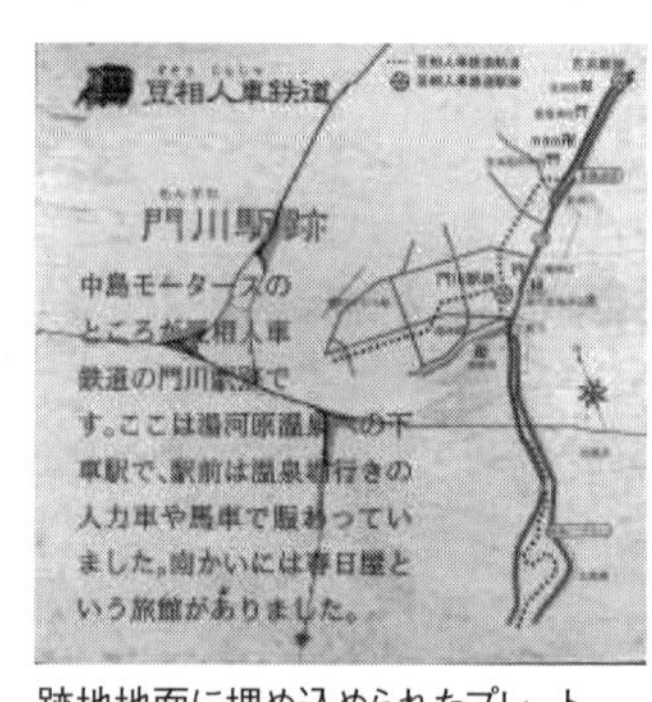

跡地地面に埋め込められたプレート

１８８１（明治14）年６月７日に元下級武士の父義秀、元京都侍娘の母のぶの長女として大阪市北区絹笠町に生まれて、「すが」と命名。７歳の時に妹「ひで」が生まれた。管野は今橋小学校に入学するが、父が代言人をやめて鉱山師（やまし）となった事情で、その後４回も転校している。母のぶが病死すると父は再婚したが、15歳の時に継母の悪だくみで大分の鉱山労働者にレイプされ、その時の心の傷は生涯にわたった。

18歳になった管野は、自活のため上京して京橋の看護婦会に入り、見習い修行に励んだ。19歳で東京市深川の雑貨商小宮福太郎に見染められ、親の勧めで看護婦を辞めて結婚、小宮スガとなった。ところが、夫福太郎が不在時に悪番頭にレイプされるという２度目の性暴力を受け、その後離婚した。22歳の時に小説家、新聞記者の宇田川文海に弟子入り、愛人となって、文海の紹介で１９０２年に『大阪朝報』に入社することができた。ペンネームを「幽月」、「須賀子」として女性初の新聞記者として動き出した（管野は「すが」、「スガ」、「幽月」、「須賀子」と名乗るが、本書では、管野須賀子と表記している）。

## 赤旗事件で無政府主義者となった管野

１９０４年７月18日に管野は有楽町平民社を訪れて堺利彦と初めて出会い、翌年１月に『平民新聞』に「大阪社会主義同志会」設立を発表して社会主義への第１歩を踏み出した。堺利彦のすすめで『牟婁新報』の社外記者として採用された時に荒畑寒村と出会い、恋におちている。しかし、柏木での生活が始まってからは、２人の間に隙間風が吹

刑死者慰霊塔（1964年7月15日、日本弁護士会建立）幸徳秋水ら大逆事件の死刑囚12人が処刑された東京監獄（1922年に市谷刑務所に改称）の跡地（新宿区余丁町4-21）に造られた。（筆者撮影2009年）

き、確執は深まった。

08年6月22日に赤旗事件がおきた。すさまじい拷問と性的虐待を受けた管野自身はこの事件をきっかけに、無政府主義者となって革命のほかに手段はないと覚悟したことは既に述べた通りだ。

## 管野須賀子と大逆事件

千駄ヶ谷平民社を閉じた後、追われるようにして幸徳と管野は湯河原へ向かう。しばらくしてから管野だけ東京に戻るや、大逆事件に巻き込まれていく。その時の状況を日を追って振り返ろう。

| 《1910（明治43）年》 | |
|---|---|
| 3月33日 | 千駄ヶ谷平民社を閉じ、幸徳と湯河原温泉天野屋へ赴く。 |
| 5月1日 | 『自由思想』の罰金刑の上告をやめ、管野が入獄準備のため単身帰京。 |
| 5月17日 | 帰京先で、新村忠雄、古河力作と投弾の順番をくじ引きで決め、その実行は管野出獄予定の秋以後とする。 |
| 5月18日 | 管野の入獄（『自由思想』の新聞紙法違反、換金刑）。 |
| 5月25日 | 宮下太吉の爆裂弾の件が発覚して、宮下、新村、古河らが逮捕。 |
| 5月31日 | 「爆発物取締罰則違反」容疑から「刑法第73条」（大逆罪）で、管野、幸徳らが起訴される。 |
| 6月1日 | 幸徳が湯河原で逮捕。 |
| 6月2日 | 管野の第1回検事聴取が始まる。 |

東京監獄跡地は新宿区余丁町公園
東京監獄市ヶ谷刑務所跡地は公園となり、子どもたちの遊び場となっている。公園の奥に刑死者慰霊塔がある。（筆者撮影 2009 年）

| | |
|---|---|
| 6月3日 | 管野の第1回判事訊問が始まる。 |
| 6月9日 | 獄中から朝日新聞記者杉村縦横（楚人冠）宛に「針文字」書簡（「彼ハ何ニモ知ラヌノデス」）を送る。 |
| 6月17日 | 判事に幸徳との絶縁を伝言する（1909年8月14日に荒畑寒村へ離縁状を送っている）。 |
| 《1911（明治44）年》 | |
| 1月18日 | 判決公判。被告26人中24人に死刑宣告。管野が「死出の道艸」執筆開始。 |
| 1月19日 | 12人が無期に減刑。 |
| 1月24日 | 幸徳ら11人の死刑執行。管野は時間の関係で翌日になる。 |
| 1月25日 | 管野死刑執行。午前8時28分絶命（29歳7か月）。 |
| 1月28日 | 妹秀子の眠る代々木正春寺に合葬。 |

10年5月25日、長野県の警察が宮下太吉を爆発物取締罰則違反容疑で検挙から、天皇暗殺を計画したとして全国の社会主義者、アナキストの摘発、逮捕がはじまった。暗殺計画はきわめて稚拙なものであった。実際に関与していたのは宮下太吉、管野須賀子、新村忠雄、古河力作の4人だけであり、多くは検察が総ぐるみでフレームアップし、異例の速さで公判、刑執行をはかった。

管野須賀子の墓がある正春寺は、幸徳と管野が過ごした千駄ヶ谷平民社から甲州街道に沿って歩いて15分ほどのところにある。平民社の仲間たちとの園遊会が開かれた懐かしい十二社は目と鼻の先だ。碑の表面は「柏木団」のリーダー堺利彦の、裏面はかつて夫であった荒畑寒村の文字で刻まれてある。

落合火葬場で荼毘に付された（現在の落合斎場）。1911年1月24日、堺らが東京監獄に幸徳らの面会に行くと看守が「執行命令があって、今ごろは4人目あたりです」といわれ、翌25日に遺体を引き取り狼谷と呼ばれた落合火葬場まで歩いて運ぶ途中で警察の妨害にあっている。同日朝に管野須賀子が処刑された。
（筆者撮影2021年）

大逆事件の判決結果を見てみよう。

死刑処刑12人（順不同）

| 1 | 幸徳秋水（高知、１８７１～１９１１） |
|---|---|
| 2 | 管野須賀子（大阪、１８８１～１９１１） |
| 3 | 宮下太吉（山梨、１８７５～１９１１） |
| 4 | 新村忠雄（長野、１８８７～１９１１） |
| 5 | 古河力作（福井、１８８４～１９１１） |
| 6 | 森近運平（岡山、１８８１～１９１１） |
| 7 | 大石誠之助（和歌山新宮、１８６７～１９１１） |
| 8 | 内山愚堂（新潟、１８７４～１９１１） |
| 9 | 奥宮健之（高知、１８７１～１９１１） |
| 10 | 成石平四郎（和歌山、１８８２～１９１１） |
| 11 | 松尾卯一太（熊本、１８７９～１９１１） |
| 12 | 新実卯一郎（熊本、１８７９～１９１１） |

特赦無期刑12人（順不同）

《獄死5人》

| 1 | 高木顕明（愛知、１８６４～１９１４） |
|---|---|
| 2 | 峯尾節堂（和歌山、１８８５～１９１９） |
| 3 | 岡本頴一郎（山口、１８８０～１９１７） |
| 4 | 三浦安太郎（兵庫、１８８８～１９１６） |
| 5 | 佐々木道元（熊本、１８８９～１９１６） |
| | |
| | |

《仮出獄7人※出獄時は省略》

| 1 | 坂本清馬（高知、１８８５～１９７５） |
|---|---|
| 2 | 成石勘三郎（和歌山、１８８０～１９３１） |
| 3 | 﨑久保誓一（三重県、１８８５～１９５５） |
| 4 | 武田九平（香川、１８７５～１９３２） |
| 5 | 飛松與次郎（熊本、１８８９～１９５３） |
| 6 | 岡林寅松（高知、１８７６～１９４８） |
| 7 | 小松丑治（高知、１８７６～１９４５） |

有期刑2人（順不同）

| 1 | 新田融（宮城、1880〜1938） |
|---|---|
| 2 | 新村善兵衛（長野、1881〜1920） |

管野須賀子の墓（正春寺／東京府豊多摩郡代々幡村代々木16番地・現渋谷区代々木16番地）碑文の表「くろがねの／窓にさし入る／日の影の／移るを守り／けふも暮らしぬ幽月女子獄中作　とし彦書」（2010年筆者撮影）

## 獄中記「死出の道艸」と「柏木の雪」

死刑宣告が出された1911（明治44）年1月18日より、管野は市ヶ谷の東京監獄女監での獄中記「死出の道艸」を書き始め、その巻頭で「絞首台に上るまでの己れを飾らず偽らず自ら欺かず」と決意を述べた。

18日には、無法なる裁判への憤りと「噫、気の毒なる友よ、同志よ」と巻き添えになった犠牲者への心情を書き記した。19日には、昨夜はぐっすり眠れてすがすがしいと書き出し、死刑宣告に対して「我々の今回の犠牲は決して無益でない、必ず何等かの意義ある事を確信して居る」と述べ、忠君愛国の者たちに死骸を掘り返されて八つ裂きにされては困るので、見苦しくない死装束にしてほしいと書き残した。

20日は雪であった。管野はこの銀世界を3尺の鉄窓から眺めた。いくつもの雪の思い出の中に「柏木の雪」もあげて、「愛する人や友の数々が懐かしい姿」として浮かび「楽しい様のような、悲しい様のような、一種の感じ」が胸に迫ると記している。管野にとって「柏木団」はかけがえのない愉快な仲間であり、同志であった。尊かった柏木での生活は一生の思い出であった。

獄中記「死出の道艸」は1月24日で終わっている。この日朝から幸徳を始め11人が絞

管野須賀子の墓
碑文の裏「革命の先駆者／管野スガここにねむる／一九七一年七月十一日／大逆事件の真實を／明らかにする會これを建てる／寒村書」（2010年筆者撮影）

首刑となったが、管野はそのことを知らされていない。「今日は筆を持つ気にならない」と書き記した管野にはピンとくるものがあったのかもしれない。管野は翌日処刑された。

### 戦後の再審請求と棄却

大逆事件の真相は闇に葬られたまま戦後を迎えた。１９６０年、中村市の市長を会長、坂本清馬を事務局長として「幸徳秋水50年記念祭」が行われた。この年に、ただ１人の事件生き残りの清馬と森近運平の妹栄子が共に再審請求に立ち上がった。再審請求は65年に証拠不十分で東京高裁が棄却、最高裁への特別抗告も退けられてしまった。無実を叫び続けてきた坂本清馬は75年に92歳で亡くなった。

管野須賀子の名誉回復が、市民運動として動き出すのは２０１２年12月のことだ（「管野スガを顕彰し名誉回復を求める会」）。それでも、「妖婦」としての管野須賀子のみが流布され、ジャーナリスト、アナキストとして真っ当に評価されずに現在にいたっている。

大逆事件全体を仕切り、幸徳らの逮捕を命じたのは平沼騏一郎（１８６７～１９５２年）であった。司法省民刑局長という要職にあり、責任者であった。彼はのちに出世して、１９３９年１月に総理大臣になったが、独ソ不可侵条約締結されると内閣総辞職した。戦後すぐに戦争犯罪人として逮捕されてスガモプリズン（巣鴨拘置所）に収監された。極東国際軍事裁判（東京裁判）でA級戦犯となり終身禁錮が宣告されたが、52年に病気のため仮釈放、その年の8月に死去した。

## 4　大杉栄・伊藤野枝・橘宗一虐殺事件

１９２３年8月に大杉は妻の伊藤野枝と終の棲家となった柏木に居を構えた。ところが、関東大震災直後の9月16日に自宅近くで大杉、伊藤そして大杉の甥のわずか6歳の橘宗一の３人が拉致、連行されてそのまま帰らぬ人となった。大杉栄・伊藤野枝・橘宗一虐殺事件だ。

「冬の時代」を経て柏木に戻って来た大杉栄は最期の「柏木団」のメンバーだ。その大杉の生い立ちと行動を見ていこう。

### ⑴大杉栄（１８８５〜１９２３年）と獄中生活１２２４日

初期社会主義運動に最初からかかわり、大逆事件後の「冬の時代」に大久保平民社をつくった大杉栄はいかなる人物であったか。

#### 陸軍幼年学校入学と「男色事件」

大杉栄は、１８８５（明治20）年1月17日に愛媛県那珂郡丸亀（現・香川県丸亀市）で陸軍少尉の父東、母豊の長男として生まれた。大杉家は祖父の代まで庄屋を務めていた。栄4歳の時に父の転任で新潟県新発田本村へ移住して、１８９１年4月に三之丸小学校に入学、成績は高等小学校2年まで3番から下に落ちることはなかったという（『自叙伝』岩波文庫）。

1897年4月、大杉は新潟県北蒲原尋常中学校に入学。翌年名古屋陸軍地方幼年学校を受験するも失敗。翌年、再度陸軍幼年学校を受験して合格し、フランス語のクラスに入った大杉は得意の語学習得に専念した。1901年、3年生（16歳）になった大杉は奈良・京都修学旅行に出発するが、旅先では仲間と一緒に毎晩下級生の寝室を襲っていた。吉野の寺でこの「男色事件」がみつかり、大杉は禁足30日の処分を受けている。「男色事件」で、大杉は絶対服従を強いる軍人生活を続けることに疑問を抱いた。3年時の学科試験の結果は2番と優秀であったが、「操行」は最下位であった。精神的に不安定となり、凶暴性がみられるようになった。

### 退学と替え玉受験

11月、大杉たち3年生12人が欠礼した石川県出身の下級生に制裁を加えたところ、同県出身の3年生と口論、格闘になった。大杉はナイフで頭部を刺されるが、「品行不正、改悛の目途なし」で陸軍幼年学校から退学が命じられた。その後大杉は上京して予備校に通い、1902年10月に順天中学校5年に編入学した。下宿先の早稲田中学卒業の友人を使っての替え玉受験であった。

下宿先の学生が足尾銅山鉱毒問題の示威運動に参加するのを見て社会問題に目覚め、『萬朝報』で幸徳秋水、堺利彦の名を知ることになった。一方で03年3月、キリスト教に興味を持った大杉は教会をいくつか回り、海老名弾正を気に入った。

## 『平民新聞』との出会い

１９０３年4月に東京外国語学校受験、9月にフランス語科に入学した大杉は、フランス語マスターが認められて1学年特進することができた。10月11日、かなり躊躇していたが、本郷壱岐坂の本郷教会で海老名弾正から洗礼を受けキリスト者となった、ところが、20日に社会主義協会の第2回非戦論演説会で、主戦論に転じた『萬朝報』を退社した幸徳秋水、堺利彦らの演説を聞いた大杉は大いに感動、共鳴した。11月1日に平民社設立、15日に週刊『平民新聞』創刊を知って「一兵卒として参加したい」と思った。大杉18歳の時のことだ。

## 僕は人殺しの子です

翌年3月13日午後6時半、幸徳秋水、堺利彦ら20人に混じって19歳の大杉は平民社の第2回社会主義研究会に参加している。堺利彦は大杉栄との最初の出会いを次のように振り返る。

「わたしの記憶に残っている最初の大杉栄は、金ボタンの制服を着た外国語学校仏語科の学生である。色が白く、髪が黒く、目が大きく、背もずいぶん高く、まず立派な青年だった。明治37、8年のころ、週刊『平民新聞』から『直言』にかけての「平民社」の常連の一人で、或る日の茶話会で自己紹介の時、「僕は人殺しの子です」と言って、人の注意を引いた」（「社会主義運動史話」『中央公論』１９３１年6月号所収）

当日の研究会の記録に「社会主義の事を親爺に話して、そんな不忠な奴は切つてしまふぞと叱られた軍人の子」として残されてある。

「国家主義的大和魂的クリスト教」

1904年2月10日、相互宣戦布告で日露戦争が始まった。非戦論の『平民新聞』の主張に共鳴した大杉は、キリスト者から社会主義者へ生まれ変わった。「海老名弾正の国家主義的大和魂的クリスト教が、僕の目にはつきりと映って来た。戦勝祈祷会をやる。軍歌のやうな賛美歌を歌はれる。忠君愛国のお説教をする」と嘆き、「すつかり教会を見限って了った」(『自叙伝』)と書き残している。

同年6月26日には、『平民新聞』社説「嗚呼増税!」(幸徳秋水執筆)の筆禍で巣鴨監獄に収監されていた堺利彦の出獄歓迎会・園遊会(新宿十二社・梅林亭)に参加して、大杉は同志となった。その後平民社で帯封など事務を手伝う中で初期社会主義者の仲間「柏木団」の一員に成長していく。

この年に大杉は荒畑寒村と出会っている。荒畑は、「いつも金ボタンの制服を着て、髪をきれいに分けて油で固めている。みんなが「オオハイ、オオハイ」って呼んでいましたが、『大杉ハイカラ』っていう意味なんですね。もうそのころから相当なおしゃれでしたよ」(『寒村自伝上』)と回想している。

徴兵猶予と日本社会党加盟

1905年1月、20歳になった大杉は徴兵を免れるために明治大学に入学して「徴兵猶予に要する証明書」を発行させた。非戦、反戦の意思表示だ。2月には廃刊に追い込まれた週刊『平民新聞』の後継紙週刊『直言』が刊行されると、平民社社友となり「運動基金」として金1円の寄付をしている。東京外国語学校を卒業した7月には、筆禍事件で巣鴨監獄に収監されていた幸徳秋水を午前5時半に同志たちと迎えに行き、幸徳宅（淀橋町柏木89番地）の出獄歓迎会に参加した。

06年2月には、日本で最初の合法的社会主義政党である日本社会党の結党式を兼ねた第1回大会（参加者35人）が開かれ、大杉は日本社会党に加盟した。3月5日には堺宅（由文社、麹町区元園町）に寄宿させてもらうことになった。

## 獄中生活1224日

寄宿した途端に、持ち前の行動力で大杉は堺宅から東京市電車賃値上げ反対市民大会（主催・日本社会党等）のビラを持ち出し、配り始めた。06年3月11日、日比谷公園で開かれた集会に堺、森近運平、深尾韶らと参加して、有楽町の東京市街鉄道会社まで150〜160人のデモの先頭に立ち、時事新報、萬朝報、読売新聞各社に押しかけた。15日の第2回反対市民大会でもデモの先頭に立ち、皇居山下門前の電車線路を占拠した。同夜に日本社会党員とともに大杉も警視庁に拘引され、22日に東京監獄（市ヶ谷富久町）に収監、初入獄となった。名前はなくなり「襟番号977」、住居先は「房番号8監18室」となった。

6月21日午後6時、大杉は深尾韶とともに保釈出獄となった。保釈金100円は父に用立ててもらった。大杉は、深尾とともに再び堺宅に寄宿、居候をはじめた。

大杉は数え年で22歳春から27歳暮まで監獄を出たり入ったりしており、この5年半の内未決監を含めた獄中生活は１２２４日、なんと通算3年半になる。常日頃「ボクは監獄で出来上がった人間だ」と冗談交じりに語り、「一犯一語」、「一獄一語」と吹聴した。

07年2月に日本社会党は、治安警察法の適用により結社禁止、解散させられた

## 堀保子に強引プロポーズ

出獄した大杉は、06年8月25日に堀保子と婚姻届けは出さない事実婚で牛込区（現新宿区）市ヶ谷田町2丁目22番地の新居で共同生活を始めた。保子は堺利彦の妻美知子の妹で、堺の友人小林助市と1度結婚しているが、夫婦喧嘩が絶えず、5年ほどで離婚した。その後、同志であった深尾韶と婚約し、婚前旅行までしていたのだが、そこに大杉が割り込み、結婚してくれないなら自らの衣服に火をつけると強引にプロポーズした結果であった（『寒村自伝』）。今でいうところの「略奪婚」であり、入籍はせず夫婦別姓の共同生活が始まった。保子との結婚を断念してメンツ丸つぶれの深尾だが、結婚祝電を誰よりも早く2人に送っている。

## (2)「柏木団」の一員へ——１９０７年2月初旬

山川均が「とくに大杉などは引っ越し趣味で、毎月のように引越していた」（「『柏木団』の人々」）というように大杉栄の引っ越し魔は有名だった。その大杉栄が妻の堀保

子と初めて柏木の地に住居を求めたのは、１９０７年2月初旬のことだ。住所は豊多摩郡淀橋町柏木３４２番地、隣地には堺利彦の家族が住んでいた。大杉は「柏木団」の１員となり、初期社会主義発祥の地柏木で活躍することになる。大杉の最期の場所もここ柏木３４２番地であった。前述した通り、大杉、伊藤、橘宗一が拉致・連行された場所だ。

大杉は最初の妻堀保子と柏木の地に移り住み、２番目の妻伊藤野枝と再び柏木の地に戻り住んだ。「柏木団」大杉の最初と最期は柏木であった。引っ越魔大杉の住居変遷をくわしく見ていこう（参考『大杉栄全集別巻「年譜」』、『日録大杉栄伝』等）。

①大杉栄と妻堀保子の場合

**１９０７年**

柏木３４２番地（2月初旬）

結婚後半年余り住んでいた市ヶ谷田町から柏木３４２番地へ転居した。保子によれば、「雑誌の売行きも追々少なくなり、語学の教授もサッパリ振るわず」（「大杉栄と別れるまで」）となり、新婚の家を維持できなくなったのでオルガンを売って、保子の義兄堺利彦（妻は保子の姉）宅の隣家に移り住むことにした。「雑誌」とは堺利彦が１９０３年に創刊した『家庭雑誌』（由文社）のことで、結婚祝いとして出版経営権を保子が譲り受けていた。「語学の教授」とは、大杉のエスペラント語学校のことだ。

今では考えられないことだが、『平民新聞』（07年2月3日号）に荒畑と連名で同地に

淀橋町柏木 308 番地（現北新宿 1-20-8）
「柏木団」メインストリート（新宿税務署通り）沿いにある大杉出獄後の大杉自宅跡地。ここはぼくの実家の近くにあり、通学道路であった。
（筆者撮影 2021 年）

転居公告を出している。荒畑は管野須賀子と同棲することになるが、うまくいかない状況であった。

4月末頃、大杉宅で幸徳、大杉、神川松子、坂本清馬と無政府主義者の秘密会を開くことにしたが、案内していない堺、赤羽厳穴、管野須賀子が加わったので流会となった。『平民新聞』を読んで大久保の幸徳宅に訪問していた坂本にとって、初期社会主義者との初対面の場でもあった。

## １９０８年

**柏木３１８番地（1月3日）**

神谷荘近くに転居するも、大杉の逮捕によりわずかな期間しか住めなかった。

**柏木３２６番地（1月下旬・保子のみ）**

1月17日の金曜講演屋上演説事件で堺、山川らと20日に東京監獄に収監されたことから、「1人で1軒の家を構えていては、いろいろと不便で困るだろう」との大杉からの書簡を受けて、再び義兄の堺宅近くに転居した。

**柏木３０８番地（5月中旬）**

初春、ここ（現外国車販売店）には鉱山労働者南助松、林小太郎が足尾銅山暴動事件後に静養のため短期間住んでいた。その後、3月26日午前6時に巣鴨監獄より出獄した大杉が転居した。あくまで、ぼくの推測だが、南助松と林小太郎は柏木３２６番地に住み、同３０８番地で保子が賄を担当していたかもしれない。

**柏木３６５番地（清国留学生寮神谷荘）（9月・保子のみ）**

大久保村大久保百人町212番地（現百人町1-23）。奥に見えるのが大久保駅南口。この細い道左側に保子が転居。ここで大杉の６人の弟妹の面倒を見た。出獄した大杉はこの自宅に戻っている。（筆者撮影 2021 年）

6月22日の赤旗事件により、大杉に重禁固2年6か月の判決。大杉入獄後の9月、保子は柏木365番地の中国革命党3人の住む寄宿舎神谷荘の賄をして生計を維持することになった（1908年9月～09年2月）（『実録大杉栄伝』）。《1909年》

大久保村大久保百人町212番地（4月1日・保子のみ）

2月に中国革命党3人が官憲の圧迫により帰国したので、4月に保子は神谷荘からここ（現JR大久保駅南口近く）に転居した。11月2日、大杉の父、東が死去。大杉の6人の弟妹を保子が引取り、生活の面倒を見ることになった。

## 1910年

出獄した大杉が大久保百人町212番地の自宅に戻る

10月24日、保子が転籍届を出し大杉の本籍地を豊多摩郡大久保村大久保百人町212番地とする。11月29日午前5時、大杉が東京監獄から満期出獄。自宅百人町212番地に帰り、「僕は監獄で出来上がった人間」と語る。12月8日、大杉が獄中の幸徳秋水に面会する。同24日、堺が四谷区四谷南寺町6地の自宅に売文社を設立、大杉、荒畑も参加、社員となる（11年4月30日まで）。同じころ、大杉が内田魯庵を知り、時々訪問する。13年後に魯庵宅の隣地に転居している。

《1911年》

大久保の自宅から東京監獄へ――幸徳の死刑執行

1月24日、大杉らが朝面会に行くと、幸徳らの死刑執行を知らされる。その夜遅く、堺、石川とともに信濃町駅で下車して、堺宅へ向かう。その途中、気が晴れず暴れる。

同月11日、保子が肺病で神奈川県鎌倉郡腰越村七里ケ浜の恵風園療養所に入院した。

神奈川県鎌倉郡腰越日坂789番地9号の1（11月15日）

妻保子の肺病悪化により保養と看護のために転居。12月24日に堺宅で開かれた売文社忘年会に参加した。

## 1912年

### 大久保百人町352番地（3月29日）―西條八十と大杉栄

大久保駅北口近くの百人町352番地（現日本キリスト教婦人矯風会の裏）に引越し、自宅を『近代思想』の発行地・近代思想社とした。大久保駅前の大久保通りを新大久保方面に向かって歩き、最初の路地を左に曲がった所に近代思想社[注]はあった。

転居後まもない5月、自宅に「英仏独露伊西エスペラント語教授」の看板を掲示。大杉は、7か国語をマスターしていた。この看板を見てフランス語受講に立ち寄ったのが、近くに住む詩人西條八十だ。「大杉は留守で、父は大杉の弟子になりえなかった」と西條の娘が書き残している（『日録大杉栄』）。西條は、ここ柏木で「いっそ小田急で逃げましょか」の『東京行進曲』（1929年）を作詞する一方で戦意高揚の「若い血潮の予科練の七つボタンは桜に錨」の「若鷲の歌（予科練の歌）」を発表した。

（注）近代思想社

大逆事件後の「冬の時代」に堺利彦は、困窮する社会主義者の食い扶持確保のために文筆代理業の売文社を設立した。「冬の時代」に「時期を待つ」堺の姿勢に対して、当初参加していた大杉、荒畑は積極的に「時期を作る」として雑誌『近代思想』（1912年7月～15年2月）を創刊した。

『近代思想』創刊号に堺も寄稿しているが、大杉は堺らが築いてきた初期社会主義を「明治社会主義」として、その思考様式を「機械的定命論」と批判した。心情的には、堺と大杉、荒畑は親子関係以上のものがあるが、堺は大杉を「少数英雄主義」として、すべての社会主義者は「猫をかぶる必要」があると譲らず、堺と大杉・荒畑の溝は深まった。

大久保平民社跡地（ビジネスホテルの看板が見えるあたり）。
1912年3月29日に、大久保村大久保352番地（現百人町2−23）に大杉・堀康子は転居した。自宅兼平民社。
（2020年筆者撮影）

## 1913年

**大久保の自宅でサンジカリズム研究会を開く。**

自宅併用の近代思想社で、研究会を月1、2回のペースで活発に開く。

## 1914年

**鎌倉町長谷新宿87番地（4月30日）**

2月に保子が鎌倉に転地療養していたが、大杉も体調を崩して鎌倉に転居。大杉の家に荒畑が、荒畑の家に安成二郎（読売新聞記者）が住む（『日録大杉栄伝』）。

**大久保町大久保百人町352番地（近代思想社）（5月30日）**

鎌倉の家賃が夏になると3、4倍に値上がりするのと大杉の痛めた腸の治療のため、元の大久保町（1912年、町制施行）に戻ることにした。

大杉栄と荒畑寒村は、約2年間続けた第1次『近代思想』を全23冊発行後廃刊とした。大杉は「大久保より」（『近代思想』第2巻第9号、1914年6月1日）の中で「僕の『知識的手淫』の中にも一寸書いてあつたやうに、寒村と僕とは、僕等の社会的事業としての此の雑誌のあまりの馬鹿馬鹿しさに、もうとても堪へられなくなつた」と述べ、文芸雑誌から改めて社会主義、労働関連雑誌＝月刊『平民新聞』(注)の創刊を企てることになった。

（注）月刊『平民新聞』

有楽町・新富町・柏木・巣鴨・千駄ヶ谷の5つの各平民社について述べてきたが、正確に言うと大久保平民社を入れて平民社は6つあった。大逆事件後の１９１４年9月30日、大杉栄は警視庁に月刊『平民新聞』発行の届け出を済ませた。大杉と荒畑が設立した近代思想社は平民社と改称して、引き続き大杉の自宅（大久保町大久保百人町３５２番地）を平民社事務所としたのである。

10月15日に大杉と荒畑が平民社設立者となり、念願の月刊『平民新聞』を創刊した（巻末資料6月刊『平民新聞』）。ところが、即日発売頒布禁止となり、印刷所から運び出すやすべて没収となる。第2号（11月15日付）、第3号（12月15日付）も発売頒布禁止。第4号（１９１５年1月15日付）は発行できるも、第5号（2月15日付）、第6号（3月15日付）が発売頒布禁止。この6号をもって廃刊となった。

月刊『平民新聞』は全6号で4号以外はすべて発売禁止となってしまった。その後に第2次『近代思想』を15年10月7日に再刊することにした。なお、発禁となった月刊『平民新聞』第3号を伊藤野枝が隠匿しておいてくれた。これがきっかけとなって、大杉と野枝は交際を深めていく。

この年に、大杉は１９１０年に来日した朝鮮人留学生の羅景錫と会っている。羅は、大杉の影響を受け社会主義に希望を見出して帰国する。19年の3・1運動に参加。22年9月には京城日報記者として「信濃川朝鮮労働者虐殺問題演説会」で朴烈（パクヨル）（後述）とともに報告者になっている（『日録大杉栄』）。

## １９１５年

### 小石川区武島町24番地1（9月30日）

「大杉のような人間に家を貸しておくのはけしからん」と大家に言われ、平民倶楽部（小石川区水道羽端）を近くの小石川区武島町24番地（現文京区水道2―4―23）に移転。同日に、大杉・保子夫婦も大久保から同地に転居。10月に『平民新聞』廃刊から半年ぶりに、第2次「近代思想」を復活号として発刊した。印刷人は寒村で発行所は大久保百人町307番地。

神奈川県三浦郡田越村逗子桜山1（2月15日）

『近代思想』発行人として保証金減額のための転居。神近市子・野枝・大杉の「フリー・ラブ」（自由恋愛）がおこる。荒畑と『近代思想』の会計処理問題で激論となり、大杉は荒畑と決別する。

**1916年**

保子が山田嘉吉・わか夫妻の自宅裏に転居（2月27日）

2月27日、保子が上京して、翌日に大杉に離別を迫る。3月3日、離婚前提で保子が逗子を出て、四谷に借家（山田嘉吉・わかの隣地）。

②大杉栄と妻伊藤野枝の場合

**1916年**

下宿第一福四万館から菊富士ホテルへ（3月9日）

3月9日、保子と別居した大杉が転居。4月24日、野枝が辻潤と離別。6月下旬～7月初め、野枝が大杉の下宿第一福四万館（麹町3番地64）で同棲する。10月15日、大杉・野枝が菊富士ホテル（本郷区菊坂町82番地）に移る。

日蔭茶屋事件（11月8日）

11月8日、神近市子が大杉の喉を短刀で刺す日蔭茶屋事件（神奈川県三浦郡葉山村）がおき、「伊藤野枝の情夫、大杉栄斬らるる」と『萬朝報』が煽情的に報道した。21日、大杉が千葉病院を退院して野枝と菊富士ホテルへ帰る。12月13日、大杉の妹の秋が自殺（日蔭茶屋事件で婚約破棄が原因）。19日、堺と弁護士が仲介となって大杉と保子の離婚が正式に決まった。この年に大杉は菊富士ホテル同宿の仲でインド人シャストリー（のちのインド第3代首相）と交際（『日録大杉栄』）。世間の道徳観では非難の的になったが、大杉のカウンター・カルチャーはその常識を超越していた。

## 1917年

本郷区菊坂町94番地1（3月24日）

3月24日、菊富士ホテルから転居。

北豊島郡巣鴨村宮仲258番地（7月5日）

巣鴨に引っ越すが、家賃滞納が続いた。9月15日、大杉・野枝の長女魔子が生まれる。「僕等があんまり世間から悪魔！悪魔！と罵られたもんだから、つい其の気になつて、悪魔の子なら魔子だと云ふので魔子と名づけて了つた。」（『日録大杉栄伝』）

南葛飾郡亀戸町2400（12月29日）

亀戸に引っ越すも、家賃滞納続く。近くに東洋モスリンの工場があり、野枝は女工らと銭湯で会い、彼女たちの乱雑な口調にショックを受ける。

## 1918年

北豊島郡滝野川町田端237番地（7月8日）

8月12日、大杉が大阪釜ヶ崎など米騒動の現場を見に行く。東京に戻ると、大坂の米騒動に関与したとして、警視庁から検束処分、板橋署に留置された。米騒動で軍隊が出動したのは3府23県にわたった。当時日本の人口は約5670万人（総務省統計局ホームページ）のうち数百万人が参加したといわれる民衆蜂起が米騒動であった。直接行動派の大杉は、米騒動後の労働者蜂起（アナルコ・サンディカリズム）を想定していたといわれる。

## 1919年

**北豊島郡滝野川町西ヶ原谷戸313番地（2月3日）**

滝野川に引っ越すが、家賃滞納は続く。ヤギと犬を飼う。3~5月ころ、浅草オペラの楽屋に入り浸って「オペラゴロつき」略して「ペラゴロ」になる。

**千葉県東葛飾郡葛飾村小栗原10番地（4月23日）**

野枝の転地療養のため同地の斎藤仁方に転居するが、家賃滞納続く。

**本郷区駒込曙町13番地（6月19日）**

野枝が東京の病院に通うため転居。7月上旬、森戸辰男（1888~1984年）からの要望を受け、大杉はクロポトキン研究について話をする。森戸論文「クロポトキンの社会思想の研究」は東大経済学部紀要『経済学研究』1月号に掲載されるが、危険思想として起訴され「森戸事件」として社会問題化する。編集者・大内兵衛とともに東大助教授失職。森戸は独房3カ月。森戸は大杉を、理論と実践の両面から日本のサンディカリズムの指導者になった、と高く評価した。「大杉君は、バクーニン、クロポトキンらを猛烈に勉強して、思想または哲学としては、アナキズムを信奉するようになったけれども、クロポトキンとはちがって、理想とする無政府共産主義を実現する手段として、あるいは実践組織としてサンジカリズムに強く傾いていきました。大杉君の社会思想、アナルコ・サンジカリズムである、と一言をもって言いあらわすことができます」（森戸辰男『思想の遍歴』）。その後も大杉と森戸は家族ぐるみの交際がつづいた。

## １９２０年

**鎌倉郡鎌倉町小町瀬戸小路２８５（4月30日）**

門前に建てられた監視小屋に４人が尾行、見張る。７月31日、在京朝鮮人アナキズム組織黒友会の新山初代と洪鎮裕が大杉宅に来て、講演を依頼しているが結果的に実現せず。黒友会メンバーの朴烈は金子文子と不逞社を結成して、１９２２年12月刊『太い鮮人』を発行している。

11月５日には大杉が「自叙伝」執筆のため、鵠沼の東屋に滞在。この時に佐藤春夫と会い、原敬が暗殺されたことが話題になった。芥川龍之介、里見弴、久米正雄、谷崎潤一郎夫人の妹と大杉の部屋で花札をして遊ぶ（『実録大杉栄』）。

## １９２１年

**逗子町逗子９６６番地（11月23日）**

借家だが元島津公住居、家賃は無料でいいという話があり、転居。大杉と魔子が、広い庭で戯れている写真が残っている。門の外に2坪ほどの監視小屋が設置された。12月ころ、大杉が野口雨情（私立順天中学校同窓）と会う。雨情の童謡運動に理解、雨情も大杉に「人間的なあたたかい共感」（野口存弥『父野口雨情』）をいだいた。大杉には、人を魅了する不思議な力があった。

**1922年**

本郷区駒込片町15番地（10月8日）

ここ労働運動社に自宅をおく。11月20日、フランスの同志コロメルから翌年1月末～2月初めに開催予定の国際アナキスト大会（ベルリン）の招待状が届き、有島武郎から1500円の旅費を融通してもらった。12月15日、神戸を発ち上海へ向かう。

**1923年**

2月13日、フランス・マルセイユ着。5月1日、パリ北郊外のメーデー集会に参加して、日本のメーデーについて20～30分演説するも、会場外に出たとたんに逮捕。その後刑務所送りで裁判となる。旅券規則違反禁錮3週間の判決が出され、5月23日に満期となり釈放された。6月3日、箱根丸でマルセイユ出港。7月11日、神戸港着。約7カ月の長旅を終えて、駒込の労働運動社のある自宅に戻った。その後8月に淀橋町柏木に転居、9月1日の関東大震災に直面した。同月16日には無残な姿となって発見されるが、詳しくは後述したい。

さて、ここで大杉のパートナーの伊藤野枝の生い立ちと行動を見ていきたい。

⑶伊藤野枝（1895～1923年）と「自由恋愛」

大杉栄は、妻堀保子、神近市子、伊藤野枝の3人の女性の中から最終的に伊藤野枝を選んだ。野枝は夫辻潤と別れ、大杉を選んだ。伊藤野枝とはどんな人物であったのか。

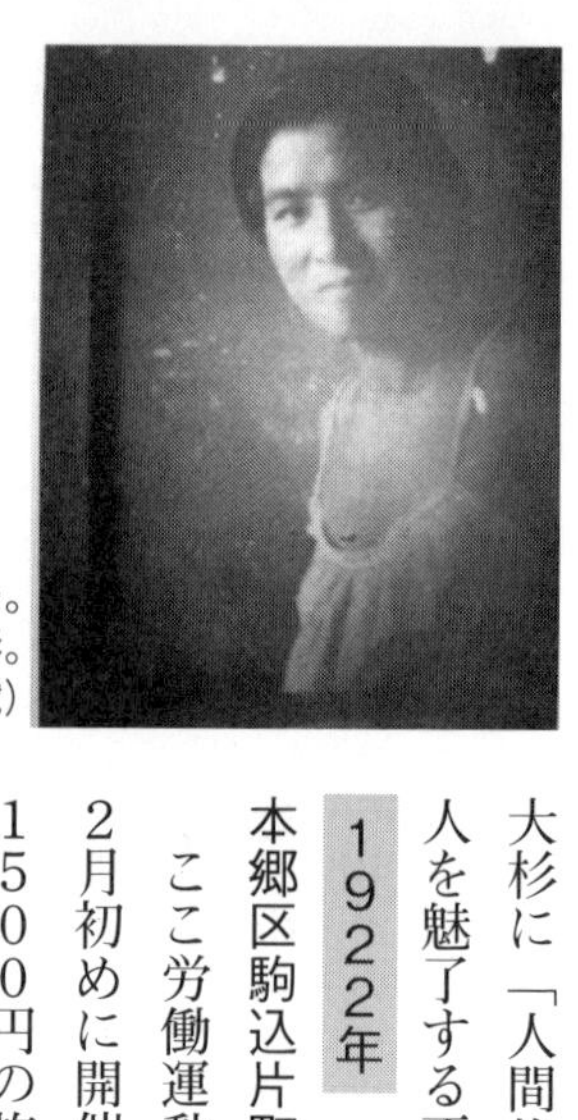

ミシンを前に座る伊藤野枝。
伊藤野枝はミシンが得意であった。
1921、22（大正10,11）年ころの撮影。
（『定本伊藤野枝全集第４巻』より転載）

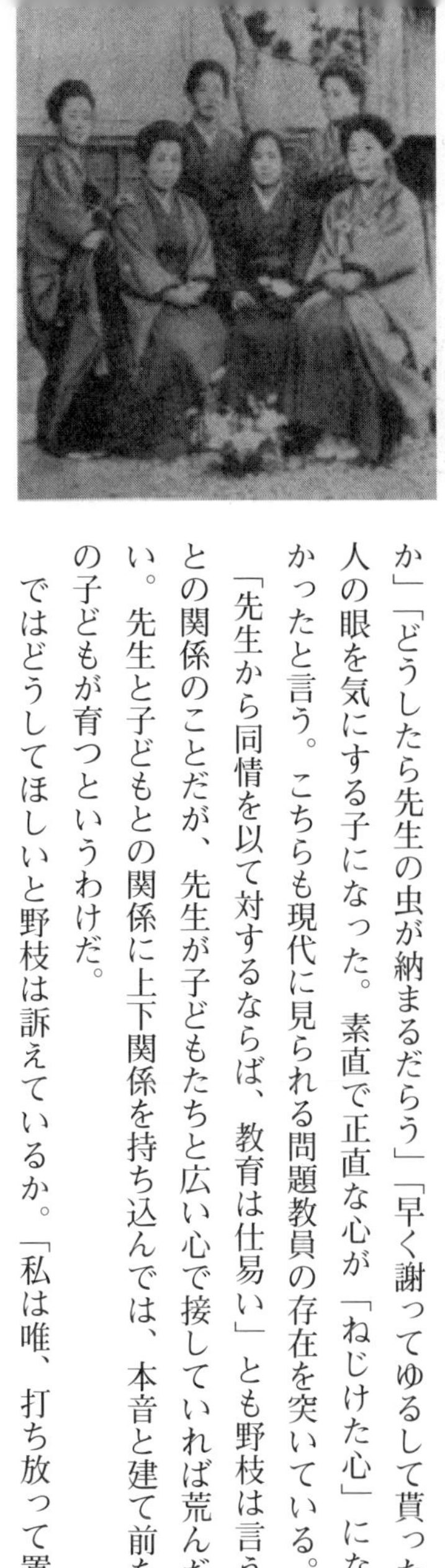

1909年3月周舟寺（すせんじ）高等小学校
卒業記念写真
前列中央が野枝（『定本伊藤野枝全集第1巻』より転載）

## 野枝の教育論―「私は唯（ただ）、打ち放って置いて貰（もら）ひたい」

伊藤野枝は、福岡県今宿で生まれた。実家が貧しかったため、叔父の代準介に育てられた。小学校時代の野枝が「一番厭な思ひ」をしたことは「先生同志の喧嘩のとばちり」（伊藤野枝「教育圏外から観た現時の小学校」（『小学校』第20巻第8号、１９１６年1月15日）だとこぼしている。担任の女性教師と仲が悪い女性教師が図工の授業を担当になると、八つ当たりの小言の連続、廊下ですれ違っても怖い目で睨みつけられて不愉快だったと、振り返っている。教職員の人間関係が教育に悪影響を及ぼし、その被害者は間違いなく子どもたちだ、と野枝は現代にもあてはまる教育観を述べている。

野枝には忘れ物の癖があったが、先生から「どうして忘れたのか」と詰問されて「外の事に気を取られて」と答えると「横着だから」と咎められ、さらに根ほり葉ほり「無理な詰問」が続き困った。その結果、野枝は「何と答へたら先生が満足なさるだろうか」「どうしたら先生の虫が納まるだらう」「早く謝ってゆるして貰った方が得策」と大人の眼を気にする子になった。素直で正直な心が「ねじけた心」になる例が少なくなかったと言う。こちらも現代に見られる問題教員の存在を突いている。

「先生から同情を以て対するならば、教育は仕易い」とも野枝は言う。先生と子どもとの関係のことだが、先生が子どもたちと広い心で接していれば荒んだ教育にはならない。先生と子どもとの関係に上下関係を持ち込んでは、本音と建て前を使い分ける主義の子どもが育つというわけだ。

ではどうしてほしいと野枝は訴えているか。「私は唯、打ち放って置いて貰ひたいと

1912（明治45）年3月、上野高等女学校卒業写真。最後列左から5番目が野枝、前から2列目左端が英語科教員辻潤。『定本伊藤野枝全集第1巻』より転載）

思ひます」と断言した。学科で苦しめ、規則で束縛されると「伸々とした気分は養われず、生き生きした人物は育たない」と案じた。

今の時代に即して解釈すると、子どもの自主性を尊重してほしい、干渉がましい押しつけはやめてほしい、これが野枝の教育への願いであった。

## 恩師辻潤との結婚

東京に上京することを望んだ野枝は、東京の上野高等女学校（現上野学園中学校・高等学校）に入学、作文能力を高めた。上野高女を卒業した野枝は帰省するが、出発前に野枝は上野高女教員で恩師の辻潤（1884〜1944年）と上野の美術館に行き、木立の中で抱擁している。帰省後、勝手に決められた夫の末松福太郎の家に入るも9日目に出奔。上野高女の恩師西原和治から旅費を送ってもらって再上京、辻潤宅に逃げ込み、12年4月、野枝は辻潤と同棲・共同生活をはじめた。ところが、辻潤宅に同棲したことがわかると、校長は自宅から野枝を追い出すか退職するか、と辻に迫った。辻は即座に退職することを決心したが、野枝は辻が辞職に追い込まれたことに心を痛めた。

青鞜社に入社するきっかけを作ってくれたのは、夫辻潤であった。そこで野枝は思う存分に才能を開花させていき、『青鞜』に掲載された文章は絶賛され、15年には平塚らいてうのあとを継いで2代目編集長になった。

辻とのあいだに長男一（まこと）と次男流二が生まれると、野枝は家事、育児、仕事と多忙を極めることになるが、退職後の辻はその後働くことはなかった。辻の妹夫婦も同居して、暮らしぶりはさらに大変になるが、辻は仕事に就くことはなかった。みじめな生活が続

1914（大正3）年頃の辻一家。左から辻の妹恒（つね）、伊藤野枝、一（まこと）、辻潤、辻の母美津（『定本伊藤野枝全集 第2巻』より転載）

き、生活費は青鞜社の編輯で手にした10円しかなかった。

野枝の名声は上がる一方だったが、日本のダダイズムの中心的人物のひとりでもあった辻には芽が出ず、「俺はどうせ駄目なのだ」と皮肉がでる始末だった。そんな辻とのすさんだ生活がつづくころに、野枝は大杉と出会う。

**大杉との出会いと辻との別れ**

大杉と野枝の最初の出会いの場は辻の自宅であった。大杉と荒畑が創刊した月刊『平民新聞』3号も発売頒布禁止になるが、押収される前に渡辺政太郎（アナキスト、1873～1918年）の手を経て野枝が自宅に隠匿することができた。1915年1月末、大杉はそのお礼に渡辺政太郎と一緒に辻潤宅の野枝に会いに行った。

大杉を見た野枝の心はときめいた。大杉も野枝に惹かれた。足尾銅山鉱毒をめぐる谷中村村民立ち退き問題に対する辻の無関心さに比べて、大杉の問題意識の高さに野枝は共鳴した。16年2月、夜の日比谷公園で大杉と野枝は初めて2人で会うことになった。

4月24日、野枝は長男一を辻に預け、次男流二を連れて家を出ることにした。大杉との恋愛によって、辻との関係は破綻した。

**里親探し**

家を出た野枝親子は神田三崎町の荒木滋子（娘は女優荒木道子で歌手荒木一郎の母）の旅館玉名館に滞在後、4月29日に汽車に4時間乗って、千葉県夷隅郡御宿の上野屋旅館に投宿した。そこは『青鞜』を野枝に任せて、平塚らいてうが奥村博と世間の眼を逃れて数か月過ごした宿でもあった。

なぜ、野枝親子は千葉県の漁師町に向かったのであろうか。それは、次男流二の里親探しにあった。野枝は上野屋旅館から大杉宛に30日に書簡を2通出したあと、6月22日までの約2か月間で手紙総数は18通になった。手紙の半分は恋文で半分は野枝の愚痴だ。その愚痴の中には大杉の妻堀保子、大杉のもう1人の愛人神近市子のことがしきりに書かれてあった。辻潤との生活苦そして長男一との別離を嘆く野枝の姿が思い浮かべることができる文面もあった。大杉との恋愛に対する野上弥生子の忠告の手紙には、「もう到底理解を望む事はできない」と苦しい心情が滲み出ていた。

次男流二のことは4回、大杉宛書簡の中で記されてある。野枝は上野屋の主人に相談して、流二の里親になってくれる人をみつけていたことがわかる。

野枝は「この頃の妾(わらわ)」を『福岡日日新聞』(6月4日、6日、9日)に発表した(文末に「5月20日夜記す」とある)。その中で、「子供を連れてゐましてはどうも思ふやうに、ゆきませんので、こちらで、どこか預ける処とおもつてさがして居りますがなかなか見当たりません、牛乳丈でもいいのですから、こちらで駄目なやうだつたら九州に連れてゆかうとおもつてゐます」と流二の里子に触れている。

参考・引用「大杉栄宛書簡」『定本伊藤野枝全集第2巻』(堀切利高・井手文子編者、學藝書林、2000年)

野枝の子ども論

〈恋と思想の為〉

伊藤野枝と辻潤の長男一
1915年（大正４年）ころと
思われる。（『定本伊藤野枝
全集第２巻』より転載）

１９１６年6月中旬、野枝は流二を千葉県夷隅郡大原根方の若松家に里子に出した。その頃大杉が来訪して21日に帰京した。流二に対する母親の思いは薄い一方、長男一については「今まで、あんな、これ以上の貧しさはないやうなみぢめな生活に4年も5年もかぢりついてゐたのだつて、皆んなあの子の為だつたのですもの。そしてそのみぢめな中から自分だけぬけて、子供をその中に置いて来たのですもの。こんな無慈悲な母親があるでせうか」「忘れようとする程あの子の為には泣かされます」と悲嘆に暮れている。その文末には「ああもうこんなつまらない愚痴は止しませう」（前掲『定本伊藤野枝全集第2巻』）と締めくくっている。

自らの恋と思想のために、無慈悲と思えど子どもと離別する。自分自身を成長させて自己を生かして得られる幸せを求めた。そして、捨てた流二よりも辻の元に置いて来た長男一を案じた。野枝の出した結論には、共感と批判が生まれた。

〈里子に出された流二の思い〉

長男一は辻が引取り、生後まもない次男流二は漁師に里子に出され、そのまま里流れで網職人若松鶴吉の養子になった。晩年になって流二は実母伊藤野枝について次のように語っている。

「野枝さんはボクに何もいいことをしてくれなかった」……「私が伊藤野枝を嫌いなのは彼女の書き残した文章や手紙を読んで彼女の性格が想像でき、ああした型の女性が嫌いだ」（安諸靖子「若松流二さんのこと」『定本伊藤野枝全集第4巻』月報④）。

辻と別れた野枝は大杉とのあいだに5児をもうけている。辻の子と合わせると7人の子を産んだことになる。

いつの世でもそうだが、とりわけ男の子の母への思いは強い。流二の心情吐露は悲しくつらい。

男の論理だった「自由恋愛の3条件」

大杉には10年ほど一緒に過ごした妻堀保子がいた。辻潤との生活に疲れた野枝の前に大杉が現れた。大杉にはもう1人の愛人神近市子もいた。1916年2月、知人宅で伊藤、神近を前にして大杉はかねてからの「フリー・ラブ」、自由恋愛論をもちだし、「自由恋愛の3条件」を示した。

一、おたがいに経済上独立すること

二、同棲しないで別居の生活を送ること

三、おたがいの自由（性的すらも）を尊重すること

どうみても大杉にとって都合の良い条件で、女性にとって不利なまさに男の論理そのものが自由恋愛の実体であった。あたりまえだが、その後の展開は順調ではなかった。前述した通り、三角関係のもつれから、1916年11月9日に日蔭茶屋事件（神奈川県葉山）がおきる。大杉を追って野枝も葉山に滞在するが、神近が現れたことによりバツが悪くなった野枝は宿を出るが、残された大杉と神近の話し合いはうまくいかなかった。神近は寝ている大杉の喉を刺して自殺を図るもかなわず、警察に自首し、裁判で有罪判決を受けた。その後、大杉は妻堀保子と離婚、大杉と野枝は同棲をはじめた。

野枝が大杉のもとに走った後の辻はどうなったか。17年9月18日に野枝と協議離婚し

た辻は、虚無僧姿で趣味の尺八を片手に全国放浪の旅に出た。奇行癖で警察に保護され、精神病院に入れられたりした。1944年11月24日、東京都淀橋区の下落合（現新宿区下落合）のアパートで死亡しているのが発見された。死因に「餓死」がある。部屋には空になった日本酒一生瓶だけがあった。日本のダダイズムの中心的人物の最期であり、長い放浪の旅の末であった。

## 野枝の弱み――「階級的反感」

福岡県の農村地帯で貧しい幼少期を過ごした野枝は、比較的裕福な良家の子女の集まりに違和感を持って眺めていた。底辺の生活を知っていたつもりの野枝だったが、下町の工場地帯の女工の生活実態を知るために銭湯に入り込んで取材したところ、打ちのめされている。貧しい農村地帯とは異なる東京下町の女工の恥ずかしくなるような乱暴な言葉づかいとそのあっけらかんとした無教養さに圧倒されたのだ。

1917年12月29日、大杉と野枝は東洋モスリンの工場がある南葛飾郡亀戸町2400に転居した（1923年に起きた「亀戸事件」の現場近く）。その時の心情が「階級的反感」（『文明批評』第1巻第2号、1918年2月号）に綴られてある。

「此処に越して来てからは、今迄とは周囲に対する勝手が、まるで別になった」という。共用の井戸端に行くと、ちがった者に対する眼におびえ、買い物に行けばのけ者にされているように感じた。モスリンの女工でいっぱいの湯屋に行きいつも通りしゃぼんで洗っていると、「一寸々々ひどい泡だよ、きたならしいね」と睨まれ怒鳴られてもいる。

淀橋町柏木 371 番地
右側の通りを少し進んだ左側付近に大杉宅があった。
（筆者撮影 2020 年）

ここでは本当に謙遜でありたいと思っていたというが、「折々何だか堪らない屈辱と情けない腹立たしさを感ずる。本当に憎らしくもなり、軽蔑もしたくなる」と本音をこぼしている。下町底辺の生活実態の認識不足と銭湯で会った女工への「階級的反感」は野枝の弱みであった。そんな野枝だが、21年には山川菊枝らと女性の社会主義団体の赤瀾会の創設に参加して、育児、執筆、社会運動と燃焼していく。

## なつかしの柏木へ――下3間、上2間の1軒家

### 淀橋町柏木３７１番地に転居（１９２３年８月５日）

１９２３年７月29日、実家に預けていた子を引き取り、出産間近となった野枝は大久保百人町に住む安成二郎に相談して柏木３７１番地の2階建て1軒家（下が3間、上が2間）を見つけ、そこを住居と決めた。安成の自宅から３００メートルほどだ。2階からの眺望はよく、裏庭にアオギリ、前庭には大きな石と4、5本の植え込みと枯れ松が1本あった（『日録・大杉栄伝』）。

今まで女医が住んでいた家で家賃は月額85円。現住所は新宿区北新宿1丁目16番地27で、小滝橋通りから１５０メートルほど入った先で、現在のＮＴＴビル（当時は大久保脳病院）の裏手にあった。大杉と保子が最初に柏木に住んでいた場所（現在の新宿税務署通り）からほど近く、周辺は今も閑静な住宅地だ。同地を訪れてみたら、今でも大きな石が置いてある。ここに大杉一家は住んでいたのであろうか。

淀橋柏町木371の大杉宅跡地付近。右側の大きな石がある所が大杉宅跡か？（筆者撮影2020年）

## 子煩悩な大杉と湯屋

内田魯庵（１８６８～１９２９年、評論家・小説家）は、「大杉とは親友という関係じゃない。が、最後のひと月を同じ番地で暮したのは何かの因縁であろう」で始まるエッセー「此頃の大杉の思い出」（『読売新聞』１９２３年10月２～６日、８日）を書いている。それによると、引っ越しの翌日には大杉夫婦が子のルイズ、魔子を連れて隣家内田宅に挨拶に行っている。

魯庵は「大杉が子どもを見る眼はイツモ柔和な微笑を帯びて、一見して誰でも子煩悩であるのがうなづかれた。野枝さんも子どもが産まれる度に、子どもがおおきくなる毎に青鞜時代の鋭い機鋒が段々と円くされたらうと思ふ」（同前）と、やさしい。大杉はひとり残り昼飯をご馳走になって３時過ぎまで魯庵とフランス土産話を語っている。人を引きつける魅力が多分にあった大杉らしい。

引っ越しから４、５日して、魯庵は長女魔子を連れている大杉と湯屋（今の銭湯）でばったり会った。ここでも子煩悩で普段着の大杉を知ることができる。

「洗粉や石鹸や七ツ道具を揃えて流しを取ったこの児煩悩（こぼんのう）のお父さんが、官憲から鬼神のように恐れられてる大危険人物だとは恐らく番台の娘も流しの三助も気が付かなかったろう」（同前）と振り返っている。外では湯屋角の交番の警官が大杉の張番をしていた。湯屋はおそらく小滝橋通りにあり、張番の交番は税務署通りと小滝橋通りの交差点（現春山外科付近）にあったと考えられる。

大杉の尾行に刑事３人、巡査３人

た。

**堺の発言に見るルッキズムとジェンダー不平等**

堺もまた大杉を責めるだけでなく、「年上のあまり美しくもなく、利口ではあるが随分身勝手な、病身の妻の為に、よく彼は台所の水まで汲んでやつて居たのである」（同前掲）と大杉をかばうことは忘れていない。ただし、堺の「年上のあまり美しくもなく」は二重の意味で問題発言だった。家庭生活を何よりも大切にしてきた堺ではあったが、そこに配慮はなかった。

大杉が年上の保子を好きになったように、年上であろうが年下であろうが、恋愛に年齢は関係なく余計なお世話である。また、容姿の美しさをとりあげるのはまさにルッキズム（容姿至上主義）であり、外見という一つの価値観で人を差別することにつながる。東京オリンピック・パラリンピック（2021年）では、女性タレントの容姿を侮辱する企画案を出した演出担当者がいた（その後、辞任）。同じ年の参議院議員選挙では、ある国会議員が投票日を前にして「顔で選んでくれれば1番」と容姿に触れる問題発言をした（その後、「見た目で差別する趣旨はなかった」と弁解）。

堺の先の発言を裏返すと「若くて美しいはすばらしい」ということになる。女性に対する価値観の一元化は、ちょっと周りを見渡せば、職場などの大人社会ばかりでなく、学校などの教育現場でもいくらも見受けられる。さらにダイエット産業の誇大宣伝もルッキズムを拡散させている。痩せればしあわせになるという誤ったメッセージが流され、拒食症などで健康を害した若者はどれだけいるのであろう。

さらにもう一言付け加えれば、大杉が病身の妻のために台所の水をくむことに堺が触れているが、こんなことは当たり前のことだ。そこには「家事労働は女」が主であるがたまに男もやるのもいいものだというジェンダー不平等が見え隠れする。

幸徳の「美人好き」は有名な話であり、堺に限らず「柏木団」の男性の多くはルッキズムであった可能性は高い。ルッキズムからの解放は、昔も今も変わらず難しいテーマであるが、今の私たちができることは会話の中で外見のみの良し悪しが話題になった時は、その話をまずストップさせることだろう。

フリー・ラブでは、敗者となった保子だが、大杉が入獄していた時に大杉の父が亡くなるとその弟妹たち６人の面倒をけなげにこなしていたことは保子にとっては大杉への全幅の信頼と愛情があってのことだった。

話を戻そう。幸徳秋水と管野須賀子、大杉栄と伊藤野枝のフリー・ラブ＝「自由恋愛」は、既成の道徳律、価値観に対立するものであり、多くの反発を招いた。その一方で、カウンター・カルチャーとしての管野須賀子、伊藤野枝がクローズアップされた。一途な恋愛と革命に生きた２人の生涯は、抑圧された道徳からの解放にもつながった一面もある。現代に生きる若者は、管野須賀子、伊藤野枝、堀保子の３人をどのように眺めるであろうか。

コラム7

## フリー・ラブとルッキズムとジェンダー不平等

### フリー・ラブ敗者

1916年12月19日、堀保子は大杉栄と協議離婚。翌年1月に堀は雑誌『新社会』に大杉との離別を公告し、3月には『中央公論』に「大杉と別れるまで」を発表している。愛を貫きフリー・ラブ勝者となった伊藤野枝の立場ではなく、敗者となった保子の心境をのぞいてみよう。

「恰度(ちょうど)1ケ月程前から胃腸を悪くしまして今まで休んで居りました。医師の言葉に依つてあまり外出も致しません。私は5年前までは非常に健康体でしたが、それ以来、どうも健康と云ふ身体になれないので弱って居ります。其後大杉とは1度も会ひません。野枝にもあの事件の時葉山で1度会ったきりです。恐らく、あれが野枝に会ふ最初でそして最後でせう。市子にはよく会いました。私は、あの事件以来、あの3人に就て別に何とも考へません。今後も考へるやうな気持ちになれないでせう。考へても、思ってもみたくない事ですから神近に同情するか、しなひかつて、さ、一寸困りますね。私としてはあまりいい気持ちもしない事ですからね。」(堀保子「芝居を見に行く」『人間社会』創刊号所収、1917年8月5日)

フリー・ラブ敗者となった保子の心境はきわめて複雑だったにちがいない。

### 「堀保子の運命は哀れだった」

大杉栄の妻であった保子は、伊藤野枝と神近市子の登場、そして大杉の身勝手な男の論理である「自由恋愛の3条件」によってフリー・ラブ騒動に巻き込まれてしまった。

堺は大杉の義理の兄(堺の妻美知子の妹が堀保子)ということもあって、フリー・ラブと社会主義とは結び付かないと、この騒動の火消し役に回った。大杉は、野枝の件で大バッシングを受けるも立ち直って「英雄的気分」が高進し、若者たちの人気者になっていった。その一方で保子が哀れだと堺はしみじみ語る。

「彼(大杉のこと——筆者注)の二重(あるいは三重)恋愛の時、堀保子の運命は哀れだった。各人の欲求に対する分配(あるいは供給)が、共産主義者の理想である。アナキスト大杉はことにその欲求を神聖的に主張した。重複恋愛もその主我的理論で裏づけられた。保子は彼に反抗しえなかった。深くうらみ、深く憎むことすらもしえなかった。

しかし大杉もまた、必ずしも横暴ばかりを発揮したのではなかった。保子が最後に大杉を責めた時、彼はその大きな目からポロポロ涙をこぼしてアヤまった。それは保子が親しくわたしに語ったところで、けだし彼女は、せめてそこに幾分の満足を感じたのだろう」(「社会主義運動史話」『堺利彦全集第6巻』所収241頁)

大杉の流すポロポロ涙を見て大杉を赦してしまった保子は、その後の生計の助けとして発刊した雑誌の編集・発行に心の安らぎを求めた。敗者となった保子は、大杉と野枝が虐殺された翌年に兄堀紫山の家で腎臓病療養中にひとりさびしく亡くなっ

淀橋署（現新宿署）は大杉の張番・尾行に老練な刑事3人を当て、それでも足りないと巡査3人を増員した。署長が「大杉だけでも骨が折れるのに、その関係者が出入りするので困る」（『実録・大杉栄伝』）とこぼしている。大杉宅近くに監視小屋が設けられたことは言うまでもない。

尾行というと、黒装束の怪しげな男が柱の陰からこちらを覗いているイメージがあるが、そんな甘いものではなかった。設置された監視小屋では、刑事がとっかえひっかえ四六時中張り込みをしていた。大杉が自動車に乗って移動すれば、すぐ自動車を拾って追跡していき、講演会があれば必ず立ち合い、少しでも不穏なことを言えば「弁士中止」となり、検束された。大杉はその尾行をまくのがとても上手で、そのことを自慢していた。

## 乳母車と大杉

8月9日には、長男ネストル（ウクライナのアナキスト、ネストル・マフノに因む）が生まれた。大杉が乳母車に乗せて近所を散歩している姿を魯庵は何度となく見ている。ネストルは悲運にも翌年亡くなるが、その前に殺された大杉、野枝はその死を知ることはなかった。

8月10日には、可愛くて仕方なかった魔子を連れて、堺や幸徳も利用した銀座のレストラン清新軒に行き、食事をしている。

8月16日に、叔母モトが福岡今宿の実家からエマを連れて、柏木の自宅に同居することになった。野枝の親戚の娘植田雪子（当時18歳）も来ており、大杉宅の家事を手伝っ

避難場所であった「川本の原」。関東大震災直後、内田魯庵と大杉もここに避難していた。この近くにぼくの実家があった。（筆者撮影2020年）

ていた。1982年にドキュメンタリー番組で紹介されるまで大杉宅で手伝いをしていたことを一切語ることはなかった、と雪子は言う（前掲書）。

野枝の父親亀吉も上京して柏木の自宅に泊まることがあった。「世間では何と言っても、人間としては慈愛深い父母であり、子どもでした」と亀吉はしみじみと語っている。辻潤との間に生まれた息子の一もこの夏休みに遊びに来ている（前掲書）。

8月19日、大杉は機械労働組合連合会の大会に出席し、翌日には自由連合同盟結成の準備会に参加、横浜に住む弟勇のところへ出かけたりと忙しく毎日を過ごしていた。そして、9月1日午前11時58分、巨大地震が関東地方を襲った。

## 最期の「柏木団」大杉栄と関東大震災

### 1923年9月1日関東大震災

9月1日、懐かしの柏木で和やかに生活していた大杉宅にも大激震が走った。大杉はすぐに大久保の安成宅に遊びに行っている魔子を連れて帰り、さらにルイズも抱いて避難場所となった「川本の原」（戦後新宿区立淀橋中学校、現大智学園高等学校）に向かった。内田魯庵に出会い、「どうだったい、エライ地震だネ。君の家は無事だったかネ」と聞かれて、大杉は「壁が少し落ちたが、大した被害はない。だがびっくりした。家が潰れるかと思ったよ」と答えている。

### 自警団に参加

関東大地震直後、大杉と野枝の最期の写真。淀橋柏町木 371 の自宅前路上で、左大杉、右野枝。
（安成二郎撮影。『定本伊藤野枝全集第４巻』より転載）

しばらくするとカメラを抱えた安成が大久保からやって来て、自宅前に戻った大杉と野枝を撮影している。それが2人一緒の最期の写真となった。

内田魯庵は前掲「此頃の大杉の思い出」に、「9月の上半は恐怖時代だった。流言蜚語は間断なく飛んで物情恟々、何をするにも落付かれないで仕事が手に付かなかった」と、朝鮮人が放火、爆弾所持等のデマについても記している。大杉も落ち着かないと見えて、日に何度となく不似合いな金紋黒塗のネストルを乗せた乳母車を押していた。

夜警の提灯を持って家の角に立っていた魯庵が偶然野枝と出会い、「夜警は大変ですわね」と「大杉も御近所同士で家の角へ夜警に毎晩出ておりますわ。町内のお附合いですもの」と話を交わしている。「能く大杉は夜警に出ると思ったが、実際毎晩ステッキを持って、自宅の曲り角へ夜警に出ていたのを見た。」（内田前掲書）とも書いている。

大杉が自警団に参加したのは、朝鮮人暴動説を信じていたからではないであろう。近所との付き合いもあったろうが、デマに踊らされた自警団が朝鮮人虐殺に走った場合に制止するつもりであったと考えられる。さらに社会主義者狩りへの予防策であったかもしれない。

魯庵は「大杉が外国の無政府党から資金を得て革命を起そうとしている」、「子分を15、16人も集めて隠謀を密議している」しまいには「柏木には危険人物がある、大杉一味の主義者を往来へならべて置いて、片端からピストルでストンストン打ったら小気味がよかろう」と物騒な噂にも触れている。魯庵が「用心しなけりゃイカンぜ」と言うと、「用心したって仕方がない。捕まる時は捕まる」と最期の「柏木団」大杉は笑った（内

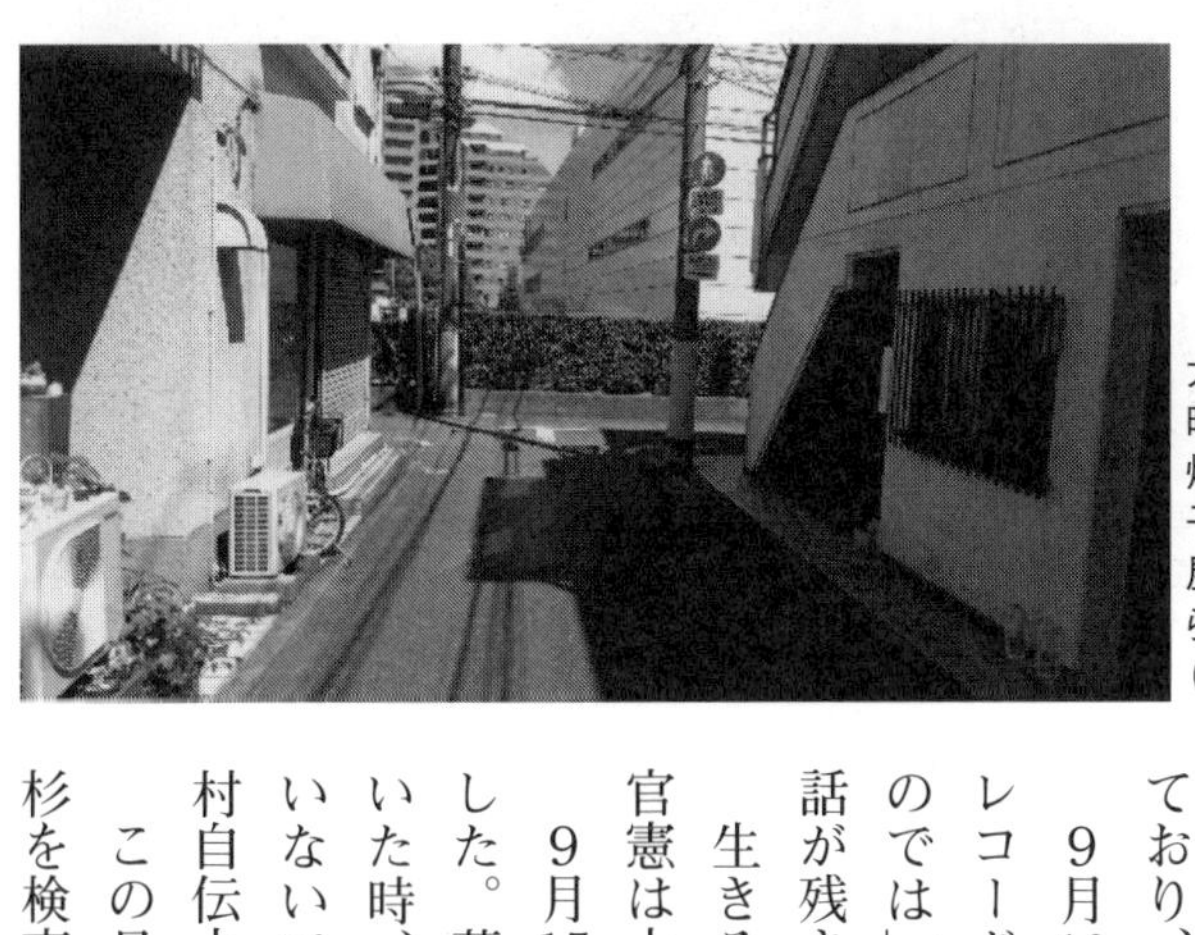

大杉宅跡地から脳病院(当時、現NTT新宿)を見る。子煩悩な大杉は近くの湯屋へ子連れでよく行った。監視小屋はこの近くにあったと考えられる。
(筆者撮影 2020 年)

田前掲書)。

**虐殺事件直前**

9月1日から8日にかけて、保護検束を名目に都内各所で60人余の社会主義者が駒込署等に留置された。ところが大杉は検束されなかった。「組織的な画策、計画があれば大杉の所に相談に来るであろう、監視のために検束しなかった」と警視庁関係者が語っており、大杉は囮にされていた。

9月10日ころ、誰かがレコードをかけようと言った時に、「人々が困っているときにレコードとは何だ」と血相を変えて大杉は怒ったという。また「革命はこんな時にやるのでは」と問いかけられた時に、「どさくさまぎれにやるのが革命じゃない」という逸話が残されている(『日録大杉栄伝』)。

生きるか死ぬかという極限状況の中で、大杉には革命を起こすつもりは毛頭なかった。官憲は大杉を叩き潰すチャンスを失っていた。

9月15日、大杉は百人町の荒畑宅に生後1か月のネストルを連れて地震見舞いに訪問した。荒畑はロシア滞在中の留守で、妻のお玉さんが対応した。「ようやく家に落ちついた時、大杉栄が末の子をのせた乳母車を押しながら訪ねて来て、『お玉さん、寒村がいないでも、僕らがついているから心配することはないヨ』と励ましてくれた。」(『寒村自伝上』)。

この日の夕刻、東京憲兵大尉で麹町分隊長、甘粕正彦(1891〜1945年)は大杉を検束する目的で特高課員の森慶次郎曹長、鴨志田安五郎上等兵、本多重雄上等兵を

写真は元郡役所通り（現新宿税務署通り）で右側に２本の斜めに曲がる道が見える。その内の右側を歩いていくと旧淀橋警察署（現ホテル西鉄イン新宿）に着く。大杉ら３人が帰宅するころにこの交差点付近に憲兵隊は張り込みしていた。（筆者撮影 2020 年）

連れて、淀橋警察署へ行っている。同署特高課巡査部長滋野三七郎の案内で大杉宅を確認するが、大杉の存否がわからず、その日は鴨志田を淀橋署に残して引きあげた。

翌日、大杉、伊藤、甥の３人は虐殺され、非業の死を遂げた。

### 大杉栄・伊藤野枝・橘宗一虐殺事件―9月16日午後5時30分

今もって国家から正式の謝罪もなければ賠償もない大杉栄・伊藤野枝・橘宗一虐殺事件の一日を[1]から[11]まで順繰りに振り返りたい（参考・引用『日録大杉栄伝』、瀬戸内寂聴『諧調は偽りなり』他）。

[1]　9月16日、9時過ぎに大杉、野枝が柏木の自宅を出て監視部屋の前を通ると「どこへ行くか」と詰問される。淀橋署特高係江崎鎌次郎巡査と前述の鴨志田の２人が尾行することになった。後日２人の報告、証言からわかったことは次の通り。

[2]　大杉は「白の綺麗な背広服にソフトの中折帽を被り、手提げに品物を入れたのを手に持ち」、野枝は「麦藁帽を被り、オペラバックを手に持って」出ていくのを内田魯庵の家人が見ている。娘の魔子は魯庵の子と遊ぶと、行かなかった。

[3]　自宅から新宿駅大ガード西にあった市電終点付近のバス停まで10分ほど歩いている。自宅から郡役所前通り（現新宿税務署通り）に出て、そこから2方向に斜めに伸びる細道がある。その右側を通って淀橋署（現ホテル西鉄イン新宿）に向かうと青梅街道に出る。そこを左に曲がりしばらく行くと新宿西口大ガードが見え、バス停にたどり着く。２人はバスに乗り日比谷で乗り換えて八ツ山で降車、品川から京浜電車（現京

旧淀橋警察署。青梅街道沿いにあった淀橋警察署跡地には現在、ホテル西鉄イン新宿という茶色のホテルが建っている（写真中央の一番高いビル）。大杉弟勇宅から帰り道、大杉、野枝、宗一はそこを右に曲がって自宅に向かった。（筆者撮影2020年）

右側の道を歩いていくと、旧淀橋小学校（現西新宿中学校）にぶつかり更に直進すると旧淀橋警察署（現ホテル西鉄イン）と青梅街道に着く。（筆者撮影2020年）

浜急行）に乗っている。

4 川崎で辻潤宅を訪れるが、家は損壊して辻は不在。再び京浜電車に乗り、生麦で降りて横浜から鶴見に避難していた弟の勇宅に着く。互いの無事を喜び、昼食を共にして、柏木への避難を誘うがここで頑張るということになった。たまたまいた大杉の妹あやめの息子橘宗一（大杉の甥、6歳）だけでも連れていこうと誘うと「行く」ということになった。

5 品川駅に着いたのが午後4時ころ。市電に乗って薩摩山（三田四国町）で降り、病院で世話になった奥山伸医師を見舞うも不在であった。

6 3人は日比谷を経て往路と逆に帰ったと思われる（尾行者が3人を見失い、記録がない）。鴨志田は憲兵隊本部経由で、江崎は日比谷経由で柏木の自宅が不在なのを確認して淀橋署にもどった。

7 尾行の2人は、柏木の自宅周辺で張り込み中の甘粕のところへ行き、大杉がまもなく来ることを伝える。郡役所前通り（現新宿税務署通り）の三叉路に2人が張り込みをする。

8 午後後5時30分頃、淀橋署の方から大杉ら3人が郡役所前通りに出た。自宅まで数分だ。帰り道につながる角の八百屋（筆者注・かつて大杉が住んでいた柏木342番地の跡地付近）に立ち寄り、野枝がそこで梨を買って出てきたところを待ち伏せていた特高課員の森慶次郎曹長に「大杉さんですね」と呼び止められた。そこに甘粕正彦憲兵大尉が現れた。

大杉栄、伊藤野枝、橘宗一３人が拉致、連行された場所。
目の前の通りは元郡役所通り（現新宿税務署通り）で柏木団のメインストリート。直進すると小滝橋通り。左建物の1階にあるコンビニが淀橋町柏木326番地で、その建物の右側が柏木343,342で、連行された場所だ。張り込みしていた憲兵隊甘粕正彦らに大杉、野枝、宗一が連行された。（筆者撮影2020年）

瀬戸内寂聴『諧調は偽りなり』（文藝春秋社、１９８４年）でも、甘粕らの取り調べ調書から張り込みを次のように記してある。「大杉の家から2丁ほど行き、道が2つの街道に分かれている所で2つの道で手分けして張り込んでいた。家の者が言った通り、５時半頃、淀橋署の方から、大杉と野枝の白い洋服姿が見え、大杉が6、7歳位の男の子の手をひいて歩いてくる」。そして、バス停から青梅街道、淀橋警察署横を通って自宅に向かい、果物屋で「野枝が中で梨を買った。この時大杉が宗一に赤いリンゴを一つ持たせてやった。果物屋から出てきた所へ森曹長が出ていって『大杉さんですね』」とある。その後「一行は一たん淀橋署へ行き、そこから自動車に乗せて麹町区大手町の憲兵分隊へ運んだ」とある。

同書では、当時を覚えているというシアトル在住女性の手紙を紹介している。それによると、大杉ら3人はハイヤーで八百屋前に横付けして、梨購入直後にハイヤーで去っていったというが、おそらくこれは何かの間違いであろう。

9 果物屋前での大杉と甘粕2人のやり取りはこうだ。

甘粕「調べることがあるから憲兵隊まで同行してもらいたい」
大杉「用事があるなら行ってもよいが、一度家に帰ってからにしてもらいたい」

これは言下に拒否された。大杉は淀橋署に止めてあった車に、野枝と宗一は鴨志田が乗って来た車に乗せられ、午後7時頃に大手町の憲兵隊本部に連行された。

10 午後8時30分ころ、大杉は憲兵司令部応接室で扼殺された。野枝は同9時30分ころに元憲兵隊長室で、宗一（6歳）は同じころ特高課事務室で扼殺された。

11 死体は裸にして畳表で梱包し、憲兵隊本部裏の古井戸に投げ込んだうえ瓦礫で埋めてしまった。憲兵司令官小泉六一ら上層部の命令による組織的虐殺と考えられ、その実行部隊が甘粕を隊長とする東京憲兵隊特高課チームであった。

### 虐殺事件のその後

9月20日、虐殺の事実を隠蔽しきれなくなった政府は、小泉憲兵司令官、小山東京憲兵隊長を停職、福田戒厳司令官を辞職させて、甘粕正彦大尉と森慶次郎軍曹ほか3人を軍事裁判にかけることにした。12月8日の判決では、大杉と伊藤は甘粕によって単独で扼殺、大杉の甥の橘宗一は森によって殺害されたとして、甘粕に懲役10年、森に懲役3年、ほかの3被告は無罪となった。

事件から53年後の1976年に、大杉ら3人の死体「鑑定書」（担当者・軍医田中隆一）の手書きの写し46枚が発見された。それによると、大杉・伊藤の遺体には多くの肋骨、鎖骨の完全骨折、腹部臓器の血斑、胸部の表皮剥離、血腫が認められ、これらは「頗る強大ナル外力（蹴ル踏ミツケル等）ニ依ルモノナルコトハ明白」と結論付けられた。甘粕単独ではなく、憲兵隊の多数が暴行虐殺に加わっていたことが明らかになった。鑑定書を密かに自宅に持ち帰り筆写して保管していた田中軍医と、それを発見、提供してくれた遺族の存在がなければ、この事実は闇に葬られていたであろう。

甘粕はわずか2年10か月で出所（森は1年で出所）して、フランス留学後に満州に渡り特務機関とつながり、1939年に満州映画協会理事長におさまった。敗戦直後の45

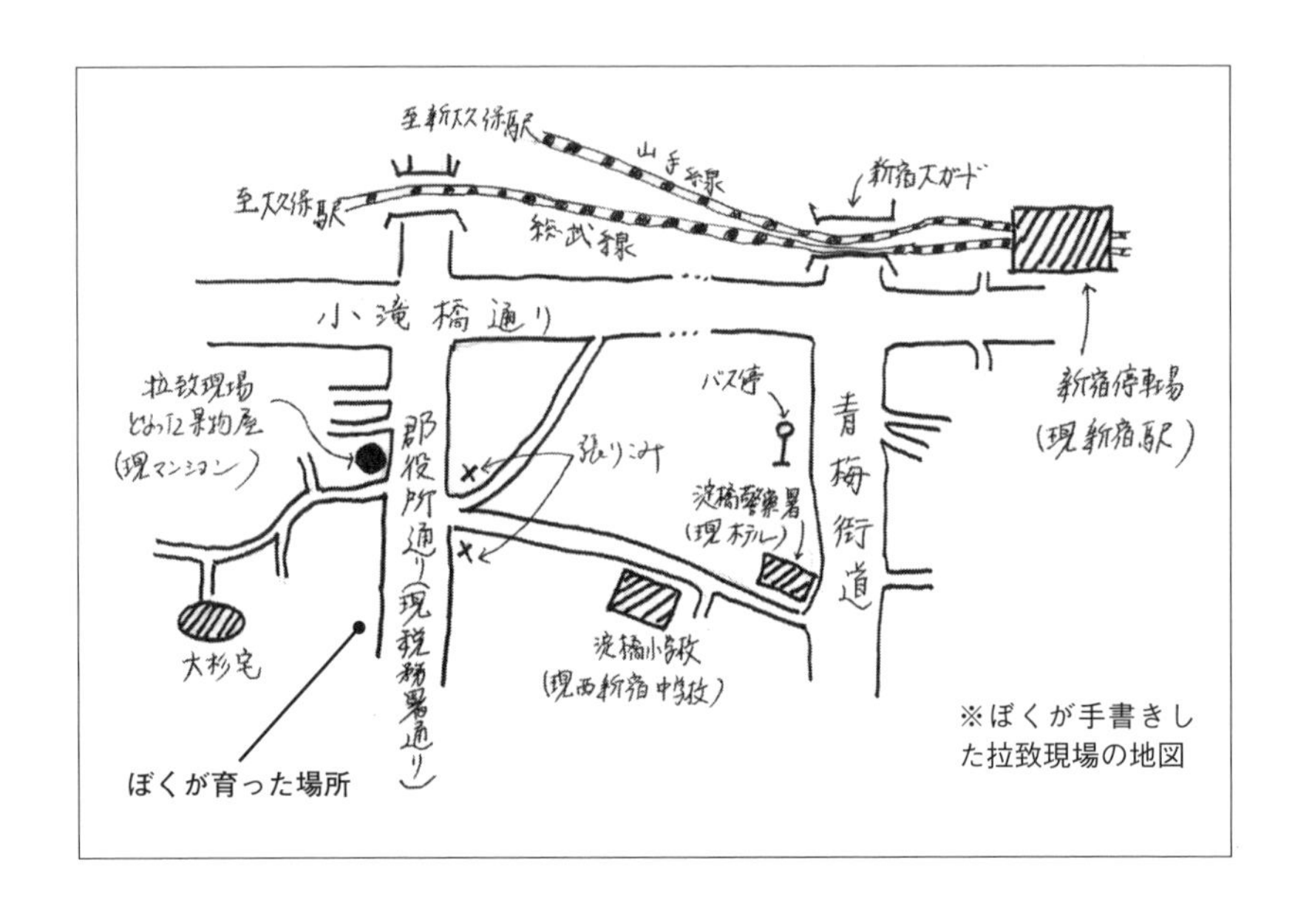

※ぼくが手書きした拉致現場の地図

年8月20日、甘粕は「大ばくち　もとも子もなく　すってんてん」と辞世の句を残して、青酸カリで服毒自殺した。

大杉栄・伊藤野枝・橘宗一虐殺事件の国家責任は今もって一切問われていない。国家が権力犯罪の反省をしない限り、今後においても権力犯罪は後を絶たず、そのたびに隠蔽、捏造、虚偽答弁は繰り返され、無責任体制は再生産されていく。

関東大震災というと、天災による多数の死者、住宅難、生活苦、生活困窮者の激増が頭に浮かび、虐殺というと大杉栄・伊藤野枝・橘宗一虐殺事件が挙げられる。しかし、この事件以外にも軍隊、警察、自警団、一般民衆が朝鮮人、中国人そして日本人を殺害するという虐殺事件が起きる。どういうことか、次章で詳しく見ていこう。

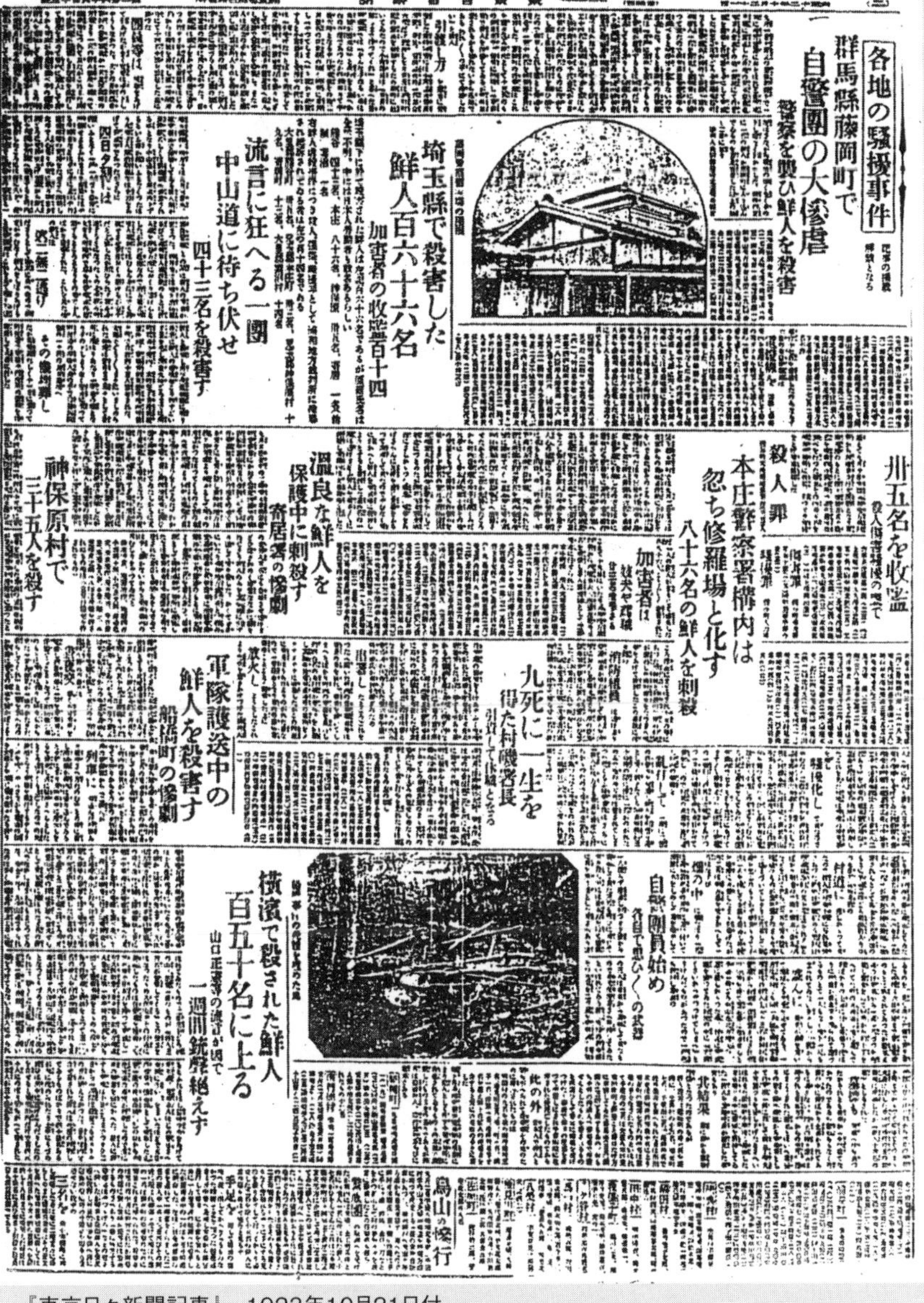

各地の騒擾事件

群馬縣藤岡町で
自警團の大慘虐
警察を襲ひ鮮人を殺害

埼玉縣で殺害した
鮮人百六十六名
加害者の收監百十四

流言に狂へる一團
中山道に待ち伏せ
四十三名を殺害す

卅五名を收監

本庄警察署構内は
忽ち修羅場と化す
八十六名の鮮人を刺殺

溫良な鮮人を
保護中に刺殺す
寄居署の慘劇

神保原村で
三十五人を殺す

九死に一生を

軍隊護送中の
鮮人を殺害す
船橋町の慘劇

横濱で殺された鮮人
百五十名に上る
一週間銃聲絶えず

自警團員始め

烏山の慘行

『東京日々新聞記事』　1923年10月21日付
9月7日から禁止されてきた朝鮮人問題の報道が10月20日に解禁される。朝鮮人虐殺事件の報道が一般に許可されたのは震災から一か月以上経ってのことであった。

鮮人襲来を巡査が触廻る
警視庁でも最初は迷はされ
後で虚説だと諭告す

『報知新聞』
1923年10月22日付。

## 1 「文明史に残る一大汚点」

### 9月1日は「追悼の日」

１９２３年９月１日午前11時58分、震度7、マグニチュード7・9の大地震が、南関東から東海地域に及ぶ地域を襲った。天変地異の大災害は、テレビはもちろんラジオもなく、新聞が貴重な情報源だった時代ゆえに大混乱を引き起こした。

国の報告書『１９２３ 関東大震災報告書・第1、第2編』（内閣府中央防災会議・災害教訓の継承に関する専門調査会、２００８年３月）によると、全体の被害は甚大で、死者10万５３８５人、全壊全焼流出家屋29万３３８７戸に上り、ライフラインにも甚大な被害が発生した。とりわけ下町周辺は焼け野原となった。まさに天災であった。

９月１日は「防災の日」（１９６０年閣議了解）とされ、日本の学校、職場などで大地震を想定しての避難訓練、防災訓練がおこなわれている。一方でこの日は、流言蜚語（根拠のない無責任なうわさ）により殺害された多くの朝鮮人、中国人、日本人、社会主義者にとって「受難の日」であり、「追悼の日」であることを忘れてはならない。人災によって多くの生命が奪われた事実に目を向けたい。

### 「文明史に残る一大汚点」

新聞各社は朝鮮人暴動があったかのような誤報を流したが、『読売新聞』（１９２３年

朝鮮人犠牲追悼の碑
（1973年建立、両国・横網町公園）。
毎年9月1日に朝鮮人犠牲者の追悼式典が行われている。追悼碑の横にある碑記には「この事件の真実を識ることは、不幸な歴史をくり返さず、民族差別を無くし、人権を尊重し、善隣友好と平和の大道を拓く礎となると信じます」と刻まれてある。
（筆者撮影2022年）

10月11日付）は、関東大震災直後に日本人（軍隊・警察・自警団・民衆）の手によって多くの朝鮮人、中国人そして日本人、社会主義者が犠牲になったことを「人心を戦慄する虐殺事件が至る所で殆ど公然と行われた事はこの記念すべき震災と共に千載に遺る文明史に残る一大汚点である」と報じた。その後、日本人の手によって日本人も犠牲になったことが明らかになった。なぜこのような事件が連続して起きたのか、詳しく見ていく前に、朝鮮人虐殺否定について触れておこう。

東京都知事の追悼文取りやめ

毎年9月1日に都立横網町公園（墨田区両国）では朝鮮人犠牲者の追悼式典が行われており、東京都知事は追悼文を送っていた。同地は元陸軍被服廠跡地で、そこに避難した約3万8000人が火災にまきこまれ亡くなった。現在、東京都慰霊堂近くに「関東大震災朝鮮人犠牲者追悼の碑」（1973年建立）がある。ところが、小池百合子東京都知事は2017年以降「都慰霊協会が営む大法要で全ての震災犠牲者を追悼している」との理由で恒例であった追悼文を送るのをやめている。

一方で、同年に保守系団体が「真実の関東大震災追悼祭」を同じ横網町公園内で実施して、朝鮮人虐殺事件を否定する主張を繰り返して「不逞在日朝鮮人によって身内を殺され、家を焼かれ、財物を奪われ、女子供を強姦された多くの日本人たち」を東京都はヘイトスピーチと認定した。

ところが、2022年5月に東京都人権プラザでの展覧会「あなたの本当の家を探しにいく」の付帯事業として計画されていた映像作品上映が、東京都総務局人権部により禁じられるという展示介入事件が起きた。外村大(とのむらまさる)東京大学教授の「日本人が朝鮮人を殺したのは事実」と解説した部分を上映禁止の理由としたのである。「都ではこの歴史認識について言及していない」と指摘し、小池知事の追悼文見送りに触れて「朝鮮人虐殺を『事実』と発言する動画を使用することに懸念がある」と伝えた。

関東大震災・朝鮮人虐殺事件から100年たった現在でも、歴史修正主義とレイシズムとたたかい、克服しなければならない。

## 2　関東大震災直後に起きた6つの社会的事件

関東大震災直後の人災として⑴朝鮮人虐殺事件⑵中国人虐殺事件と王希天(ワンシティエン)事件⑶金子文子・朴烈(パクヨル)事件⑷亀戸事件⑸福田村事件⑹大杉栄・伊藤野枝・橘宗一虐殺事件の6つの社会的事件をあげることができる。一つひとつを見ていこう。(巻末資料7　関東大震災直後に何が起きたか)。

### ⑴「朝鮮人虐殺事件━多数の無辜の朝鮮人虐殺

関東大震災直後の9月2日に戒厳令布告、同時に「不逞団体蜂起の事実」という警告が出された。3日には内務省が各地方長官への電文「朝鮮人は各地に放火し、不逞の目的を遂行せん」という誤った情報を流した。その結果、「朝鮮人が爆弾を所持している」、

「朝鮮人が放火している」、「朝鮮人が井戸に毒を入れている」という流言が拡がり、「朝鮮人狩り」さらに朝鮮人を扇動したとして「社会主義者狩り」が始まった。軍隊、警察による虐殺、そして民衆・自警団による虐殺という惨劇が数日にわたって起きた。

虐殺された朝鮮人の正確な実数は今もって明らかになっていない。しかし、前述した内閣府中央防災会議報告書『1923関東大震災報告書第2編』の「第4章混乱による被害の拡大」では、「殺傷事件による犠牲者の正確な数は掴めないが、震災による死者数の1~数パーセント」(「第2節殺傷事件の発生」206頁)としている。震災の死者10万5385人から計算すると、最少1053人から最大9484人の朝鮮人が虐殺されたと考えられる。現時点では、約1万人またはそれ以上の朝鮮人が虐殺されたとみるのが妥当なのかもしれない。

### (2)中国人虐殺事件と王希天(ワンシティエン)事件

朝鮮人ばかりでなく、中国人も軍隊によって虐殺されている。大島町事件だ。9月3日午後3時には大島町8丁目(現江東区)で、警官に連行された300~400人以上の中国人が軍隊や自警団によって殺害された(『史料集関東大震災下の中国人虐殺事件』監修者・今井清一、編者・仁木ふみ子)。震災時に生じた最大の虐殺事件であった。

亀戸周辺には当時、中国浙江省温州出身の多くの中国人労働者がいた。彼らの権利を擁護する仕事をしたり、中国人労働者の被害調査と救援にあたっていた僑日共済会長王希天は常日頃危険視されていた。9月12日、彼は亀戸の逆井(さかさい)橋のたもとで、陸軍将校に

で「東京災難書信」として掲載された。その中で「自警団遊び」というスケッチがある。萬ちゃんという子が「君の顔はどうも日本人じゃないよ」と自警団になった子どもからいじめられている様子が描かれてある。そんな子どもたちをみて夢二は語る。

「子供は戦争が好きなものだが、当節は、大人までが巡査の真似や軍人の真似をして好い気になって棒切れをふりまはして、通行人の萬ちゃんを困らしてゐるのを見る。ちょっとここで極めて月並みの宣伝標語を試みる。

『子供達よ。棒切れを持つて自警団ごつこをするのは、もう止めませう』」

関東各地につくられた自警団は、「天下晴れての人殺し」と朝鮮人を惨殺し始めた。子どもはその様子を見て、ごっこ遊びをする。なんともつらい世相を、夢二は描いた。

**平民社の大なる花**

夢二といえば、甘い耽美的な美人画を得意として、政治とは無関係な人物というイメージがぼくにはあった。調べてみると、夢二は「柏木団」との交流を通して、非戦・反戦のゆるぎない信念を持ち、貧しい人の側に立っての社会変革を願う芸術家になったことがわかった。

「柏木団」のリーダー的存在の堺利彦は夢二を「これは少し遅れてからのことであったが、この新しい秀才画家もまた平民社の大なる花の一つであった」(「社会主義運動史話」、『中央公論』1931年7月号)と称賛した。

1931(昭和6)年に、夢二はアメリカからヨーロッパへの旅に出るが、33年に体調を崩して帰国した。

翌年9月1日に信州の療養所で「ありがとう」と最期の言葉を残して49年の生涯を閉じた。結核であった。

日刊『平民新聞』第37号　1907(明治40)年3月1日号 1面コマ絵

「自警団遊び」(『都新聞』に1923年9月14日から10月4日まで「東京災難書信」として掲載、東京都復興記念館展示物より転載)

コラム8

## 竹久夢二と「柏木団」と「自警団遊び」

### 流行歌「宵待草」

まてどくらせどこぬひとを
宵待草のやるせなさ
こよひは月もでぬさうな。

大正期の流行歌「宵待草」の原詩を作ったのは竹久夢二（本名茂次郎、1884 ～ 1934 年）だ。千葉県犬吠埼の海岸で出会った娘に一目ぼれした夢二は、翌年再び同地を訪れるが、その娘は既に嫁いでいた。その時の想いが 1 編の詩になった。

### 反戦画家としての夢二と「柏木団」

竹久夢二は 1884 年〈明治 17 年〉に岡山県の代々酒造業を営む家の次男として生まれ、茂次郎と命名された。家出同然で単身上京、早稲田実業高校に入学、20 歳の時に平民社の同志荒畑寒村らと東京雑司ヶ谷に下宿。その後、荒畑寒村の紹介で『平民新聞』の後継紙『直言』（1905 年 6 月）に政治漫画であるコマ絵「白衣の骸骨と女」が掲載された。そこには白衣の骸骨 ( がいこつ ) と泣いている丸髷（まるまげ）の女が寄り添っている姿が描かれてある。夢二最初の政治漫画であり、反戦画であろう。日露戦争の勝利に沸きつつある世相の一方で戦争に巻き込まれた若い男女の別れの悲哀を見事に表現している。夢二は、その後も後継紙の『光』、日刊『平民新聞』にコマ絵を掲載し、初期社会主義者の「柏木団」との親交も深めた。

手元にある 1907（明治 40）年 3 月 1 日付の日刊『平民新聞』（第 37 号）1 面のコマ絵（右図参照）を担当しているのは夢二だ。熟練期の大正ロマン的画風というよりも、生活感が滲むメッセージ性の強さが伝わってくる。ガス灯が見える 1 本の柳の木の下で、1 人の少女がたたずんでいる。裾が擦り切れた着物をまとい、右手の人差し指を口に当て、だらりと下がった左手には鼻緒が切れた右足用の下駄をぶら下げている。バッサリと斬られた短髪に、何かを見つめているまなざし。貧しさだけが強調されているわけではなく、何か手を差し伸べたくなるような雰囲気がある。

### 夢二と大逆事件

夢二宅に出入りしていた女子学生神近市子は、1911 年 1 月 24 日の号外を夢二に届けている。大逆事件の死刑囚処刑の速報だ。夢二は、幸徳秋水らとは旧知であることを明かし、線香とろうそくを買ってこさせて「みんなでお通夜をしよう」ということになったという。その夢二は、大逆事件関与の容疑で前年に 2 日間拘留されている。傷心をいやすためであろうか、その年の夏に犬吠埼に旅行し、夢二は前述の『宵待草』の原詩をつくりあげた。このことを知って、歌詞にある「まてどくらせどこぬひとを」の「こぬひと」は幸徳秋水ではないかと、ぼくは勝手に想像してしまった。

### 夢二と「自警団遊び」

関東大震災直後、夢二は東京の惨状をスケッチした。それらは『都新聞』に 9 月 14 日から 10 月 4 日ま

よって虐殺された（王希天事件）。軍隊はそれを秘匿し、政府も隠蔽していた。

全体で「二百数十名を超え750名」（日本弁護士連合会が2003年にまとめた調査結果）の中国人が殺害されたと考えられるが、朝鮮人虐殺事件同様に正確な実数は今も確定できていない。

金子文子
『何がわたしをかうさせたか』
（黒色戦線社版より転載）

### (3) 金子文子・朴烈（パクヨル）事件——朝鮮人虐殺正当化のために捏造

朝鮮人暴動としてでっちあげられ、朝鮮人虐殺を正当化させるために仕組まれた事件。9月3日、物的証拠がないのに「朴が爆弾を入手しようとした」という1点だけで、関東大震災の混乱の中で朴烈と金子文子の2人は逮捕され、1926年3月25日「大逆罪」で死刑判決が下された。のち恩赦（国の祝いごとなどのときに受刑者を特別に刑罰を軽くすること）により無期懲役となるが、文子の訊問は約30回にもおよんだ。市ヶ谷刑務所で7回も天皇中心の国家を認めるよう転向を勧められているが、文子は全て拒否した。刑罰は死刑しかない大逆罪の適用を脅かされても「私は私自身を生きる」と自己を放棄することはなかった。同年7月23日、文子は獄中で縊死して、この世を去った（密殺説もある）。「権力の前に膝を折って生きるよりは、死してあくまで自分の裡（うち）に終始」（「第3回被告人尋問調書」1924年11月22日）した23年間の人生であった。現在、この事件はえん罪であったと考えられている。

4つある大逆事件のうち、女性が死刑判決を受けたのは大逆事件（幸徳事件）の管野須賀子と金子文子・朴烈事件の金子文子だけだ。そのことから金子文子・朴烈事件は

「もうひとつの大逆事件」とも言われている。詳細は後述したい。

### (4) 亀戸事件――労働運動家・社会主義者虐殺

政府・官憲は、震災直前の6月に日本共産党を弾圧して、100余人を検挙投獄していた。大逆事件以降、社会主義者や労働運動家に対する警戒は高まっていた。震災直後には「震火災の後、人心の動揺に乗じて不軌を図り、或いは民衆を扇動して野心を逞くせんとする」(『大正大震火災誌』)と、取り締まりを徹底する「要視察人に対する措置」が出されている。

9月4日、関東大震災直後の混乱の中で、東京府南葛飾郡亀戸町(現・東京都江東区亀戸)で、南葛労働会の川合義虎、純労働者組合の平沢計七ら10人が、以前から労働争議で敵対関係にあった亀戸警察署に捕らえられ、4日~5日に習志野の近衛騎兵第13連隊によって刺殺された事件がおきた、亀戸事件だ。遺体・遺骨は闇から闇に葬られ、今もってわからない。同署では、3日から翌日にかけて、多数の朝鮮人も虐殺されていた。

川合義虎は共産青年同盟の初代委員長で22歳の青年であった。平沢計七は友愛会の労働組合で活躍した後に、友愛会を脱退して純労働者組合を結成して、労働争議の指導にあたっていた。2つの先進的な労働組合は、消費組合・労働演劇などの活動をとりいれ、多くの労働者や活動家に注目されていた。政府・官憲は「不逞鮮人を扇動したのは社会主義者だ」「不逞鮮人襲来の流言を放ったのは社会主義者だ」と捏造して、労働組合への迫害、社会主義者弾圧を正当化したのであった。

亀戸事件犠牲者之碑(浄心寺1970年建立)。
10人が虐殺された。碑記には「労働者の勝利を確信しつつ権力の蛮行に斃れた表記革命戦士が心血をそそいで解放の旗をひるがえしたこの地に建碑して犠牲者の南葛魂を永遠に記念すると刻まれてある。

犠牲者の遺族や友人、自由法曹団、南葛飾労働会などが事件の真相を明らかにするため糾弾運動を行なったが、「戒厳令下の適正な軍の行動」であるとし、事件は不問に付されてしまった。

亀戸事件犠牲者之碑は、「亀戸赤門寺」で知られる浄心寺本堂左隣の境内墓地内にある。建立した当時の住職の亀戸事件への理解と厚意があってのことだった。

### (5) 福田村事件――複合差別の中の日本人虐殺

9月6日、香川県から荷車に薬や日用品を積み、幼児を乗せた売薬行商の一団が千葉県東葛飾郡福田村(現野田市)で朝鮮人だと疑われて、女性、子どもを含む5家族15人のうち9人が地元住民に惨殺された。現在なら香川県内で大騒ぎになる事件だが、事実は80年間も闇に葬られていた。

利根川の渡し場に近い香取神社で渡し賃の交渉過程で異変が起きた。「言葉が変」「朝鮮人じゃないか」そのうちに半鐘が鳴る。生存者の証言によると、駐在所の巡査を先頭に、自警団が「ウンカのごとく」集まったという。「どこから来た」、「四国から」「日本人じゃ」「君が代を歌え」「教育勅語を言え」「『15円50銭』を言ってみろ」等のやりとりがあった興奮状態の中、「やっちまえ」の怒号とともに惨劇がはじまった。

自警団のとび口が団長の頭に飛び、川に逃れ赤子を抱き上げて命ごいをする母親を竹やりが襲う。泳いで逃げる者は、船で追われ、日本刀で切られた。発砲もあったという。殺されたのは、20歳代の夫婦2組と2歳から6歳までの子ども3人、そして18歳と

慰霊碑きょう除幕

80年前の福田村事件

人権考える契機に

自警団が9人を殺害

「80年前の福田村事件　慰霊碑きょう除幕」(『読売新聞』2003年9月6日)。追悼慰霊碑建立から20年後、千葉県野田市長は2023年6月市議会で「被害に遭われた方たちに対し、謹んで哀悼誠を捧げたい。」と初めて被害者に弔意を示した。

24歳の青年の計9人。母親の1人は妊婦だったので「死者は10人」とする研究者もいる。近辺で続発した虐殺の中でも、最も悲惨な事件となった。

行商の一行は、全員が香川県内の被差別部落の出身者だった。行商は被差別部落の産業であった。当時千葉県警が出した防犯ポスターには「用心に被害なし」と大書され、行商人は不正と決めつけ「不正行商人」が来たら交番、駐在所に連絡せよとある。香川県から来た行商人は、福田村で部落差別そして職業差別に直面し、さらに言葉(「讃岐弁」)がおかしいと排他的なよそ者差別、日本人かどうかを確認する民族差別の現場に立たされてしまった。部落差別、職業差別、よそ者差別、民族差別というまさに複合差別の中で起きたのが福田村事件であった

現場は福田村だったが、襲ったのは同村と隣の田中村(現柏市)の自警団だった。襲った側のうち8人が殺人罪で逮捕され、3年から10年の懲役刑となる。しかし、大正天皇の崩御、昭和天皇の即位に伴う恩赦で、全員が間もなく釈放された。背景には、彼らを擁護する雰囲気があったことだ。取り調べの検事は「彼らに悪意はない。ごく軽い刑を求めたい」と語り、村は弁護料を村費で負担した。犯人なのに、村の「代表」の扱いだった。事実、中心人物の1人は、出所後、村長になり、合併後は柏市議も務めたという。

中学校社会科教員時代に、現地研修会「福田村事件に学ぶ」(主催　朝霞市人権教育推進協議会、朝霞市学校人権教育主任研修会)に参加する機会があった。事件の真相解明まで80年の年月を要していることを現地の説明会で初めて知った。なぜこれほどまで

の時間を要したのか。加害者側に「事実」をなかったことにしよう、早く忘れようという心理が働き、そのうちに負の事件を今さら掘り起こしても仕様がないと「事実」が闇に葬られていったことがわかった。

被害者は加害者から受けた「事実」を絶対に忘れない。香川県の関係者は、「福田村事件真相調査会」を立ち上げ、さらに千葉県側に働きかけ「福田村事件を心に刻む会」が結成された。その結果、福田村事件の真相が解明されていくことになった。

事件の原因、経過、結末を学ぶことによって、同じ過ちを繰り返してはいけないという強い決意が生まれてくる。福田村事件の事実を子どもたちと一緒に考えてみたいと思い、ぼくは帰りのバス中で授業実践プランを考え始めた。

### (6) 大杉栄・伊藤野枝・橘宗一虐殺事件――アナキスト虐殺

既に述べてあるが、9月16日、大杉栄は妻の伊藤野枝とともに横浜鶴見に住む実弟を見舞い、帰りは妹の子である橘宗一（6歳）が一緒に行くことになった。柏木の自宅まであと少しの果物屋（現新宿税務署通り）で梨を買っていたところ、粕正彦大尉らに取り押さえられ、その日のうちに、3人は扼殺され、しかも死体は麹町憲兵分隊裏の古井戸に投げ捨てられた。

朝鮮人が「各地に放火」「爆弾を所持」というデマを流したのは内務省であるにもかかわらず、社会主義者が張本人であるというように治安当局は宣伝した。軍隊・憲兵隊は府下の社会主義者の検束行動に出た。その中でもっとも陰惨に殺されたのがこの大杉栄・伊藤野枝・橘宗一虐殺事件であった。

## 3　大逆事件と韓国併合

それではなぜこのような虐殺事件、えん罪事件が引き起こされたのであろうか。関東大震災という大災難の時にいきなり朝鮮人虐殺、社会主義者の虐殺が始まったわけではない。その原因を探っていくと、1910年に起きた大逆事件と韓国併合が、政府・官憲の「社会主義者狩り」「朝鮮人狩り」を追い立て、その極みが虐殺であったことが見えてくる。大逆事件と韓国併合以後、政府・官憲は社会主義者と朝鮮人を危険人物とみなしていたのだ。

### (1) 大逆罪と4つの大逆事件

#### 大逆罪

1908（明治41）年10月から施行された刑法第73条を「大逆罪」という。天皇（皇室）に対して危害（既遂）または加えよう（未遂・共同謀議）としたものは、極刑の死刑とした法律である。

「刑法第73条　天皇、太皇太后（たいこうたいごう）、皇太后（こうたいごう）、皇后（こうごう）、皇太子（こうたいし）又ハ皇太孫（こうたいそん）ニ対シ危害ヲ加ヘ又ハ加ヘントシタル者ハ死刑ニ処ス」（1947年廃止）

「大逆罪」の特徴・問題点は大きく3点ある。

一、危害を加える意思が明らかになった段階で、処罰対象とみなされたこと。
二、適用される刑罰が死刑のみであったこと。
三、3審制が適用されず、大審院（今の最高裁判所）の1審のみで刑罰が確定されたこと。

新憲法の成立に伴う刑法改正に際して、「不敬罪」、「大逆罪」の廃止をめぐって日本政府とGHQとの間に一連のやりとりがあった。1946（昭和21）年12月20日、ホイットニー民政局長は、木村篤太郎大臣（当時）に対し、「不敬罪」、「大逆罪」に関する規定を定めた刑法第73条から第76条までの条項を削除するよう指示した。これを受けて、吉田茂首相（当時）は、12月27日付けのマッカーサー宛書簡で、（1）天皇の身体への暴力は国家に対する破壊行為であること、（2）皇位継承に関わる皇族も同様に考えられること、（3）英国のような君主制の国においても同様の特別規定があることを理由に「大逆罪」の存置を訴えた。

1947年2月25日、当然であるがマッカーサーは吉田宛書簡で、吉田のあげた存置理由について1つ1つ反論し、天皇や皇族への法的保護は、国民が受ける保護と同等であり、それ以上の保護を与えることは新憲法の理念に反する、と吉田の訴えを拒絶した。その結果、「大逆罪」は廃止された（国立国会図書館「資料と解説」の「5―13大逆罪・不敬罪の廃止」より）。

## 4つの大逆事件

一般的に大逆事件というと「幸徳事件」をさすが、過去にあった大逆事件は4つあった。判決の順番で見ていこう。

幸徳秋水大逆事件（大逆事件）

既に述べた通り、明治天皇暗殺計画を企てたと1910年5月25日に宮下太吉が逮捕されたことにはじまる大逆事件は、異例のスピードで翌年1月24、25日に幸徳秋水ら12人が処刑された。この幸徳秋水事件は、検事らによってでっち上げられた事件であり、逮捕者の多くはえん罪であった。中学校社会科歴史教科書（東京書籍・2020年検定済）には「1910年には、天皇の暗殺をくわだてたとして多数の社会主義者が逮捕され、12人が処刑されましたが（大逆事件）、現在では、多くの人は無実だったとされています」と記述されている。

難波大助大逆事件（虎の門事件）

1923年12月27日、難波大助が虎ノ門で第48帝国議会の開院式に向かう摂政宮・皇太子裕仁親王（後の昭和天皇）の車に向けてステッキ状の銃を発砲・狙撃し、現行犯で逮捕された暗殺未遂事件。24年11月13日に大審院で死刑判決。15日に死刑執行。皇太子の暗殺を意図した実行行為があったことは明白だとして大逆罪が直ちに適用された。

金子文子・朴烈大逆事件（「もうひとつの大逆事件」）

前述した通りアナキスト・朴烈と妻の金子文子が関東大震災直後の「救護」検束（「保

護検束」）の名目で検挙され、その後摂政宮暗殺を目的として朝鮮での爆弾入手を企てたとして大逆罪が適用された。朝鮮人暴動の根拠とデッチあげられたもので、確たる物的証拠はなかった。

**李奉昌（イボンチャン）大逆事件（桜田門事件）**

朝鮮独立運動の活動家・李奉昌が1932年1月8日、桜田門外において陸軍始観兵式を終えて帰途についていた昭和天皇の馬車に向かって手榴弾を投げつけ、近衛兵1人を負傷させた事件。日本政府は李奉昌不敬事件と呼び、天皇暗殺を意図した実行行為があったとして大逆罪が直ちに適用された。9月30日、李は大審院により死刑判決を受け、10月10日に市ヶ谷刑務所で処刑された。1946年に在日韓国・朝鮮人が遺骨を発掘、故国である朝鮮において国民葬が行われ、「義士」として白貞基（ペクチョンギ）、尹奉吉（ユンボンギル）らとともにソウルの孝昌（ヒョチャン）公園に埋葬されている。

### (2) 韓国併合――日本の植民地支配

大逆事件で大騒ぎになっている一方で、8月22日、韓国統監寺内正毅と大韓帝国総理大臣李完用は「韓国併合ニ関スル条約」に調印した。「第一条　韓国皇帝陛下ハ韓国全部ニ関スル一切ノ統治権ヲ、完全且永久ニ、日本国皇帝陛下ニ譲与ス。」に始まる全文8条からなる条約文は寺内が用意して李に承知させたものであった。ここに日本の朝鮮植民地支配がはじまるのであるが、日清・日露戦争を経て、伊藤博文らが中心となって

1905年第2次日韓協約（韓国の外交権喪失、統監設置）、07年第3次日韓協約（統監の内政権掌握）を強制的に調印させ、外濠が埋まったところで、明治維新以来の日本の国策であった「征韓論」が達成された。寺内統監は念には念をと、「日本天皇陛下は朝鮮の安寧を保障し東洋平和を維持する為め、前韓国君主の希望を容れ、韓国を併合す」という「諭告」を発表している。韓国皇帝が併合を望んだのだから天皇は同意したというわけだ。なんという偽善であろう。韓国併合が「東洋平和」につながらなかったことは後の歴史が証明している。

多くの朝鮮民衆は、韓国併合（「韓国併合ニ関スル条約」）を詳しく知らなかった。1919年3月1日には、独立宣言書を発表して3・1独立運動が始まると、日本は軍隊を出動して多くの朝鮮人を殺害した。朝鮮人差別、蔑視感情が固定化され、「不逞鮮人」が民衆の会話の中に出てきた。

朝鮮半島内での義兵闘争を徹底的に武力弾圧しながら、日本は植民地支配をはじめた。日本では「韓国併合」だが、韓国では民族の意志に反して強行された不義不当なもので、「国権被奪」または「強占」という。

### (3)「社会主義者狩り」と「朝鮮人狩り」

大逆事件によって、社会主義運動は「冬の時代」を強いられたが、1917年のロシア革命、翌18年の米騒動によって息を吹き返し、1920年には堺利彦、山川均らによって日本社会主義同盟が結成されたが、翌年、結社禁止となった。関東大震災直前の23年6月には堺利彦らが逮捕された（第1次共産党事件）。政府・官憲は社会主義者、アナキスト、労働運動家に対する監視、弾圧を強めた。関東大震災の大災難時に、彼らが反政府運動、革命を始めるのではという警戒心は高まり、「社会主義者狩り」の極みが関東大震災直後に起きた。官憲の警戒心は策略的であった。

韓国併合からから13年、朝鮮植民地支配は朝鮮人蔑視を公然化させ、何か事件が起これば朝鮮人＝犯罪者とみなすようになり「朝鮮人狩り」は暗黙の了解事項のようになっていた。

関東大震災が発生すると、朝鮮人に仕返しされるのではないかという恐怖心が政府・官憲に働いた。さらに日本人社会主義者と朝鮮人社会主義者の連帯行動が生じていたので、政府、官憲は関東大震災という大混乱に乗じて両者を大弾圧し、とどめを刺すことにした。しかもそのやり方は狡猾で、戒厳令布告と内務省警保局の各地方長官への誤情報伝達によって、「朝鮮人狩り」、「社会主義者狩り」を正当化させていくものであった。

社会科だより
No. 6

毎年 9月1日 熊谷・本庄・上里で
朝鮮人犠牲者を追悼（ついとう）する
「慰霊祭（いれいさい）」が行われています。

朝鮮人が多数虐殺されたところは？

長峰墓地の慰霊碑(本庄市)

◎熊谷　9月4日午後，自警団と群衆によって朝鮮人60余名が中仙道で虐殺された。

◎神保原　9月4日午後，本庄警察から朝鮮人をのせたトラックが群馬県方面に向かった。群馬側に引き取りをこばまれ，川原に朝鮮人を降ろしたところ虐殺がはじまった。そのため，本庄にもどろうとしたら，神保原の郵便局で群衆に車をとめられ，42人が虐殺された。

◎本庄　生き残った朝鮮人を乗せたトラックが本庄警察署にもどると，本庄町の群衆が警察に押しかけ もどってきた朝鮮人と警察に保護されていた朝鮮人合わせて88人が虐殺された。

引用
『くらしの中から考える埼玉と朝鮮』より
（1992、『埼玉と朝鮮』編集委員会）

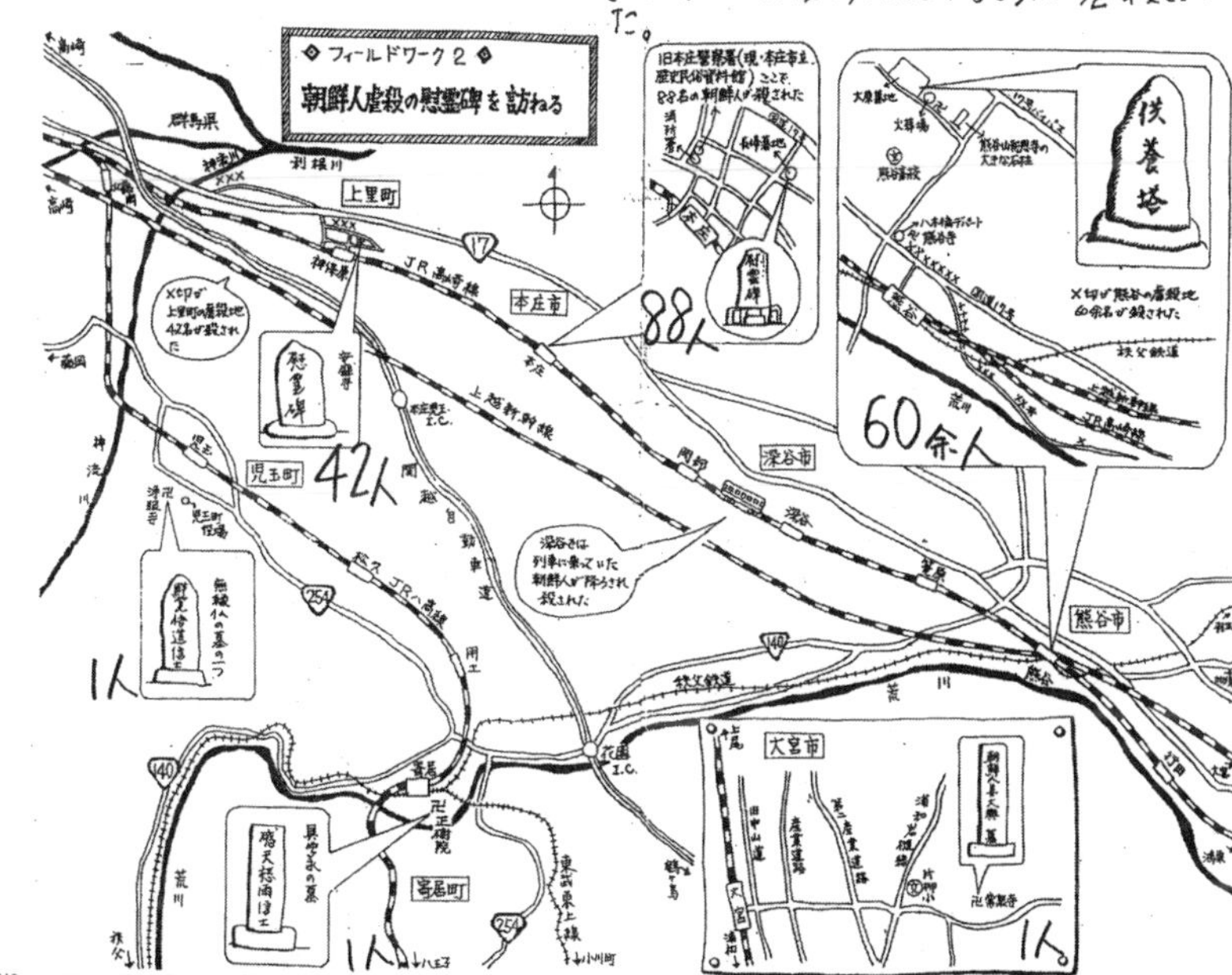


「社会科だよりNo. 6」
※「フィールドワーク2」図は『くらしの中から考える埼玉と朝鮮』（1992年、『埼玉と朝鮮』編集委員会）より転載。

## 1　授業テーマ「関東大震災直後に何が起きたか」

　ぼくにはいつかは目の前の中学生と一緒に学びたいと思案していた授業テーマがあった。「関東大震災直後に何が起きたか」だ。その授業づくりのきっかけは4つあった。（1）負の歴史＝失敗体験（朝鮮人、中国人、日本人、日本人社会主義者の虐殺事件）を直視し共有したい、（2）なぜ朝鮮人が虐殺されたのか明らかにしたい、（3）地域（東京府と埼玉県）から虐殺事件を教材化したい、（4）金子文子（1903〜1926年）ともうひとつの大逆事件を伝えたい、の4点だ。一つひとつ振り返ってみたい

### ⑴負の歴史＝失敗体験を直視し共有したい

　ふだんはやさしい気のいいごくふつうの父、息子たちが、なぜ朝鮮人、中国人、日本人、日本人社会主義者の虐殺事件という残虐な行為に走ってしまったのか。それを解明するには、負の歴史の具体的事実を直視して、その失敗体験を共有することから始めなければならない。成功体験からは安堵感は得られても、切実な教訓は得られないからだ。その学びから、同じ過ちを繰り返さないために何をしなければならないかが見えてくる。ぼくは「正解」は持ちあわせていないし、それを求めもしない。ぼくも子どもたちと一緒になって、自分たちなりの最適解を求める授業づくりをめざすことにした。

### (2) なぜ朝鮮人が虐殺されたのかを明らかにしたい

そこで、ぼくはまず「なぜ朝鮮人が虐殺されたのか」を子どもたちとともに探り、そのことについてともに考えることにした。韓国併合とその後の朝鮮植民地支配に虐殺の根本的な原因があるが、その背景・要因として、①朝鮮人差別感情、②国家の責任—戒厳令布告と内務省警保局の打電、③民衆の責任—デマを見抜けなかった、④仕返しをされるのではないかという恐怖心、の4点をぼくは提示した。

#### ①朝鮮人差別感情——「鶏頭」「アメ屋のデク助」「頑虎」「鮮人」「ヨボ」

幕末・明治維新期以来の国策「征韓論」に根差す日本人の朝鮮人差別感情である。「征韓論」という言葉には「正義の日本が悪い朝鮮をこらしめる」という意味合いがあり、きわめて差別的だ。

内村鑑三をして「正義の戦い」と言わしめた日清戦争に勝利した日本は、朝鮮支配を強めた。この時期に「鶏頭」「アメ屋のデク助」「頑虎」という差別語がうまれ、日露戦争（1904年）で朝鮮半島に送られた数十万の日本軍人が帰国すると、「鮮人」「ヨボ」という差別語も広まった。ぼくはこれら差別語を教材化して、現在の朝鮮人に対する差別意識の原型が形作られた時期をみんなで確認した。

さらに韓国併合によって、朝鮮人は「劣等民族」、「うそをつく民族」、「朝鮮の歴史は停滞している」、「駄目な朝鮮」という偏見が助長され、同時に日本政府は朝鮮人に対する敵視・迫害政策を実行した。レイシズムの極みだ。その究極の受難が朝鮮人虐殺事件であった。ぼくは差別と偏見をなくすにはどうしたらよいか、子どもたちと一緒に考えることにした。

②国家の責任――戒厳令布告と内務省警保局の打電

戒厳令の布告と内務省警保局の虚偽の電文打電が虐殺を正当化させ、拡げた。そのきっかけを作ったのは警察であった。警察が震災直後から率先して朝鮮人暴動を流したという事実が明らかになった（山田昭次『関東大震災時の朝鮮人虐殺』）。9月1日夕方には「曙町交通巡査が自警団に来て『各町で不平鮮人が殺人放火して居るから気をつけろ』と2度まで通知に来た」（『報知新聞』10月28日夕刊）、2日には、爆弾・毒薬を所持しているとして自警団が朝鮮人を駒込警察署に連行したが所持品は砂糖であったという間違いが起き始めている。警察による虚偽情報は、伝言ゲームみたいに軍隊と政府中枢にも流れ、流言蜚語を拡散することになった。それでは、軍隊の動きから見ていこう。

戒厳令

戒厳令とは、軍による1国の全部または一部の支配を意味する非常法のことで、通常の行政権、司法権は停止される。戒厳令には、軍事戒厳と行政戒厳があり、大日本帝国憲法下の軍事戒厳は日清戦争時1件、日露戦争時6件で、それ以降はない。国内治安のための行政戒厳は、1905年日比谷焼き討ち事件で東京市及び周辺に、23年関東大震災で1府3県に、36年2・26事件で東京市に、と計3回布告された。

関東大震災時は「不逞の挙に対して、罹災者の保護をすること」を目的とした。9月2日の緊急勅令によって午後6時に戒厳令を東京市と周辺5郡に布告した。3日には戒厳地境を東京府全域および神奈川県に、4日には千葉県と埼玉県へとその範囲は拡大していった。

### 朝鮮人と社会主義者は「不逞団体」

警察の虚偽情報は、「不逞の挙」を行うのは朝鮮人または社会主義者であることを想定していた。それは関東戒厳司令官が以下の告諭を出していることからもわかる。「不てい団体ほう起の事実を誇大に流言し、かえって紛乱を増加するの不利を招かざること」(『関東大震災から得た教訓』9頁、陸上幕僚総監部第三部、1960年)「不逞団体」とは朝鮮人と社会主義者をさしていることは間違いない。「不逞団体蜂起」はないのに、あったとみなして、関東戒厳司令官は告諭を出していたのである(日弁連「関東大震災人権救済申立事件調査報告書」2003年7月)。民衆は戒厳令と軍隊の虐殺によって扇動され、残虐な「朝鮮人狩り」、「社会主義者狩り」を始めた。

戒厳令布告の推進者は、水野錬太郎内務大臣と赤池濃(あつし)警視総監であった。彼らは1919年の3・1朝鮮独立運動を弾圧した当事者で、その時水野は朝鮮総督府政務総監、赤池は警務局長であった。独立運動を「独立万歳騒擾事件」と見なし、朝鮮民族の正当な運動を「騒擾」=暴動と位置付け弾圧した彼らは、関東大震災の大混乱時に再び朝鮮人が「騒擾」に走ると警戒して戒厳令を出したのである。

### 内務省警保局の各地方長官への誤情報伝達

民衆による朝鮮人虐殺を引き起こした原因のもう1つは、治安当局中枢である内務省警保局が各地方長官（現知事）に虚偽電報を打ったことにある。内務省警保局長は警察の虚偽情報を2日に事実と認定して3日に次の内容と同じものを各地方長官に打電した。

> 朝鮮人は各地に放火し、不逞の目的を遂行せんとし、現に東京市内に於いて爆弾を所持し、石油を注ぎて放火するものあり。既に東京府下には一部戒厳令を施行したるが故に、各地に於いて十分周密なる視察を加え、鮮人の行動に対しては厳密なる取締を加えられたし。（呉鎮守府副官宛9月3日午前8時15分）

朝鮮人が「爆弾を所持」、「石油を注ぎて放火」という虚偽情報を治安当局中枢部の内務省警保局長が2日に事実と認定してしまった。これらは事実誤認で、まさに官製デマであった。

この日、内務省から帰ってきた埼玉県地方課長は事前に知った電報内容を内務部長香坂昌康に伝え、全国に先がけて2日に「不逞鮮人暴動に関する件」として、自警団の結成を促す移牒（他の官庁への文書による命令・通知）が郡役所を通して各町村に伝えられてしまった。この香坂の移牒は、在郷軍人、青年団、消防組にも流れて県内各地に自警団の結成を促すことになった。その結果、県内各地で朝鮮人虐殺事件と日本人殺害事件は起きた。

官製デマが朝鮮人虐殺を正当化させてしまったことは、否定できない事実である。流言蜚語は、同時に「不逞鮮人」という差別語も拡散させた。

③民衆の責任――流言蜚語・デマを見抜けなかった

しかしながら、民衆がこれらの流言蜚語を信じてしまった責任は重い。5日になっても官憲側は朝鮮人暴動の確証を得ることができなかった。しかも国は事実誤認の虐殺事件を引き起こしたばかりでなく、虐殺した朝鮮人、日本人の遺体を隠匿つまり証拠隠滅を謀るという二重の罪を犯した。許しがたい国家犯罪である。

とはいえ、国家に一方的に責任を転嫁して、民衆が虐殺に走ったのは仕方なかったと納得するわけにはいかない。それは日ごろから朝鮮人と接していた日本人は虐殺に走らなかったからだ。実生活から、彼らは朝鮮人暴動を嘘と見抜いていたのだ。流言蜚語＝フェイクニュースに惑わされることなく、事実は何かと立ち止まってファクトチェックすること＝嘘を見抜く力を持つことの大切さは、現代のぼくたちに求められている。

④仕返しされるのではないかという恐怖心

混乱に乗じて朝鮮人が日本の朝鮮植民地支配の仕返しをするのではないかという恐怖心、これは余程どひどいことをしなければ生じない心理だ。１８９５年ころより、朝鮮では日本の植民地化に抵抗する義兵運動（義兵闘争、義兵戦争とも）が朝鮮各地で起きていた。１９０５年の保護条約の強要＝日本の植民地化への怒りから、義兵運動は本格化した。ところが、日本は義兵を「暴徒」と呼んで徹底的に弾圧し、06年から11年にかけて1万７７７９人の朝鮮人が殺された。19年の3・1独立運動後1年間で日本軍による朝鮮人の死者は約７０００人、逮捕者5万人、負傷者4万人に上る（『震災・戒厳令・

虐殺』)。

朝鮮半島ばかりでなく日本国内においても、関東大震災の4か月前の5月1日に東京でのメーデーに参加した朝鮮人が警察により殴る、蹴るの暴行を加えられた。植民地支配に抵抗する朝鮮人を徹底的に弾圧してきた日本国の残忍な仕打ちを目の当たりにした民衆には、関東大震災の大混乱時に仕返しをされるのではないか、だからやられる前にやってしまえという群集心理が働いた。

朝鮮人虐殺の背景と要因を整理したところで、東京都と埼玉県の場合を見ていこう。

朝鮮人犠牲者の碑「悼」
墨田区八広(やひろ)の荒川放水路近くの「ほうせんかの家」(東京都墨田区八広6－31－8)があり、その横に建立。(2022年筆者撮影)

## 2　地域(東京府と埼玉県)から朝鮮人虐殺事件を教材化したい

埼玉県の公立中学校教員であったこと、生まれ育ったところが東京都であったぼくは、東京府(当時)と埼玉県の朝鮮人虐殺事件を現地調査して、教材化をめざした。

### (1) 東京府の場合――官憲と民衆の一体化による虐殺

東京府の場合は、軍隊・警察＝官憲そして民衆＝自警団が一体となって、朝鮮人虐殺に走った。どういうことか。

#### 軍隊による朝鮮人虐殺

軍隊が朝鮮人を多数殺害した事実は、さまざまな目撃証言ならびに文書から明らかだ。

京成線「八広」駅から歩いて5分ほどの八広水辺公園。見えるのは京成押上線の鉄橋。この河川敷(旧四ツ木橋付近)で虐殺があった。(2022年筆者撮影)

荒川放水路河川敷では、「旧四ツ木橋に兵隊を連れた将校が先達で来て23人射殺したという話を聞いた」という証言が残されている。また、「四ツ木橋の下手の墨田区側の河原では、10人くらいずつ朝鮮人をしばって並べ、軍隊が機関銃でうち殺したんです」という目撃証言もある(以上、『増補版　風よ鳳仙花の歌をはこべ』2021年)。これらの事件以外にも軍隊による10数件の殺害事件が起きたが、いずれも裁判、軍法会議にかけられることなく不問に付されている。

## 民衆による朝鮮人虐殺

震災当日の晩から、東京府南葛飾郡の荒川放水路の旧四ツ木橋の土手付近で騒ぎがおこり、翌日深夜1~2時にかけて、民衆が20人くらいの朝鮮人を竹槍で殺したという。2日以降も同じ現場で朝鮮人虐殺は続き、3日の昼には自警団が「日本刀で切ったり、竹槍で突いたり、鉄の棒で突きさしたりして殺したんです。女の人、なかにはお腹の大きい人もいましたが、突き刺して殺しました。私が見たのでは、30人ぐらい殺していたね」(前掲書)という証言がある。

民衆は軍隊の朝鮮人虐殺も目撃した。さらに、国家に公認された官製デマによって各地の自警団は、いよいよ俺たちの出番だと「朝鮮人狩り」=朝鮮人虐殺に走ることになった。朝鮮人が暴動したという明白な証拠はあがってこない中で、残忍な殺害行為が行われたのである。

## 軍隊による社会主義者虐殺事件

もう1つの「不逞団体」とされた社会主義者、アナキスト、労働運動家はどうなったか。警視庁管内の各警察は、関東大震災が起きた9月1日夜から加藤一夫、近藤憲二（後に大杉栄の妹あやめと結婚）ら社会主義者の検束を行った。警視庁は大阪にも通報したので検束総数は60余人に達した（『報知新聞』1923年9月15日）。しかも、軍隊の力で検束された彼らは乱暴を受け負傷のない者はおらず、全員が釈放されたのは10月7、8日頃であった（『大阪毎日新聞』『国民新聞』いずれも1923年10月12日付）。

その間に社会主義者の虐殺事件が起きた。前述した通り、9月3日に亀戸署に検束されていた労働運動家の川合義虎、純労働者組合の平沢計七ら10人が刺殺されるという亀戸事件が、16日には大杉栄・伊藤野枝・橘宗一虐殺事件が起きた。なお、民衆による「社会主義者狩り」も関東各地（東京、埼玉県、群馬県）であった。政府中枢は、大逆事件以降の社会主義者の弾圧を謀り、社会主義運動に大衆的基盤がなかったことが重なって、民衆も同調して「社会主義者狩り」に走った。

旧四ツ木橋付近で9月1日から虐殺された朝鮮人の遺体と亀戸事件で犠牲者となった労働運動家10人の遺体が、荒川放水路河川敷に埋められていた。日本人労働者10人の遺体引き取り問題がおこると、旧四ツ木橋付近の朝鮮人虐殺状況が明らかになるのをおそれた官憲は朝鮮人遺体の隠蔽を謀った。朝鮮人の遺体を掘り起こして、どこかへ運び去り、今もってその所在は不明である。

埼玉県大里郡花園町で撮影された「自警団」。竹槍を持ち「不逞鮮人襲来」にそなえている。秩父線永田駅近くの国道のわき道で、9月3日頃と思われる。(『かくされていた歴史—関東大震災と埼玉の朝鮮人虐殺事件』増補保存版、より転載)

## (2) 埼玉県の場合——民衆による虐殺自警団

東京府と違って、埼玉県の場合は朝鮮人虐殺を行ったのは主として民衆＝自警団であった。自警団の前史は1920年前後につくられた「保安組合」、「安全組合」、「警察後援会」にある。この方針を打ち出したのは警察であり、「警察の民衆化と民衆の警察化」というスローガンまで作っている。なぜであろうか。

1905年の日露戦争講和後の「日比谷焼き討ち事件」では、日本が勝利したにもかかわらず獲得したものは少ないとポーツマス条約に不満を持った民衆が数多くの交番を焼き討ちにした。さらに18年の全国に広まった米騒動でも警察は憎まれ襲われた。そこで、民衆を警察の味方に引きずり込まなければと警察主導で先の「保安組合」などがつくられ、全国的に自警団が生まれることになった。村長など有力者を幹部にした自警団は見事に警察の下請け機関になった。

その矢先での関東大震災発生である。前述の内務省警保局の各地方長官への誤情報通達は、自警団結成にはずみをつけた。その結果、東京府に1593、埼玉県に300、神奈川県に603、千葉県に366、茨城県に336、群馬県に469、栃木県に19の自警団がつくられた(1923年10月現在、『関東大震災時の朝鮮人虐殺』)。

自警団を中心とした民衆は、埼玉県内で何をしたか。熊谷町(現熊谷市)、神保原(現上里町)、本庄町(現本庄市)では多数の朝鮮人虐殺が、片柳村(現さいたま市)、寄居町、児玉町(現本庄市)、桶川町(現桶川市)、深谷町(現深谷市)、戸田村(現戸田市）で各1人が虐殺された。妻沼町（現熊谷市）では、秋田出身の日本人青年が東北なまりが怪しいと殺されている。埼玉県内では、わかっているだけで233～240人の朝鮮人が虐殺されている（『かくされていた歴史―関東大震災と埼玉の朝鮮人虐殺事件』）。

普段はやさしい、人のいいお父さんや隣のおじさんがなぜ虐殺に走ってしまったのか。ぼくは事件の現場を実際に見て回ることにした（4章扉参照）。

熊谷町（現熊谷市）事件

1923年9月4日の午後、埼玉県南と東京から避難した朝鮮人女性、子ども、大学生を含む約200人を警察が保護検束して、徒歩や自動車で群馬県方面に移動していた。荒川の土手の上の中山道を通って吹上町から県北の中心熊谷町にやってきた。土手で休憩後、半数以上がトラックで本庄方面に進み、残りの朝鮮人は歩いて熊谷町に向かった。荒川の土手を下りて久下（くげ）神社に来た時に、数人の朝鮮人が自警団、群衆に捕まり殺害されてしまった。荒川土手では「アイゴー」と泣き叫ぶ朝鮮人が暴行され、殺害された。ぼくは実際の殺害現場を見るために荒川の土手を歩いた。初夏の日差しがまぶしい昼時であり、ランニング姿で額に汗を流している若者の姿が印象的であった。この虐殺現場を、どれだけの人が知っているであろうか。

難を逃れた朝鮮人が町中にある熊谷寺（ゆうこくじ）の境内に着くまでの間に朝鮮人約60人が日本刀、手斧を持った群衆によって暴行、虐殺されてしまう。真っ赤な鮮血が流れている場面を想像するぼくはつらかった。県立熊谷高校近くの大原墓地には虐殺された朝鮮人の供養

自警団と虐殺された朝鮮人
（『かくされていた歴史―関東大震災と埼玉の朝鮮人虐殺事件』より転載）

塔（クリーニング屋を営む市民が建立した）があり、ぼくは手をあわせた。

神保原（現上里町）事件

同じ9月4日の午後、本庄警察から朝鮮人を乗せたトラックが群馬県方面に向かっていた。群馬県との境を流れる神流川（かんな）の手前に着いたところ、群馬側に引き取りを拒否されてしまう。そこで朝鮮人を河原に降ろしたところ、群衆が襲いかかり虐殺が始まった。急遽、朝鮮人をトラックに乗せて本庄へ戻ろうとしたところ、神保原の郵便局前で群衆は朝鮮人を警察車両からむりやり降ろして、朝鮮人42人を虐殺した。こん棒、竹棒を持った群衆が「やれ、やれ」と叫んで、朝鮮人を暴行、殺害したのである。

本庄町（現本庄市）事件

同じく9月4日、神保原の郵便局前の惨劇から生き残った朝鮮人は、なんとか本庄警察署（現本庄市歴史民俗資料館）に戻ることができた。ところが、警察に押しかけてきた群衆が、警察に保護されていた朝鮮人も含めて88人を虐殺してしまう。極度に興奮した多くの群衆は、署内に入り込み、仕込み杖、木刀、長槍、金熊手、鳶口（とびくち）等で暴行、殺害してしまったのである。

かつてこの事実を地元の中学生が調べたことがあり、調査報告書もあった。本庄中学校社会部が発行した『郷土』第2号に掲載された「関東大震災騒擾事件について」だ。朝鮮人虐殺事件40周年にあたり、地元の中学生が調べた意義あるものであった。ところが、校長によってすぐに発禁処分となった。記載された裁判記録の被告の中に町の有力者たちの名前があったからだ（北沢文武『大正の朝鮮人虐殺事件』）。当事者生存中に加害の事実をいかに伝えるか、ぼくは考えさせられた。それにしても、この事件ほど残酷で無念なものはない。

元本庄署巡査は「惨殺の模様は、とうてい口では言いあらわせない。日本人の残虐さを思い知らされたような気がした」（前掲『かくされていた歴史』）と語り、「子供もたくさん居たが、子供達は並べられて、親の見ているまえで首をはねられ、そのあと親達をはりつけにしていた。生きている朝鮮人の腕をのこぎりでひいている奴もいた。それも途中までやっちゃあ、今度は他の朝鮮人をやるという状態で、その残酷さは見るに耐えなかった」（同前）とその苦悩を滲ませた。

この証言に続いて、「後でおばあさんと娘がきて、『自分の息子は東京でこのやつらのために殺された』といって、死体の目玉を出刃包丁でくりぬいているのも見た」（同前掲書）と語る。男だけでなく女も残虐な行為をしていたのである。翌日の警察署内は長くつでなければ歩けないほど血でいっぱいだった。死体処理を任された元巡査は「数がわからないようにしろ」との命令により、長さ36間（約65メートル）の穴を掘り、下にまきを敷きその上に死体を並べて上から石油をかけて焼いたという（同前掲書）。

事件関係者が一斉に検挙された。しかし、多くの加害者にはおとがめはなく、論功行賞だと考えていた。虐殺事件の翌日には「不断剣をつって子供なんかばかりおどしやがって、このような国家緊急の時には人1人殺せないじゃないか、俺達は平素ためかつ

「鮮人之碑」（1924年9月建立、現在は本庄市文化財保管所）

ぎをやっていても、昨夜は16人も殺したぞ」（同前掲書）という者もいた。

裁判はどうであったか。先の元本庄署巡査は「裁判もいいかげんだった。殺人罪でなくて騒擾罪ということだった。刑を受けたのは何人もいたが、ほとんど執行猶予で、つとめたのは3、4人だったと思う」と述べ、証人となって呼ばれる前に刑事課長から「本当のことを言うな」「実際は鮮人（ママ）半分、内地人半分だったと証言しろ」（同前掲）と強要されていたという。今でいうフェイクニュース、歴史修正主義の極みである。

この大惨劇の中、虐殺に反対した人がいたことはぼくの心をホッとさせてくれた。取材に当たっていた群馬新聞本庄支局長の馬場安吉は、「朝鮮人が悪いんじゃない。殺してはいかん」と体を張って残虐行為を止めようとした。そうすると、「朝鮮人に賄賂をもらったのか。殺してしまえ」と竹ヤリを持つ群衆に脅かされ、自宅が取り囲まれた。後に馬場記者は埼玉県から表彰状と金一封（10円）をもらい、その金で「鮮人の碑」を建立するも「鮮人」が差別的として別の慰霊碑が長峰墓地に建立された。

**片柳村（現さいたま市）の姜大興（カンデフン）**

同じく9月4日午前2時頃、1人の朝鮮人が自警団に見つかり、逃げ回った後竹ヤリと日本刀で瀕死の重傷を負わされた。医者が応急手当をしたが、警察へ運ぶ途中に死亡している。被害者の名は姜大興。村は常泉寺（さいたま市見沼区染谷）に彼の墓を建てた。片柳村では「村の人たちはみな戒厳令下だから、朝鮮人を捕まえれば金鵄勲章を貰えると思いこんでいた」（同前掲書）という証言が残されている。

ぼくが国道214号線の大きな道路から脇に入って常泉寺に足を運ぶと、山岡鉄舟の山額が目に入り、「広島・長崎の灯」が燃え続けており、さらに進むと姜大興の墓がある。

寄居町の朝鮮アメ売り具学永(クハギョン)

9月5日、寄居町では朝鮮アメを売っていた28歳の具学永が寄居警察署に保護されていたにもかかわらず、9月6日に群衆に襲われて殺害されてしまった。朝鮮アメ売りは1920年代ころには在日朝鮮人の代表的職業の1つとなり、キビの粉に麦芽の粉を混ぜて、その汁を水飴状にしてアメ売りがチョキチョキンと鋏で切って歩いていた。具学永が作った朝鮮アメの原料は朝鮮人参で、天秤棒につけた箱を担いで、「チョーセンニンジーン、チョーセンニンジンジーン、ニンジンアーメ」と独特の節回しで子どもたちに売り歩いていた。2年前から寄居に住み、おだやかで人柄のいい若者と評判はよかったという。

ところが、震災直後にできた自警団は、「ここにいる朝鮮人は善良なアメ売りだ」という制止があったにもかかわらず、署内になだれ込んで竹槍や日本刀で具学永を斬りつけた。とび口で引っ掛けて玄関先まで引きずり出してとどめを刺した。殺害される直前に、留置場にあったポスターの上に「罰　日本　罪無」(「日本人罪無キヲ罰ス」)と流れ落ちる自らの血で書いたといわれている(同前掲書)。具学永の墓は寄居駅近くの正樹院にある。

### (3) 虐殺された朝鮮人総数

10月20日に朝鮮人虐殺事件に関する新聞記事掲載が解禁された。しかし、軍隊、警察による朝鮮人虐殺は新聞報道させず、政府は民衆による熊谷事件、神保原事件、本庄事件は大々的に報道させた。虐殺の責任は自警団・民衆にあるという印象操作したところに、国家権力の狡知さをみてとれる。

前述した通り、内閣府中央防災会議の「1923関東大震災報告書」から虐殺された朝鮮人総数は最少1053人から最大9484人と考えられる。もちろん東京府だけではなく関東地方中心に虐殺された総数である。

1923年の「関東地方の府県別朝鮮人人口」は、東京府8567人、神奈川県3645人、群馬県736人、茨城県371人、千葉県317人、埼玉県311人、栃木197人の合計1万4144人である（山田昭次『関東大震災時の朝鮮人虐殺とその後―虐殺の国家責任と民衆責任』）。そのうちの約1万人が虐殺だとすると、しらみつぶしの「朝鮮人狩り」が行われたと考えられよう。

官憲は虐殺した朝鮮人の遺体を隠匿したり、日本人遺体と一緒に焼いたりして、政府は虐殺数をわずかなものに見せようとした。この隠蔽工作は、証拠となる朝鮮人遺骨の実数をわからなくさせた。そのことは、司法省による調査報告『震災後における刑事犯及之に関連する事項調査書』では、虐殺数がわずか231人という数字にも現れている。

歴史的事実をなかったことにする、あるいは過小評価する歴史修正主義は、教育現場にも影響を与えている。朝鮮人虐殺否定説も1つの説だから、この説を紹介しないと偏ってしまい、教育の中立に反すると真顔で話す若い先生が登場してきたことにぼくは驚いた。

朝鮮人虐殺否定論は歴史事実を歪曲化するばかりでなく、犠牲者を冒瀆していることになる。ぼくは史実としての朝鮮人虐殺事件を中学生とともに直視して、そこから多くの教訓を深く学び取りたいと決心した（巻末資料8　朝鮮人虐殺事件の犠牲者）。

## 3　金子文子（1903～26年）ともうひとつの大逆事件を伝えたい

金子文子は1903年にこの世に生を受けた。管野須賀子は1911年に無念の刑死。2人が生きているときには、接点も交流もなかった。しかし、2人には共通するものがあった。

もうひとつの大逆事件、管野須賀子と金子文子

管野須賀子（享年29歳）と金子文子（享年23歳）は大逆事件の判決で死刑宣告（文子はその後無期懲役に減刑）を受けた女性死刑囚であり、社会の差別と不平等に眼を向け、差別の頂点は天皇と見抜き、天皇制そのものを問題視したという共通項がある。その意味から、金子文子・朴烈事件は「もうひとつの大逆事件」と呼ばれるようになった。

金子文子・朴烈事件の教材化並びに先行実践は管見の限りでは見たことがない。それ

だけにかなりの時間をかけて、ぼくは教材作りに励んだ。文子は立松懐清予審判事から命じられ、獄中手記であり、自伝であり遺書でもある『何が私をこうさせたか』を１９２５年夏または秋に書きはじめた。ぼくはこの手記を読んで、文子の生い立ちと行動を見ていくことにした。

## 金子文子のこと

１９０３年1月25日、金子文子（１９０３～26年）は生まれた。父は佐伯文一（さえきふみかず）、母は金子きくの。しかし、母の生まれが高貴でないということだけで、文子は父に戸籍に入れてもらえず無戸籍者となった。その結果、7歳の文子は小学校に入学できなかった。通学できるようになっても、文子は学校からも棄てられた。出席を取るときに文子は名前を呼ばれず、学年末には正式の修了書が与えられなかったのである。

そのうちに父は母の妹たかのと駆け落ちをし、母と文子は父に棄てられてしまった。母は母で男をつくり、8歳の文子を「女郎」として売ろうとしたこともあった。幼い文子はどん底の貧困生活を送っていた。母の実家がある山梨県東山梨郡諏訪村（現山梨市牧丘町）の小学校に通い始めた文子には、そこでも通知簿をもらえないという差別を受けたが、尋常科2年の時に6年生の読本が読めるほどの才能があった。

歳を重ねるうちに無戸籍者という被差別体験によって、文子は戸籍、家、戸主制度つまり家父長制度の虚構を見抜けるようになった。既成の法律、制度、道徳への疑問も浮かび上がった。文子は次のように道徳は強者の論理だと見抜いた。

「道徳はいつも強い者に都合の好いように練り上げられております。つまり強い者は自分の行動の自由を擁護しつつ、弱者に服従を強いる。この関係を弱者から言えば強者への屈従の約束が、いわゆる道徳であります」（第2回尋問調書1924年1月17日）。現在、小・中学校では道徳が「特別の教科」となったが、その意図していることは何か、文子がすでに答えてくれている。

朝鮮での奴隷生活――自殺未遂の思春期

1912年、母方の祖父金子冨太郎の5女として入籍（戸籍上は母の妹となる）することを条件に、9歳の文子は朝鮮忠清北道州郡芙蓉面芙江里に住む父の妹カメが嫁いだ岩下家に引き取られた。父方の祖母佐伯ムツが娘夫婦に子がいないので、文子を養女にもらいに来たのである。しかし、祖母から精神的な虐待と体罰を受け、岩下家の「女中」扱いとなる。食事さえ満足に与えられず、つらく貧しい奴隷生活の中、「麦ご飯でよければ、おあがりになりませんか」と声をかけてくれたのが朝鮮人のおかみさんであった。文子は、「私は思わず声を出して泣いた。朝鮮にいた永い永い7か年の間を通じて、この時ほど私は人間の愛というものに感動したことはなかった」と振り返っている。

朝鮮人の人間愛に触れる一方で、祖母の朝鮮人の「下男」に対する高圧的な態度と日本人が権力をふるい朝鮮人を搾取する様子を見て、文子は当時の日本人が朝鮮人を差別している現実を体験的につかみ取った。そのことは、文子の朝鮮認識をゆたかにすることができた。

賢く芯の強い文子であったが、13歳の時にあまりのつらさに自殺を試みている。入水直前に川と木々の自然の美しさに「このまま死んではならない」と気を取り戻した文子の姿に、世の中のことをもっと知りたいという生きる力が感じさせられ、ぼくは思春期の現代中学生にこそ金子文子を伝えなければと確信した。。

### 3・1独立運動と文子の朝鮮認識

1919年に日本に帰る直前、16歳になった文子は3・1独立運動を目の当たりにした。

「私は大正8年中朝鮮にいて朝鮮の独立騒擾の光景を目撃して、私すら権力への反逆気分が起こり、朝鮮の方のなさる独立運動を思う時、他人のこととは思い得ぬほどの感激が湧きます」(第4回訊問調書1924年1月23日)。

7年間にわたる朝鮮体験は文子の思想形成――朝鮮植民地支配の歴史認識と朝鮮認識に大きな影響を与えた。

岩下家では、年ごろとなり結婚せねばならないであろうという理由で文子を実家のある山梨に戻すことになった。単なる厄介払いで、実際は結婚のために無駄な金は使いたくなかったのだと文子は了解した。

### 故郷を捨て上京――性暴力被害者の青年期

帰国後、父文一は金目当てに母の弟(22歳)と文子との結婚を勧めるが、母の弟は文

「社会主義おでん」といわれた開業当時の頃の「おでんや岩崎魚善」。（現「御食事いわさき」提供）

子をもてあそび結婚を破綻とした。この性暴力被害体験は、幼少時に無戸籍者と差別された体験、朝鮮での奴隷生活と共に文子の心の中に深く刻まれた。

1920年4月、17歳になった文子は故郷を捨て上京した。新聞売りをしながら苦学する文子は、キリスト教、仏教、社会主義、無政府主義に出合う。

## 朴烈との共同生活──『太い鮮人』発行

朴烈（パクヨル）（本名朴準植（パクチュンシク）、1902〜74年）は3月12日、朝鮮慶尚北道聞慶郡麻城面梧泉里（キョンサンプクトムンギョングンマソンミョンオチョルリ）に朴英洙（パクヨンス）、鄭仙洞（チョンソンドン）夫妻の四番目の末子として生まれた。朴烈の本名は準植であるが、思い立ったことはぜひとも遂行する自分の性格を考えて7、8歳の頃に自ら「烈」という通称をつけた。

1916年、朴は官立京城高等普通学校師範科に進むが、愚民化教育（教育程度が低く、英語の授業禁止）、同化教育に疑問を持ち、在学中に3・1独立運動に参加している。そのあと、10月に日本に渡るのであるが、その理由は取り締まりが厳しく残虐な拷問がつづく朝鮮では永続的に独立運動に参加できないと考えたからだ。日本に来てからは、無権力、無支配のすべての個人の自主自由による平和な世界に憧れてアナキズム（無政府主義）を抱き、その後虚無主義（朴によると「日本帝国主義の打倒そして総ての物を滅する合理的行動」）にたどり着いた。

1922年3月、文子は朝鮮人の朴烈の詩「犬ころ」を読み感動した。住み込みで働いていた「社会主義おでん」こと「おでんや岩崎魚善」で朴烈と初めて出会い、交際が

フテイ鮮人　【第二號】　2

其の言葉遣ひは拙かつた。だが其の聲は！あゝ、其の聲は！臓腑の奥の奥から搾り出したやうな其の聲は！否其の叫びは！

もし能く見たなら紅の血が交つて居たであらう！もし心して聴いたなら歯ぎしりの音も聞こえたであらう！汽車は一切の出来事に頓着なく虐げられたる者を乗せてやがてプラットホームを離れた。三十年[illegible]たない中に、あゝ！我が心は[illegible]。

[illegible]

…講談本などに見る昔の日本の仇討は[illegible]して斯うしたタイプのものらしかつた。即ちハイカラに云へば所謂紳士的だつた。

紳士的、其れは如何にも美しく聞ましいことの様であるが而し時と場合によつて異つて居る。

昔は敵を二年三年長きは五年十年と飽きもせず探し歩いたものだそして愈々敵を見付けた場合、其處に生れた安心と其れに伴ふ遊戯的気分とは仇討其のものよりは其の方法即ち『如何に手際よくやつてのけるか』と云ふ周囲に対する見栄から其の手段を美化し理想化したのだ。だが我々はそうした遊戯的気分から仇討をするのでも無ければ又敵を探し歩るく必要も無い。斯ふした立場に有る我々に其れが如何に不届したツマラヌもので有るかを知つた時、我々にはそんなシャレは用の無いものとなつ[illegible]

## 所謂不逞鮮人とは

朴文子

不逞鮮人！新聞や雑誌にチョイ〳〵此の言葉が見受けられる。そして諸君もよく用われるやうだ。だが果して諸君は是を正しい意味に於て解し、而して正しい意味に於て使つて居らるゝだらうか？多くの場合侮辱の意味を以つて呼ばれては居ないか？不逞鮮人とは朝[illegible]日本の[illegible]に反抗する[illegible]のものを云ふ。
[illegible]もの或は無政府を[illegible]するもの其の他何々と其の主張し運動する處の範囲は広いが此の總べてを通じて共通な點は其れが直接であらうと間接であらうと或は是が單なる口先の主張であらうが身自らの行動であらうが等しく日本の帝國主義を向ふに廻した時に於てのみ不逞[illegible]のだ。[illegible]朝鮮人が假に露國の支那或は歐西亞の帝國主義に向ふて反抗しやうとも其の時もし日本の帝國主義を[illegible]
[illegible]
白羽二重の振袖に[illegible]く白の紐[illegible]リユーとしごきつゝ。
『父の仇、ナア尋常に勝負いたされよ！』とばかり詰めよつたり！

## 學者の戯言

京都帝國大學教授で法學[illegible]世の河上ナンは其の主宰する社會問題研究に一つの社會組織は社會に生産力が其の組織中に於て發展の餘地有る限り發展して了へてからで無ければ決して崩壊する氣遣ひは無い。だから此の條件が具つて居ない時の社會革命は認められぬと云つて居るが是は云ひ換えれば資本主義が今の社會組織内に於て其の發展が行き詰まれば必然的に崩壊する、そして斯かる時に於てのみ社會革命は認め得ると云ふ事になるのだ。それでは一體資本主義は何時になつたら必然的に行き詰るのだ。

[illegible]

『太い鮮人』第２号
（1922年12月30日付）
（『日本女性運動資料集成』
第３巻より転載）

始まった。文子と朴烈は5月から共同生活を始めた。2人は差別語「不逞鮮人」から名付けた「不逞社」を組織し、雑誌『太い鮮人』を発行する。

## えん罪であったもうひとつの大逆事件

関東大震災から2日後の9月3日、朴烈と文子は保護検束の名目で世田谷警察署に連行された。その後、住所不定により警察犯処罰令で拘留が延長され、10月20日には朴烈・文子の借家に置かれた「不逞社」が秘密結社とみなされて2人は治安警察法違反で起訴された。この日は朝鮮人虐殺事件の新聞記事が解禁された日で、「不逞社秘密結社論は官憲が朝鮮人虐殺事件を正当化する材料を求めるのに焦った結果の産物であろう」（山田昭次『金子文子　自己・天皇制国家・朝鮮人』）と考えられる。事実誤認、つまりでっち上げによる起訴であった。

## 死刑判決

皇太子（後の昭和天皇）暗殺目的に爆弾を入手しようとしたとして、2人は爆発物取締罰則違反で追訴されてしまう。物的証拠も計画の具体性もなく逮捕された2人だが、文子にいたっては朴烈の爆弾入手に関しては積極的な関与

生まれ故郷に建つ布施辰治顕彰碑　宮城県石巻市・あけぼの南公園。
（2009年筆者撮影）

をしなかったにもかかわらず、その罪を背負い、裁判で「自己を放棄して国家イデオロギーへの屈服を迫る天皇制をはねのけて自己を貫徹するための闘い」（山田昭次『植民地支配・戦争・戦後の責任』）を続けた。24年7月、今度は「天皇または皇太子に危害を加えようとした」ということで、朴烈と文子は刑法第73条（大逆罪）容疑で起訴された。

26年2月26日、物々しい警戒の中で大審院大法廷は開廷された。朴烈は朝鮮の礼服を着て民族的抵抗を示し、文子はチマ・チョゴリ着用で「天皇制国家に対する朝鮮民族の闘いとの共闘の意志を表明」（山田昭次『金子文子』）した。判決公判の3月25日、刑法第73条（大逆罪）ならびに爆発物取締罰則第3条違反で朴烈と文子に死刑判決が下された。

弁護士布施辰治（1880～1953年）

裁判の時の弁護士は布施辰治であった。大逆事件でも、管野須賀子の弁護を申し出たが実現しなかった。18年の米騒動では、騒乱罪などで検挙された民衆の弁護に活躍しており、19年の3・1独立運動では、日本国内で捕まった朝鮮人留学生を弁護している。明治・大正・昭和期の厳しい社会情勢の中で、弾圧される側の弁護に立っただけでもすごいが、戦後も三鷹事件（1949年7月）、松川事件（同8月）の弁護人となっている。故郷の岩手県石巻市にある顕彰碑には「生きべくんば民衆と共に　死すべくんば民衆の為に」と刻まれてある。

金子文子と朴烈。予審廷で(「怪写真」)。(彷書月刊2月号『特集金子文子のまなざし』2006年1月発行より転載)

1923年の関東大震災直後にもどろう。布施は1日以降の朝鮮人虐殺、3日の金子文子・朴烈事件(治安警察法違反→爆発物取締法違反→大逆罪)、4日の亀戸事件、16日の大杉栄・伊藤野枝・橘宗一虐殺事件に自由法曹団の一員として先頭に立って尽力している。朝鮮人虐殺に対し、「考えれば考えるほどあまりにも残酷な悲劇です。朝鮮同胞の6000人は殺害されました。彼らの魂は死んでも死にきれない無念さでいっぱいです」(「関東大震災被災同胞追悼会」)と語り、朝鮮人に深く謝罪した。

1926年2~3月、金子文子・朴烈大逆事件の大審院特別法廷に立った布施は、2人を弁護したが無実を勝ち取ることはできなかった。恩赦により2人は無期懲役となるが、それは「『恩赦』減刑による皇室の一視同仁の演出が行われたのであろう」(山田昭次前掲『金子文子』)と考えられる。

文子はこの演出に抵抗し、減刑状を渡されるや、ビリビリと破って捨ててしまった。朴烈はいったん拒否したが、受け取ってしまう。その後、朴烈は移された千葉刑務所で絶食して抵抗したが、1935年獄中で天皇制を肯定し転向した。小菅刑務所、秋田刑務所に移された後、1945年10月27日に出獄した。一方の文子はどうであったか。

獄中手記『何が私をこうさせたか』

前述した通り文子は1925年夏(秋)から翌年7月の死の直前まで自らの生い立ちと思想を書き続け、それが700枚の獄中手記『何が私をこうさせたか』として残された。訊問調書とあわせて読むと文子の思想が決して机上のものでなく、自らの生活体験に根ざしていることがわかる。

「私はかねて人間の平等ということを深く考えています。人間は人間として平等であらねばなりません。……地上における自然的存在たる人間の価値からいえば、すべての人間は完全に平等であり、したがってすべての人間であるという、ただ一つの資格によって人間としての生活の権利を完全に、かつ平等に享受すべきはずのものであると信じています」(第12回訊問調書1924年5月14日)。

人間として一番輝く年代と言える19歳から23歳までの4年間、粘り強く思想闘争を続けながら、牢獄の中で過ごした文子は今に生きる私たちに何を伝えたかったのか。『何が私をこうさせたか―獄中手記』(金子文子著)を通して、文子と対話している中学生をぼくは想像した。

金子文子は名誉回復どころか、今もってその存在すら多くの方々に知られていない。1976年、山梨県東山梨郡牧丘町(旧諏訪村)の金子家敷地に金子文子の碑が建てられた。金子文子の顕彰と名誉回復は教育現場での授業実践にかかっていると、ぼくは改めて思った。

## 文子の死

厳しい思想弾圧の下で、文子は法廷の場で思想の自由を謳歌し、思想闘争を繰り返した。その文子が1926年7月23日朝6時40分、宇都宮刑務所栃木支所で縊死(密殺とも考えられる)して、この世を去った。「わたしはわたし自身を生きる」ことを貫いた

23年の人生であった。天皇制国家に反逆したとして徹底的に弾圧され、爆発物取締罰則違反程度の未遂事件が大逆事件にまでなったこの事件は、今ではえん罪事件であったと考えられている。

## 4　授業実践「関東大震災・朝鮮人虐殺・もうひとつの大逆事件」

### (1) 学習プランづくりと発問

8時間構成の「関東大震災・朝鮮人虐殺・もうひとつの大逆事件」の学習プラン（巻末資料9　学習プラン）を何とか完成させることができた。つづけて自作プリント資料の作成だ。教科書では扱っていない事柄（巻末資料10　朝鮮人虐殺事件はどのように記述されているか?）を、いかにわかりやすく教材化するか、教員の力量が問われる場面だ。受験対策用のカッコのある穴埋めプリントにするのだけは避けたいと、子どもたちの興味・関心をひきつける自作プリントをめざすことにした。

表紙のほかに、「社会科だより」No.1～No.16をひとつにまとめ冊子を作成して、35個の発問を考えてみた。知的好奇心をいかに喚起して中学生の持つ正義感が呼び覚まされるような発問であったかどうかは授業中にすぐわかる。切実な問いかけは、思春期の中学生にはどっきりで、子どもたちの心が揺れ動く。ぼくは頭をひねって、発問を考えた。当事者意識を持ちその場にいる自分を想定することはとても大切な思考方法だ。そこには、想像力（イメージ形成力）が求められ、自分の考えを内面化するための大切な学習過程でもある。人間の弱さを自覚した上で、その弱さを乗り越える術を身につけることは、子どもに限らず大人にも要求されている。

## (2)ハルカは考えた、そして伝えたい

いよいよ中学校2年生をまえにして授業のはじまりだ。ぼくの35の発問にどう反応してくれるかドキドキ楽しみだ。授業記録を作る上で、ハキハキと明るい14歳のハルカ（仮名）の意見を追ってみた。要所で《授業でのコメント》を入れてあるので参考にしてほしい。

### 社会科だより No.1 日本の朝鮮観はいつ変わったのだろうか？

**質問1**「江戸時代、日本と朝鮮の関係はどうでしたか？」

１６０７年から１８１１年まで朝鮮通信使が日本に12回も来ているほど、仲が良かった。善隣友好関係。

**質問2**「征韓論とは何ですか？」

正義の日本が悪い韓国を討つという考え。幕末の国学の影響を受けて、明治維新期の国策となった。

**質問3**「征韓論についてあなたの考えを書きましょう」

日本のやっていることはただ自分のことしか考えていない。日本が突然に征韓論を出

したから、国民はそれを受け入れるしかないので、日本は朝鮮だけでなく、日本国民も利用したわけだ。朝鮮からしてみれば、悪いのは日本のはずだと思う。私もそう思う。

**質問4**「江華島事件、日朝修好条規に対して朝鮮は反発しましたが、日本はさらに征韓論が高まり朝鮮人を侮蔑する差別語が使われるようになりました。どんな言葉がありましたか？」

「鶏頭」（鶏の頭のように脳みそが足りないという意味）、「アメ屋のデク助」（渡航してきた朝鮮人は職業として朝鮮アメ屋になることが多い。朝鮮アメ屋＝「朝鮮人はろくでなし」）、「頑虎」（頑固な朝鮮虎＝頑固な朝鮮人）。

**質問5**「日露戦争では、１００万人の日本軍が朝鮮に渡り、ロシアと戦闘状態となりました。１００万人の日本軍が帰国するとさらに差別語が使われるようになりました。それは何ですか？」

「鮮人」（朝鮮の頭部分「朝」を取り、頭のない朝鮮人）、「ヨボ」（＝「おまえ」という意味の普段よく使われる朝鮮語）が朝鮮人への差別的呼称となった。

## 社会科だよりNo.２　安重根と伊藤博文

**質問6**「１９０９年、安重根は伊藤博文を射殺しました。このことについてあなたはどう思いますか？」

安重根は31歳という若さでこのような行動に出たというのはやっぱり朝鮮人全員の想いがつまった行動だと思う。……朝鮮と日本はもっといい方法で、仲良くなってほし

分の言葉で発言しよう

もうひとつの

# 鮮人虐殺・「大逆事件」

埼玉県大里郡花園町で撮影された「自警団」の写真（写真提供・石田貞）

『上毛新聞』（1923 年 10 月 21 日）

本庄町では更に亂暴

**百餘名を殺し**

通行人一切を脅かし

軍隊の力で是亦鎮靜

埼玉縣本庄町の自警團は當初消防隊と青年團の外に在郷軍人分會員も参加して九月二日の早朝東京方面より列車により避難し來るものを各驛に迎へ停車場に於て炊き出しその他の救護に努めつゝあつたが流言のため忽ちにして

秩序

を失ひ團員の行動は亂脈となり列車内より土工、行商人風のものを悉く引卸し本庄警

不法を奔め自警團に對し厳戒を加へ一方保護の意味に於て夫等土工夫行商人等二十餘名を演武場に入れ夫々警戒中、自警團員は更に流言のため昂奮して村瀨署長に對し總噬の聲を放ち同夜署長が自動車を驅つて同郡神保原村に急行各所に屯して

中仙

道を警戒中の消防隊青年團等に對し流言の根なきこと

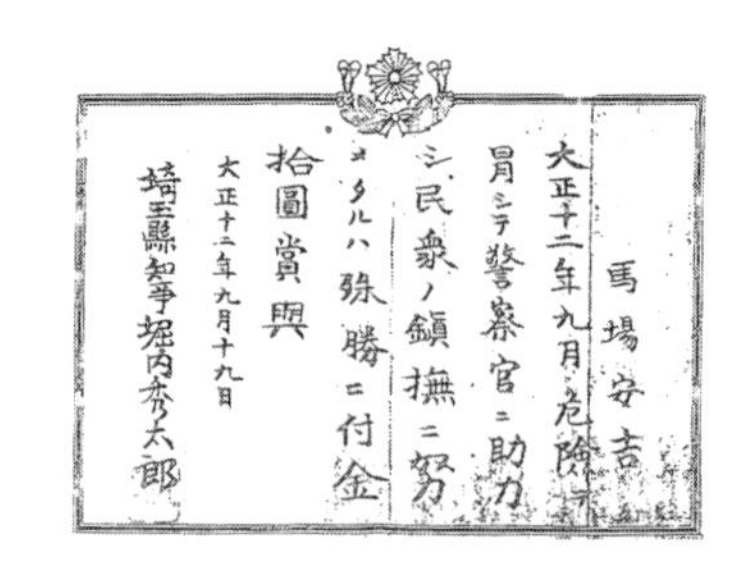
馬場安吉

大正十二年九月危險ヲ冒シテ警察官ニ助力シ民衆ノ鎮撫ニ努メタルハ殊勝ニ付金拾圓賞與

大正十二年九月十九日

埼玉縣知事堀内秀太郎

2 年　　組　　番

名前

# 自分の頭で考えて、自

# テーマ

# 「関東大震災・朝

『上毛新聞』（1923年9月4日）

**鮮人入り込む**
**井水に投毒が目的**

東京電燈株式會社足利出張所よりの報道に依れば足利市に三百餘名の朝鮮人が下車したので市民は大騒ぎを爲しつゝあり右鮮人は井水に投毒するのが目的らしいが詳細は混沌として不明である（午後三時二十五分發）

**警鐘を亂打し**
**浦和町の大警戒**

東電浦和開閉所より前橋支店に報告した處に依ると鮮人多數入町し爲めに各町に於て警鐘を亂打し之れが防禦に當つて居る町中は鼎の湧いた樣な騷然たる狀況である（午後三時二十四分記）

「鮮人之碑」1924年（大正13年9月）

群馬新聞本庄支局長であった馬場安吉が、事件後に埼玉県から受けた表彰金を基に建立。しかし『鮮人之碑』の「鮮人」が差別的であると1959年に本庄市の協力を得て関東大震災朝鮮人犠牲者『慰霊碑』が長峰墓地に新たに建立された（現在「鮮人の碑」は本庄市文化財保管所にある）。

安重根の記念切手。
ソウル市南山に安重根義士
記念館がある

かった。それには日本と朝鮮が対等な立場でいるのが大切だ。取り調べで、安重根は正しいことを述べているので、これを日本国民に伝えられれば、一番いいはずだった気がする。

《授業でのコメント》どのように考えをまとめたらいいか悩んだことでしょう。日本の朝鮮侵略さえなければ、こんな無残なことはなかったのにという思いが伝わってきました。

**社会科だよりNo.3　石川啄木と韓国併合**

**質問7**「韓国併合＝日本が朝鮮を植民地にしたことに対して、朝鮮民衆はどう思ったでしょうか？　あなたの考えを書きましょう」

他の国の人に自分たちの国を奪われてもちろん嫌だった。だから、抵抗運動をしたのだと思う。なぜ我々ばかりが苦しく辛い思いをしなければならないのか。私たちはなにもしていないじゃないか。なんで私たちばかりが・・という気持ちだったと思う。

**質問8**「地図の上　朝鮮国にくろぐろと墨をぬりつつ　秋風を聴く」―石川啄木は自作の短歌を通して韓国併合をどのように考えたのでしょうか？」

たぶん申し訳ないような気持ちだったと思う。このような歴史的な詩を残してくれて良かった。なぜなら私たちが勉強する上で、韓国併合に反対している日本人がいたということがわかり、韓国の人たちの気持ちも分かるから。

**社会科だよりNo.4　ふたりの柳―柳寛順と柳宗悦**

質問9 「朝鮮民衆の独立運動は高まりました。二人の柳―柳寛順（ユガンスン）と柳宗悦（やなぎむねよし）についてあなたはどう思いましたか？」

柳寛順について＝すごく勇気のある人だと思った。なぜ、ここまで全力で必至に国を守ることができたのだろう。お国のために戦う、というのはこういうことなんだなと思った。日本がやっているお国のためというのは「お国のため」と理由をつけて、相手を傷つける。そんなの絶対ちがう。

柳宗悦について＝世の中のほとんどの人が敵になることを承知した上でまたこの人も勇気ある人だと思う。自分の中で「正しい考え」を持っていても、それを堂々と皆に言える人は、ほんとに少ないと思う。私も正しい心と強い意志を持ちたい。

質問10 「福沢諭吉の「脱亜論」では、日本は朝鮮に対してどういう態度をとれと述べていますか。また福沢諭吉は「朝鮮人民の為にその国の滅亡を賀す」とも述べてます。あなたはこの主張に対してどう考えますか？」

尊敬していたのに、何か裏切られたような気分。正直ショックだった。朝鮮・中国の国々を悪友呼ばわりするなんて、・・完全に朝鮮とかを見下している。「アジア東方は悪い」って誰が決めたの？　あなたは「アジア東方」の何を知っているの？　と思った。「ヨーロッパはすばらしい」って誰が決めたの？日本も汚れていくのに気づかず、慌ててどんどん腐っていく。

《授業でのコメント》レイシズム（人種主義）という言葉があります。人種間には優劣の差があり、「優等人種」が「劣等人種」を支配するのは当然という思想です。人物評

岩手県出身の天才詩人といわれた石川啄木（いしかわたくぼく）。啄木の生きていた時代はわずかに20数年間でしたが、その時代は日本の歴史・世界の歴史の中で見るとまさに激動の時代であったことがわかります。日清戦争あり、日英同盟あり、日露戦争ありという具合に戦争状態が続いたのです。そして、1910年になると、「韓国併合ニ関スル条約」という名で日本は朝鮮を植民地にしてしまいました。同じ年には、幸徳秋水ら12人が天皇暗殺を計画したとして処刑されています。

社会を見る目が鋭かった啄木は､日本の朝鮮植民地化をどのように見ていたのでしょうか。ちょっと、ふりかえってみましょう。

1909（明治42）年10月26日午前9時、韓国統監府初代統監伊藤博文を乗せた特別列車が中国のハルビン駅に入ってきました。日本の朝鮮侵略に抵抗した抗日義兵の中に、安重根（アンジュングン）がいました。安重根は、伊藤博文を朝鮮侵略の中心人物と考えていました。ハルビン駅で歓迎を受けた直後、伊藤博文は安重根に射殺されました。すでに韓国併合の話はすすんでいましたが、日本はこの事件も利用して朝鮮侵略をすすめ、「韓国併合ニ関スル条約」を結ばせたのです。

明治初期からの国策（国の方針）である「征韓論」が完成したのでした。日本国内は韓国併合のニュースにわきだって､街には花電車が走り旗行列が町や村を練り歩いたと言います。石川啄木はこのニュースを聞き、次の歌をよみました。

地図の上
朝鮮国にくろぐろと墨をぬりつつ
秋風を聴く

◎朝鮮の人々の抵抗運動　朝鮮では，武装して抵抗運動に立ち上がった人々を義兵とよんだ。日露戦争後，反日義兵闘争が全国に広がった。

この地図と写真はかつて教科書（東京書籍）に記載されていたが、現在は削除されてしまった。なぜ削除されたのだろう？

『朝鮮の悲劇』（F・A・マッケンジー、訳者渡辺学、1972年、東洋文庫/平凡社）には、「銃を構えた義兵たち」というキャプションで日本軍の非道な弾圧に対して抵抗している姿を紹介している。

社会科だより
NO. 3

『二六新報』1895年1月12日掲載

絵草子の上部に
"oh. chosenjin"
と書かれてある。
「チョウセンジン」が差別
語として使われていたのだ。

テーマ

石川啄木と韓国併合

ふるさとの山に向ひて
言ふことなし
ふるさとの山はありがたきかな

はたらけど
はたらけどなほわがくらし楽にならざり
ぢっと手を見る

不来方のお城の草に寝ころびて
空に吸はれし
十五の心

石川啄木の略年譜（りゃくねんぷ）

| | |
|---|---|
| 1886（明治19） | 岩手県日戸村に生まれる<br>一（はじめ）と命名 |
| 1887（明治20） | 岩手県渋民村に移り、育つ |
| 1891（明治24） | 渋民尋常小学校入学 |
| 1898（明治31） | 旧制盛岡中学校入学 |
| 1902（明治35） | カンニング行為で処分をうけたことをきっかけに盛岡中を中途退学 |
| 1905（明治38） | 詩集「あこがれ」を出す<br>掘合節子と結婚 |
| 1906（明治39） | 母校渋民小学校の代用教員 |
| 1907（明治40） | 一家離散。北海道で新聞記者をつづける。翌年東京へ。 |
| 1909（明治42） | 妻子と母を東京へむかえる。 |
| 1910（明治43） | 歌集「一握（いちあく）の砂」を出す。 |
| 1912（明治45） | 肺結核のため永眠。２７歳。 |

価、とりわけ福沢諭吉は文明開化の世の中でオピニオンリーダーとして果たした役割が大きいだけに、福沢の朝鮮認識はショックですね。

### 社会科だより№5　関東大震災と流言

### 社会科だより№6　9月1日、日本は「防災の日」で、在日韓国・朝鮮人にとっては「追悼の日」

**質問11**　「朝鮮人虐殺（２２３～２４０人）が埼玉県で起きたことを知っていましたか？普段はやさしいお父さんや親切な隣のおじさんが、なぜ虐殺に走ったと思いますか？」

この事実は知らなかった。朝鮮人のデマが流れて、世間が朝鮮人のせいだと決めつけて、きっと市民のいらだちもあり、またみんな殺しているから、だからそういう優しかった人達もやったのだと思う。でも、実際こういう人は優しい、親切な人ではないと思う。

また、朝鮮からの仕返しが怖かったのもそうだと思うけど、朝鮮人を殺さないと日本人として認めてもらえないというような内側からの圧迫もあったと思う。「○○だから」とかではなく、とりあえず「朝鮮」という言葉に反応し、なにかにとりつかれたように殺し始めたと思う。だから、特に理由なんてなかったのだと思う。日本のえらい人はそれを利用したんだと思う。

《授業でのコメント》授業前に朝鮮人虐殺事件を生徒に聞いたところ、誰も知りませんでした。これは何も生徒に限らず、若い先生方の中からも「本当にあったのですか？」と聞かれることがあります。

## 社会科だよりNo.7　当時の深谷署長竹沢武作さん、朝鮮人60人を保護

質問12　「朝鮮人虐殺に体をはって反対した竹沢武作（当時深谷警察署長）さんのことを知って、あなたはどう思いましたか？」

朝鮮人を日本人から守った人もいたことを知って安心した。……またもし今当時と同じことになったら私は何をするのか、真実を見つけ、守ることができるのか不安になった。いやがらせや自分自身も危険な目にあうかもしれないのに、自分の考えを突き通せるとはどれだけすばらしいことだろう。朝鮮人をただただ保護することで、これが本当の「強い人」だと思った。

《授業でのコメント》多くの生徒が「勇気がある」「尊敬できる」「ほっとした」と答えている中で、「私は何をするのか、真実を見つけ、守ることができるのか不安になった」と自分にあてはめたハルカさんの意見は、自分の弱さをも認めたという意味でみんなの共感を呼びました。

## 社会科だよりNo.8　「大逆罪」とは何であったのか？

質問13　「吉田茂首相（当時）は戦後も「大逆罪」は必要だと述べました。あなたは吉田茂首相の発言についてどう考えますか？」

その頃は天皇を中心にしていくことがあたりまえだったから、考えを変えていくことは大変だったろうなと思った。元をたどっていけば、絶対皆同じ人間なんだから、こん

ニッポン 人・脈・記 jinmyaku@asahi.com

朝日 2009年5月21日(木)

大逆事件残照 3

# 許されざる者 非戦の秋水

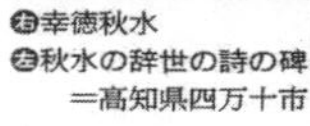

㊨幸徳秋水
㊧秋水の辞世の詩の碑＝高知県四万十市

塩田庄兵衛さん（左）と妻の昭子さん

1本のかたみの録音テープがある。昨年7月、幸徳秋水の研究家塩田庄兵衛を訪ねたときの会話である。昔を思い出しながらぽつぽつと語った。今年3月20日、87歳で逝く。

塩田の思い出は敗戦翌年の1946年、正月休みに高知に帰郷したときにさかのぼる。新聞で秋水刑死35年墓前祭があると知り、中村の町までトラックの荷台に乗ってでかけた。

「戦後のどきどきするような時代だったね」。紙一重で出征しなかった24歳、東大の経済学徒の好奇心をかりたてた。

「戦前は天皇暗殺を企てたけしからん国賊。どんな男だろうか、面白そうだと」

あそこで秋水に出会ったのは運命でしたね、とテープの言葉に残る。

1871（明治4）年、中村の薬屋兼酒屋に生まれた秋水、本名伝次郎が反逆の人生を歩んだのは、土佐の自由民権の気風もあったろう。「神童」だったのに家が傾いた不遇もかかわったかもしれない。出奔して「東洋のルソー」中江兆民に師事、人権思想を深く学ぶ。

あの田中正造が明治天皇の馬車に駆け寄って足尾鉱毒事件を訴えた、その直訴状を代筆したのは「萬朝報」記者、30歳の秋水だった。日露戦争に至って「萬朝報」は開戦賛成に転じ、秋水は盟友堺利彦とともに「非戦論」を掲げて退社、「平民社」をつくった。

「そのころ秋水が言っていたのは、いまでは当たり前のことばかりなんですよ」と塩田。

自由と平等、平和、軍備の撤廃、男女差別打破……。「平民社宣言」は、なんといまの憲法にそっくりのことよ。だが、「社会主義者」という一点で、秋水は許されざる者になる。やがて「無政府主義」に走って、さらに危険人物と目される。

長野の機械工宮下太吉が爆裂弾を試作したのは1909（明治42）年11月のことだ。天皇に投げつけて血が流れれば同じ人間だとわかる、そこからの世直しを夢想していた。

宮下の相談相手が新村忠雄と管野スガだった。新村は秋水の書生、スガと秋水は愛し合う仲だった。翌年5月、宮下逮捕。それだけのことを、当局は「秋水一味」の「大逆の陰謀」にしたてあげ、「主義者」一掃を企てた。

1911（明治44）年1月、24人に死刑判決が下る。12人は天皇の名で無期懲役に減刑されたが、12人はすぐ処刑された。

「天皇制国家と日本人民の最初の衝突でしたね」

それから日本は戦争の道を歩んだけれども、再びくり返さないようにと願いつつ、塩田は都立大や立命館大で教え、秋水全集や日記書簡編集に携わり、秋水論を書き続けた。

清流四万十川の河口、中村市から市名が変わって四万十市の小高い丘。その木立の緑の中に秋水の辞世の詩の碑がある。

区々成敗且休論／千古惟応意気存／如是而生如是死／罪人又覺布衣尊

成功だ失敗だ、そんなこと問題じゃない。人は生まれて死ぬ。私は布衣（庶民）でよかったよ。そんな大意か。

絶筆は、かつて秋水の看守だった菅野丈エ門から中村市に譲られた。そのとき88歳の菅野。

「死刑の宣告のあった日、先生、来るところまで来てしまった、長い間、四苦八苦したのだから記念に書いてくれと。先生のこと、好きだったから」

この碑が建てられたのは、秋水の刑死から72年の歳月がすぎた83年1月。そこまで秋水の復権に動いた元市議会議長森岡邦広(83)ら地元の努力は後の回でふれたい。

塩田は碑の裏の「略歴」を書いた。〈時の権力によって大逆事件の首謀者に仕立てられ、絞首台で平和と民主主義のための闘いの生涯を閉じた〉。除幕の翌朝、碑がセメントで塗りつぶされる出来事もあった。

秋水は「100年後、誰か私に代わって言うかもしれぬ」と獄中で書き残した。そのいま、秋水って何だったのか。

ウーンと口ごもる塩田に代わって、妻昭子が「何より名文家でしたよ」と口添えした。その昭子も1月13日、塩田に先立って急逝した。（早野透）

---

① 「戦前は天皇暗殺を企てたけしからん国賊」⇒えん罪であった！

② 秋水が言っていたこと
「自由と平等、平和、軍備の撤廃、男女差別打破」

**1910年 大逆事件**

③ 1911年1月に24人死刑判決。12人は死刑、12人は無期懲役へ。
「天皇制国家と日本人民の最初の衝突でしたね」

④ 幸徳秋水の名誉回復→72年の歳月

（『朝日新聞』（2009年5月21日付）より転載。）

社会科だより
NO.8

# 「大逆罪」とは何であったのか？

| 1947年改正前の刑法第７３条を「大逆罪」といいます。<br>**天皇、太皇太后、皇太后、皇后、皇太子又ハ皇太孫ニ対シ危害ヲ加ヘ又ハ加ヘントシタル者ハ死刑ニ処ス** |
|---|

「大逆罪」の特徴・問題点
１、危害を加える意思が明らかになった段階で、処罰対象とみなされたこと。
２、適用される刑罰が死刑のみであったこと。
３、三審制(３回の裁判で判決される制度)が適用されず、大審院(今の最高裁所)の一審のみで刑罰が確定されたこと。

新憲法の成立に伴う刑法改正に際して、「不敬罪」、「大逆罪」の廃止をめぐる、日本政府とGHQの一連のやりとりがありました。1946（昭和21）年12月20日、ホイットニー民政局長は、木村篤太郎司法大臣に対し、「不敬罪」、「大逆罪」に関する規定を定めた刑法第73条から第76条までの条項を削除するよう指示を与えました。これを受けて、吉田茂首相は、12月27日付けのマッカーサー宛書簡で、1）天皇の身体への暴力は国家に対する破壊行為であること、2）皇位継承に関わる皇族も同様に考えられること、3）英国のような君主制の国においても同様の特別規定があること、を理由に大逆罪の存置を訴えました。

１947年2月25日、マッカーサーは吉田宛書簡で、吉田のあげた存置理由について一つ一つ反論し、天皇や皇族への法的保護は、国民が受ける保護と同等であり、それ以上の保護を与えることは新憲法の理念に反する、と吉田の訴えを拒絶しました。その結果、「大逆罪」は廃止されました。

（国立国会図書館「資料と解説」の「5－13大逆罪・不敬罪の廃止」より）

質問　吉田茂首相(当時)は、戦後も「大逆罪」は必要だと述べました。
あなたは吉田茂首相(当時)の意見についてどう思いますか？

あなたの考え

な罪はあってはならないと思う。国に反対する人をただ殺すだけじゃなんの解決にもならないと思う。反発（筆者注　政治に対する批判）が起こるのは当たり前なんだから、それは力ではなくもっと違う方法で必ず解決すべきだと思う。

**質問14**「1910年の大逆事件の幸徳秋水についてわかったことを書きなさい。また、名誉回復するまでに74年もかかったのはなぜだと思いますか？」

昔正しいと思っていた考えは、今はおかしい。今正しいと思ってる考えを昔の人はおかしいと思っていた。

今、私たちが正しいと思っていることは、幸徳秋水の考えです。1人の人間がこんなにたくさんの人の考えに影響を与えていることはすごい。幸徳秋水がいなかったら、今の私たちの考えは違っていたかもしれない。幸徳秋水がいたから、自由、平等という考えが当たり前になった。

名誉回復するまでに74年もかかった理由は国民のほとんどが「大逆罪は正しい」とか「天皇は神様だ」と思っていて、本当は違うんだと言うことに納得するまでに時間がかかってしまったからだと思う。1回悪者だと決めつけられたら、その思いこみでみんなそう思ってしまう。時が経つにつれて正しい考えが主流になっていった。

《授業でのコメント》

朝日新聞夕刊「許されざる者　非戦の秋水」（「大逆事件残照3」、2009年5月21日付）を活用しました。「自由と平等」「平和と軍縮」「男女差別打破」等正しいことを主張している幸徳秋水がなぜ死刑にならなければいけないのか、これからも君たち中学生の意見に耳を傾けたいし、考えつづけてくれることに期待しています

**社会科だより№9　もうひとつの大逆事件―金子文子・朴烈事件**

**質問15**「金子文子は朝鮮人を差別しましたか？　文子は朝鮮人とどのように接していましたか？　それはなぜだと思いますか？」

文子は決して朝鮮人を差別しなかった。単純に朝鮮人のおかみさんがご飯をごちそうしてくれたやさしさに生まれて初めて愛情というものを感じた。文子自身も小さい頃から親や祖母からひどい扱いをされていて、植民地支配や差別をされている朝鮮人の心の傷がわかったから。小さい時からさまざまな大人を見てきて、朝鮮人と自分の生き方をかさね、人間は平等だという考えが生まれた。

《授業でのコメント》朝鮮に住む祖母に引き取られた文子はあまりにもひどい虐待を受けて、あなたがたとほぼ同じ13歳の時に川のほとりにまで行き、自殺をしようとしました。しかし、セミの鳴き声と美しい自然、景色がその思いをとどまらせ、文子は生きることに決めました。そして「人間は平等」という考えを深めていきました。

**質問16**「金子文子は３・１独立運動（１９１９年）をどのように理解していましたか？」

３・１独立運動の弾圧を目の当たりにして、日本に対する怒り、悲しみそして朝鮮の人々に対する応援の気持ちがあったはず。独立運動はいいことであり、悪いのはそれを

弾圧する日本だと理解していた。文子は朝鮮人をもう家族のように感じていただろうから、胸を張って対抗する朝鮮人に誇りを感じていた。

**質問17**「文子が朝鮮人朴烈と発行した『太い鮮人』とはどういう意味でしょうか？」

「不逞鮮人」……とんでもなく悪い朝鮮人。当時、差別語で朝鮮人は「不逞鮮人」と呼ばれていたから、その差別語を皮肉っぽく逆手にとったもの。「不逞鮮人」というのをわざと「太い鮮人」として笑った。

**質問18**「文子が述べた『すべての人間は完全に平等』とはどういう意味でしょうか？」

全員が同じ地球上に生まれた人間として誰が上とか誰が下とかはなく、皆それぞれが平等な権利を持っている。それなのに日本人は朝鮮人を差別して下と決めつけて自分達は上と勝手に決めつけている。文子は朝鮮人から愛をもらったから、愛をもってお礼をする。文子はただ単に貧富の差があるとかないとかじゃなく、思いやりとか「心」の面を重視して平等を訴えたかったのだと思う。

《授業でのコメント》豊かさに慣れた現代っ子は、本当の貧しさそして差別のひどさを実感としてとらえることが難しいですね。心情面からの情緒的な不平等感ばかりでなく、経済的にも制度的にも徹底的に差別されてきた人間の不平等感が「全ての人間は完全に平等」という言葉を文子に発せさせたことも考えるといいでしょう。

**質問19**「文子は32回も尋問（取り調べ）され、『天皇中心の国家を認めるよう』に考えを改めよと7回も強要されても、それを拒否したのはなぜだと考えますか？」

自分はまちがった行動はしていないと信じ、すべての人間が平等であることを深く考えていたから。死刑しかない大逆罪の適用を脅かされても決して放棄しなかったのは自分の意志が強い証拠だし、なにより「人間」と向き合っている人の第一人者だと思った。文子はすごいなぁ。不安な時でも朝鮮人のあたたかさを胸に自信をもって拒否できたと思う。

《授業でのコメント》厳しい暗黒裁判の中、「すべての人間は完全に平等」と述べた金子文子からのメッセージを現在に生きるわたしたち（大人も含めて）はきちんと受け止めていく必要があります。民族差別に関しても、金子文子は体験的にその不当性を鋭く見抜き、社会的「弱者」へのまなざしは温かいです。

## 社会科だよりNo.10　あなたは布施辰治を知っていますか？

**質問20**「文子を弁護した人物はいましたか？　なぜ弁護士資格が剥奪されてまでも、弱者の立場に立つことができたのだろうか？　あなたがその弁護士と同じ立場だったらどうしますか？」

日本人だけど、朝鮮人を弁護する不思議な弁護士布施辰治は、弱者の立場に立ち、資格が剥奪されてもなお闘いつづけた勇気ある人。弱い立場（苦）か強い立場（楽）か、この人が楽な方を選ばず苦を選んだのは普通の人ではできない。自分がその弁護士の立場だったら、文子は悪くないと思っていても最後まで意志を貫き通せるかわからない。でも布施辰治のように自分を信じ切れる強い人間になりたい。

質問21 「『全ての人間は完全に平等』と主張した人間がなぜ大逆罪で死刑判決（その後無期懲役）になったのだろうか？　金子文子は現在の私たちに何を伝えたかったのであろうか？」

正しいことを言う人は基本的に幸せになれない。今までの経験でそんなことを思う。自己満足だと思ってもいた。でも、文子は自己じゃなく朝鮮人や自分のように不幸な日々を送っている子どもや全ての人たちに対して、自分の命をもって平等、愛を訴えたのだと思う。文子が生きているうちには変わらなかったけど、今平等があたりまえになっている。けれどこのあたりまえはあたりまえじゃなく、こういう人たちの命のうえでなりたっているということをわすれちゃいけないと思う。

文子はきっとひとりの意見に振り回されずもっとたくさんの視点から考えてみんなが自由に自らの意見を言い合えるそんないい国にいつしかしてくれということを伝えたかった。文子がいることで、何十年たった今もこうして私たちが、深く深く意見が出せるのだと思う。感謝しています。

《授業でのコメント》差別は見ようとしなければ見えません。文子は、体験的に差別を見抜いていたのですね。授業を受けた多くの生徒は文子に圧倒されていました。少々難しくなりますが、文子の短い一生から、「家制度」の非人間性と階級差別、「無戸籍者」に対する行政差別、貧困差別、両親の愛情不足とネグレクト、児童虐待と体罰、子どもの性の商品化と性的差別、子どもの自殺、朝鮮人差別という現代にもつながる社会問題を見て取ることができます。

## 社会科だよりNo.11　あなたは福田村事件を知っていますか？

**質問22**「あなたが自警団の一員として、福田村事件の現場にいたらどうしますか？」

一番は自警団になんてならないことだけど、もしそのようなことになったら殺してしまうかもしれない。当時の朝鮮人に対する考えで「あやしい者がいれば殺してしまえ」だったから、止めたくともきっと止める事なんてできない。その場にいたら自分の情けなさが身にしみるんだと思う。同じ国の者も信じられなくなってしまったおそろしい時代だった。

《授業でのコメント》「その事件の現場にいたらどうしますか？」についても、君たちの心は揺れ動き、「もしその時代に生きた人だったら自分も殺していたと思う。真実を知らないということは恐ろしいと思った」と語る生徒は多かったです。この点に関して、2クラス（生徒60人）からアンケートをとったら「絶対やらない」23％、「やってしまう」67％、「わからない」10％という結果になりました。あらためて、この数字をどう理解しますか。「やってしまう」と答えた約7割の生徒は、同じような事態に立ち会った時は同じ間違いをしないとぼくは信じています。それは、事件を自分ごととして考えているからです。

**質問23**「あなたが福田村事件から学んだことは何ですか？」

香川県という同じ国の人たちの言葉がなまっているからといって人を殺してしまうのだから、朝鮮人は敵という気持ちがずっとあっていつもおそれていたんだと思った。

今回の事件では、まちがって殺してしまったが、同じ日本人でも「少しでもあやしい」「朝鮮人だと思ったら殺してしまえ」などのすさんだ考えがこのような悲惨な事件を生んだのだと思う。本当に「人間の命の重み」について軽々しく思っている大人ばかりの時代だったのだなぁと感じ、死と隣り合わせのおそろしい世の中だったのだと思い、悲しくなった。加害者も被害者もどちらもかわいそう。もっとこの事件を知ってもらいたい。

《授業でのコメント》福田村事件の現場にいたら虐殺に走っていたと思うと多くの生徒が発言しました。「加害者も被害者もどちらもかわいそう」と驚きと怒りと同時にとまどいの考えも出てきたのは、人間の弱さを知っているから発せられる言葉です。そのことを自覚している人間は、虐殺に走らずに立ち止まる勇気を持っているはずです。

**社会科だよりNo.12　あなたは亀戸事件と大杉栄・伊藤野枝・橘宗一虐殺事件を知っていますか？**

**質問24**「亀戸事件で不思議だなと思ったことは何ですか？　また、この事件に対してあなたの意見も書きましょう」

なぜ軍隊までが社会主義者や朝鮮人虐殺に参加したのか？　事件がなぜ不問になったのか？　ひどすぎる。ほんとこの時代に生きていなくてよかった。つらすぎる。昔の人たちはこういうのを見ていてどういう気持ちになったであろうか。

《授業でのコメント》「この時代に生きていなくてよかった」は、正直な気持ちですね。しかし、現代は露骨な弾圧はないけれども、いつのまにか、しかも知らないうちに思想の自由、表現の自由が統制されてしまう危険性をはらんでいます。「歴史は繰り返す」といいますね。現在がいつ「この時代」になるかわかりません。世の中の動きをよくみておきましょう。

質問25 大杉栄と伊藤野枝そして橘宗一ちゃんはなぜ殺されてしまったのだろうか？

「大杉栄・伊藤野枝・橘宗一虐殺事件についてあなたはどう思いましたか？」

社会主義者は帝国主義者にとって邪魔でしかなかった。国全体が社会主義者を悪者にしたてあげるのに必死で、それが原因で（そのスジを通すため）殺されたのだと思う。これを機に一網打尽にしようとしたんじゃないかなぁ。許せない行為、もっと許せないのは、死体を古井戸に投げ捨てたということと甘粕大尉に3年弱の服役という小さな刑しか科せられなかったということ。

《授業でのコメント》なぜ、社会主義者が殺害されたのだろう。大逆事件以降「冬の時代」となりましたが、1922年に共産党が非合法に結成されると、社会主義者、無政府主義者の弾圧は一層強まり、関東大震災直前の6月には共産党員が一斉検挙されてしまいました（第1次共産党事件）。関東大震災の混乱に乗じて、残された社会主義者は朝鮮人と一緒になって騒動を起こすだろうという見込みで、亀戸事件、大杉事件は起きたのです、というよりも作られたのです。

**社会科だよりNo.13 あなたは『巡査の居る風景』を知っていますか？**

質問26 中島敦『巡査の居る風景―1923年の一つのスケッチ』の中で「一人の日

本の女」と「白い朝鮮服をつけた学生らしい青年」の会話で、青年は日本の女の発言の何を問題にしていますか？」

差別されたことに怒っている。「ヨボ」という朝鮮人を見下した言葉におこっている。「さん」を付けるとかつけないということより、朝鮮人を「ヨボ」と呼んでいること自体が問題だと言っている。青年が最後に日本の女をにらみつける場面は、私も共感できた。

《授業でのコメント》中島敦（1909～1924年）について、説明しておきましょう。東京四谷の漢学者の家系に生まれています。1920年、中学校教員だった父の朝鮮竜山中学校への転勤により、ソウル市内で少年時代を過ごし、1926年に東京に戻り、一高、東京帝国大学国文科を卒業しています。20歳の時に、植民地朝鮮で過ごした体験をもとに『巡査の居る風景――1923年の一つのスケッチ』を発表しています。14歳になった少年中島敦が、関東大震災の朝鮮人虐殺のうわさをソウル市内で聞いた時の重苦しく憂鬱な気分が作品に表れています。商売の用事があるといって東京に行っていた亭主は地震で死んでいたと思っていたが、朝鮮人虐殺の犠牲者であることを妻が知る場面で小説は終わっています。その後、『山月記』、『李陵』など優れた作品を発表しましたが、喘息のため33歳で亡くなっています。

質問27 「中島敦『巡査の居る風景―1923年1つのスケッチ』の中で「『お前の亭主はきっと、・・可哀そうに』と色の白い職人風の男が話しているが、この『きっと』に続く言葉を考えてみましょう」

「病気でも何でもない地震さ。震災で、ポックリやられたんだよ」と話す妻に、「お前の亭主はきっと軍隊に、日本人に虐殺されてしまったんだよ。」と鋭く言ったと思う。

**質問28**「関東大震災直後の朝鮮人虐殺を本国の朝鮮人はどのように理解していたのでしょうか？　さらに韓国併合は、朝鮮人にとってうれしい出来事だったのでしょうか？

今まで考えてもみなかったけど、普通なら「日本にこんなひどいことをされて、どうして朝鮮人は怒らなかったのだろう」と思うはずだったかもしれないけど、正直この感覚を忘れてしまっていた。でも、それは朝鮮人が関東大震災直後に虐殺されていた事実が朝鮮国内で知らされなかったからだと分かった。都合の悪いことは隠すという、あまりにも日本のやりかたは間違いだらけだ。むごすぎる。ただ「地震で死んだ」と思わせていたなら、日本は「殺し」と「だまし」と1度に2回も罪をおかしている。

## 社会科だよりNo.14　日本の朝鮮植民地支配に対して朝鮮民衆はどうしたか？

**質問29**「再び問います。1909年に安重根によって伊藤博文が射殺されたことについてあなたはどう思いますか？」

伊藤博文については、私のイメージと全然違くて驚いた。伊藤博文や安重根の行動が当時なら「仕方ない」で終わらせられてしまってはとても悲しいことだと思う。お互いの平和がぶつかると起こるものが戦争につながるのではないかとも考えるようになった。こんなこと考えちゃ駄目かもしれないが、伊藤博文も安重根も2人とも命をかけたわけだから、国に対する思いは強い2人だったのだなぁとも思った。

《授業でのコメント》なるほど、こういう見方もあるのですね。1905年のいわゆる保護条約以降、日本の朝鮮半島植民地化の動きに対して、朝鮮国内で義兵運動がおこり、その抵抗に対して日本軍は武力制圧を加えました。義兵運動は義兵戦争となり、まさに両国は戦争状態となっていたのです。戦争状態の中での伊藤博文射殺であったことも事実です。「国に対する思い」とは何かを考え続けるきっかけになりました。

**質問30**「死を覚悟して日本の植民地支配に抵抗した朝鮮人義兵についてどう思いますか？」

勝手な考えだけど、この人達はたぶん争いで勝とうとしたんじゃないと思う。もちろん勝てれば、なによりだけれど、1番の目的は朝鮮人の存在に気づいてほしくて必死で訴えていたのだと思う。朝鮮は江戸時代のときのように、日本ともう1度仲良くなりたかったのだと思う。こんなにも日本のことを考えてくれているのに日本側は……。朝鮮人義兵は心の強い人だと思う。

## 社会科だよりNo.15　1923年9月1日関東大震災と朝鮮人虐殺

**質問31**「朝鮮人虐殺の国家の責任は何だと考えますか？」

まちがった情報（内務省の各地方長官への打電）＝デマなんか流して日本は何をやっているんだ、殺していい人間なんかいない、なんで誰か1人くらい気づいてあげられなかったの？　と思う。デマのあとのでっちあげも。そんなの日本の代表としてどうかと思う。そのときだけよければ、自分だけよければ、国家は強いと思ってるかもしれないけど、そんなんじゃだめ。日本人は自分の強い意志をもった人が少なかった。それが責任だと思う。責任なんて軽々しく言えない。

《授業でのコメント》流言の出所が政府（内務省）だと知った途端に、当然であるがあなたたちから驚きの声があがりました。「流言を勝手に本当のことだと自分達で何も調べないで決めてしまった民衆は悪いけれど、1番悪いのは日本政府だと思います。戒厳令と打電（「朝鮮人は各地に放火」などの流言）をしなければ、朝鮮人虐殺につながらなかった」という発言がありました。真実を見抜けなかった民衆を視野に入れながら国家の責任を確認した発言に多くの生徒が共感していました。

**質問32** 「日本は関東大震災直後の朝鮮人虐殺の遺族、被害者に対して謝罪しているでしょうか？　このことについてあなたはどう考えますか？」

日本側は謝罪なんかしても意味がないと思っているのか、今さらその話をもちだしたくないと思っているのか分からないけれど、謝罪はしていないと思う。朝鮮側も謝ってもらってすむ問題じゃないと思っているだろうが、このままずるずる引きずるよりはお互いの気持ちが軽くなると思う。この事件を軽くするのはいけないことだけれど、気持ちを軽くあたたかくするために謝罪は必要だ。

**質問33** 「朝鮮人虐殺の民衆の責任は何だと考えますか？」

デマを流したのは民衆じゃなくて政府だから、民衆の責任と言われるとあまりはっきり言えない。民衆が事実かデマかを確認するのは難しいし、反対すると自分の命も危ないし……。民衆の責任はたぶん新しい意見に耳を心をかたむけなかったことだと思う。

**質問34**「あなたはうわさとかデマとか流言を信じやすいですか？　今回の学習で、これからどういう事に気をつけようと考えましたか？」

基本的にあまり信じないほうだと思う。でも国で堂々と発表されてしまったらなんの疑いもなく信じてしまったかも知れない。色々聞いてしまうと判断ができなくなる。日本人がデマを流しているのに対して、さらなるデマを朝鮮は流そうと思わなかったところが、当たり前のことだろうけど、すごいなぁと思った。

## 社会科だよりNo.16　朝鮮人差別を乗り越えるにはどうしたらよいのだろうか？

**質問35**「朝鮮人差別はなぜなくならないのだろうか？　朝鮮人差別を乗り越えるにはどうしたらよいでしょうか？　あなたが本名ではなく通名（日本名）の在日韓国・朝鮮人と出会い、しばらくして仲良しになった時に本名のことを教えてくれたら、あなたはどのように反応しますか？」

お互いを知るのが1番だと思う。朝鮮人も中途半端にとりあえず「かわいそう」とか「ごめんなさい」とか思われても、ただの同情ということで心にもなんにもひびいてこないから、しっかりお互いを知ったうえでまた進んでいくのがだいじだと思う。もし名前を教えてくれたら、たぶん困惑すると思う。でも正直、過去を見つめすぎて、関係をギクシャクするのは嫌だから、私とその人で築き上げてきた仲を未来の形として大事にしていきたい。

## (3) 金子文子に圧倒された中学生

### 管野須賀子・伊藤野枝・金子文子

大逆事件の管野須賀子、大杉事件の伊藤野枝、もう一つの大逆事件の金子文子（資料11　金子文子の略年譜）の3人はいずれも20代でこの世から抹殺、葬り去られてしまった。須賀子は大逆罪により市谷刑務所で絞首刑（29歳）、野枝は新宿・柏木で甘粕ら憲兵によって拘束された後に扼殺（28歳）、文子は大逆罪で死刑判決その後無期懲役となるも栃木刑務所で縊死（23歳）といずれも国家権力によって尊い生命が奪われた。しかし、彼女たちの自由・平和・民主主義を勝ち取るための闘いは決して敗北ではない。彼女たちのまつろわぬ民の精神は今に引き継がれている。3人ともつらい生い立ちであったが、それに負けることなく社会に目を開き、自ら正しいと信じたことを貫き通した女性解放の先駆者であった。

3人の中で人間的に最も魅力的な人物を1人挙げよとなると悩ましいが、多くの中学生は、一途な生き方と最期まで貫き通した「全ての人間は平等」の主張そして朴烈への愛を知ると、やはり金子文子をあげる。管野須賀子と幸徳秋水、伊藤野枝と大杉栄には、「フリー・ラブ」（自由恋愛）という「男の論理」がつきまとうが、金子文子には朴との2人だけの約束事はあったが、「フリー・ラブ」はなかった。純真、純情な金子文子は中学生の心をわしづかみにしたと言える。

金子文子は、正しいことを直視し「すべての人間は完全に平等である」と自らの思想に誠実でありつづけ、最後まで大日本国という国と裁判を通して思想闘争をした人物である。同時に朝鮮人が徹底的に差別されていた日本社会で、朝鮮人と連帯した稀有な人物でもあった。

朝鮮人差別は解消されず、今の日本社会にも厳然と存在するレイシズムの事実。「すべての人間は完全に平等」という人権思想がなぜ「危険思想」とされ、弾圧されたのか。文子の目を通して、これらの問題について目の前の中学生とともに考えたことは、ぼくにとっても大きな学びであった。

### (4) 自分の生き方につなげたい

授業実践「関東大震災・朝鮮人虐殺・もうひとつの大逆事件」を終えて「今までの授業を振り返って、一番心に残ったことは何ですか?」と問いかけたところ、「すべて初めて知った」という反応が多い中でも「文子が一番」と文子の生き方に注目する意見が数多くあった。

ぼくは中学校教員時代に、過去3回(2007年中2、2009年中2、2012年中3)、金子文子の授業をおこなった。そのたびに、ぼくは子どもたちとともに新しい金子文子に出会った。

生活の根幹である家庭から、そして学びの場である学校からも切り捨てられた文子は後世の人たちに社会変革を託していた。文子は、獄中手記『何が私をこうさせたか』の中で、「私として何よりも多く、世の親たちにこれを読んでもらいたい。いや、親たちばかりではない社会をよくしようとしておられる教育家にも、政治家にも、社会思想家にも、すべての人に読んでもらいたいと思うのである」と書き残している。

文子は後世の人たちすべてに社会変革を託していた。授業実践でも触れたが、文子の短い一生から、階級差別、行政差別、貧困差別、性的差別、民族差別そしてレイシズムという、現代にもつながる社会問題を見て取ることができる。これらの社会問題解消に向けて、目の前の中学生たちはこの先何ができるかを想像するだけでぼくは楽しくなる。

授業を通して、文子と対話する中学生は多くのことを学んだにちがいない。文子のメッセージを未来志向で受け止めた中学生は多く、ぼくは彼らを頼もしく感じた。ハルカは文子のメッセージを次のように受け止め、締めくくってくれた。


毎回、毎回知らないこと。しかもショックなことばかりだった。今の教科書がこの事実を忘れたい気持ちがよく分かる。誰かのたった一言、早いうちにたった一言『それは違うんじゃないか』で絶対多くの人が助かったはずなのに、こんなに暗い歴史はなかっただろうに。こわくて悔しいです。

でも私たちはこの事実を勉強しました。歴史学習のはじめに「同じ過ちをくりかえさないようにするための歴史」だと学びました。だから、私は未来をつくっていこうと思います。過去にあったことは頭の中に置いておくけど、それを悔いてばっかりじゃ何も変わらない。まずは差別をなくすこと。まずはこの事実を広めること。まずは自分の意見をしっかりもつこと。できることはいくらでもある。絶対この先も、衝突はたくさんあると思う。そのときにどれだけこの事実を思い出せるか。今度は日本が必死に変わるべきだと思う。

子どもたちは本当のことを知りたい。力のある教材は子どもたちの認識を揺り動かしていく。知的好奇心を喚起する授業は、これから先自分自身がどのように生きていくかの指針となる。

自分の生き方とは、個人の利益だけを追求するのではなく、自分を含めての社会のよりよい変革を追求する生き方であろう。

自分の生き方につながる授業づくりが現場の先生たちに求められている。「理想の実現は教育の力にまつ」は今も現場の先生たちへの温かいエールである。

## 【参考文献】


### 山川均

・『ある凡人の記録』（山川均著『日本人の自伝9』平凡社所収、１９８２年、）
・『山川均伝』（山川菊栄 向坂逸郎 編、岩波書店、１９６５年）

### 福田（景山）英子（ひでこ）

・『妾の半生涯』（福田英子著、岩波文庫、１９８３年）
・『福田英子―婦人解放運動の先駆者―』（村田静子、岩波新書、１９５９年）

### 石川三四郎

・『石川三四郎著作集』第8巻（石川三四郎、青土社、１９７７年）

### 堺利彦

・『堺利彦全集』第1巻～第6巻（編者川口武彦、法律文化社、１９７１年）
・『堺利彦伝』（堺利彦著）（『日本人の自伝9』平凡社、１９８２年所収）
・『堺利彦―平民社百年コレクション第2巻』（監修・平民社資料センター、編集・解題堀切利高、論創社、２００２年）
・『堺利彦女性論集』（編者・鈴木裕子、三一書房、１９８３年）
・『パンとペン　社会主義者・堺利彦と「売文社」の闘い』（黒岩比佐子、講談社、２０１０年）

### 幸徳秋水

・『幸徳秋水全集』第１～９巻（編者幸徳秋水全集編集委員会、発行明治文献資料刊行会、１９６８～72年）
・『幸徳秋水全集補巻　大逆事件アルバム―幸徳秋水とその周辺―』（編者　幸徳秋水全集編集委員会、発行　明治文献資料刊行会、１９７２年）
・『幸徳秋水全集』別巻１～２（編者　幸徳秋水全集編集委員会、発行　明治文献資料刊行会、１９８２年）
・『幸徳秋水の日記と書簡（増補決定版）』（編者・塩田庄兵衛、未來社、１９９０年）

### 管野須賀子

・『管野すが』（絲屋寿雄著、岩波文庫、１９５８年）
・『管野スガ再考―婦人矯風会から大逆事件へ』（関口すみ子、白澤社、２０１４年）
・『管野須賀子全集』１～３（管野須賀子、弘隆社、１９８４年）
・『遠い声　管野須賀子』（瀬戸内寂聴、岩波現代文庫、２０２０年）

荒畑寒村
・『寒村自伝』上・下（荒畑寒村、岩波文庫、1975年）
森近運平
『森近運平研究基本文献』上・下巻（編者　木村壽、吉岡金市、木村武夫、森山誠一、同朋社出版、1983年）
『父上は怒り給いぬ　大逆事件　森近運平』（あまつ・かつ、関西書院、1972年）
添田唖蝉坊
・『唖蝉坊流生記』（添田唖蝉坊、刀水書房、1982年）
・『流行(はや)り唄五十年―唖蝉坊は歌う』（添田知道、解説・唄小沢昭一、2008年）
大杉栄
・『自叙伝』（大杉栄、改造社、1923年）
・『大杉栄全集』第1〜3巻（大杉栄、大杉栄全集編集委員会、ぱる出版、2014〜15年）
・『大杉栄全集第別巻』（大杉栄全集編集委員会、ぱる出版、2016年1月25日）
・『大杉栄評論集』（飛鳥井雅道編、岩波書店、1996年）
・『大杉栄伝―永遠のアナキズム』（栗原康、夜光社、2013年）
・『日録・大杉栄伝』（大杉豊、社会評論社、2009年）
伊藤野枝
・『村に火をつけ、白痴になれ　伊藤野枝伝』（栗原康、岩波書店、2016年）
・『伊藤野枝と代準介』（矢野寛治、弦書房、2012年）
・『伊藤野枝集』（森まゆみ編、岩波書店、2019年）
・『定本伊藤野枝全集』全4巻（編者堀切利高・井手文子、學藝書林、2000年）
・『野枝さんをさがして―定本伊藤野枝全集　補遺・資料・解説』（堀切利高、學藝書林、2013年）
伊藤野枝と大杉栄
・『諧調は偽りなり―伊藤野枝と大杉栄』上・下（瀬戸内寂聴、岩波書店、2017年／文芸春秋、1984年）
■もうひとつの大逆事件
金子文子
・『余白の春―金子文子』（瀬戸内寂聴、岩波現代文庫、2019年／『婦人公論』1971年1月号〜72年3月号連載）

・『金子文子　自己・天皇制国家・朝鮮人』（山田昭次、影書房、１９９６年）
・『何が私をこうさせたか―獄中手記』（金子文子、解説山田昭次、岩波文庫、２０１７年）
・『何が私をかうさせたか』（金子文子、春秋社、１９３１年）
・『金子文子　わたしはわたし自身を生きる　手記・調書・歌・年譜』（編者鈴木裕子、梨の木舎、２００６年）
・「金子文子のまなざし　もうひとつの大逆事件」（『彷書月刊2月号』彷徨舎、２００６年）
・『女たちのテロル』（ブレイディみかこ、岩波書店、２０１９年）
・映画パンフレット『金子文子と朴烈（パクヨル）』（映画２０１７年韓国カラー／パンフ２０１９年太秦（株）発行）

■初期社会主義運動・その他
・『初期社會主義研究』創刊号（初期社会主義研究会編集、１９８６年10月20日）～第29号（２０２１年3月20日）
・『アナキズム一丸となってバラバラに生きろ』（栗原康、岩波新書、２０１８年）

■柏木団・大逆事件関連
・『それから』（夏目漱石、朝日新聞連載、１９０９年）
・『沈黙の塔』（森鴎外、『普請中、青年、森鴎外全集』筑摩書房所収）
・『食堂』（森鴎外、『普請中、青年、森鴎外全集』筑摩書房所収）
・『謀叛論』（徳富蘆花、旧一高大教場の準公開講演、岩波文庫『謀叛論』、１９７６年）
・『花火』（永井荷風、『花火、来訪者他11篇』岩波文庫、２０１９年所収）
・『大逆事件』（田中伸尚、岩波書店、２０１０年）
・『凩の時』（大江志乃夫、筑摩書房、１９８５年）

■朝鮮人虐殺事件関連
・『１９２３　関東大震災報告書【第2編】』（内閣府中央防災会議、災害教訓の継承に関する専門調査会、２００８年3月）
・『かくされていた歴史―関東大震災と埼玉の朝鮮人虐殺事件』（関東大震災６０周年朝鮮人犠牲者調査追悼事業実行委員会、１９８７年）
・『写真報告　関東大震災朝鮮人虐殺』（裵昭著、影書房、１９８８年）
・『埼玉と朝鮮』（編集・発行『埼玉と朝鮮』編集委員会、１９９２年）
・『関東大震災から得た教訓』（陸上幕僚総監部第３部、１９６０年）
・『くらしの中から考える―埼玉と朝鮮』（『埼玉と朝鮮』編集委員会、１９９３年）

・『関東大震災時の朝鮮人虐殺─その国家責任と民衆責任』（山田昭次、創史社、２００３年）
・『大正大震火災誌』（警視庁編、１９２５年）
・『植民地支配・戦争・戦後の責任─朝鮮・中国への視点の模索』（山田昭次、創史社、２００５年）
・『関東大震災時の朝鮮人虐殺とその後─虐殺の国家責任と民衆責任』（山田昭次、創史社、２０１１年）
・『資料集15　関東大震災朝鮮人虐殺80周年─日本弁護士連合会の勧告と調査報告』（朝鮮人強制連行真相調査団、２００３年）
・『関東大震災人権救済申立事件調査報告書』（日弁連、２００３年）
・『２００８在日朝鮮人歴史・人権週間リーフレット』（２００８年、実行委員会）
・『覆刻版　新しき朝鮮』（朝鮮総督府情報課編纂、風濤社、１９８２年）
・『朝鮮独立運動の血史１』（朴殷植、姜徳相訳注、平凡社、１９７２年）
・『震災・戒厳令・虐殺　関東大震災85周年朝鮮人犠牲者追悼シンポジウム─事件の真相解明と被害者の名誉回復を求めて』（関東大震災85周年シンポジウム実行委員会、三一書房、２００８年）
・『ヘイト・クライム─憎悪犯罪が日本を壊す─』（前田朗、三一書房労働組合、２０１０年）
・『別冊ステイグマ　第15号　福田村事件・Ⅱ』（『別冊ステイグマ』編集委員会、千葉県人権啓発センター、２００３年）
・『歴史教科書　在日コリアンの歴史』（編者・同書作成委員会、明石書店、２００６年）
・『東京骨灰紀行』（小沢信男、筑摩書房、２００９年）
・『増補新版　風よ鳳仙花の歌をはこべ』（編著ほうせんか関東大震災時に虐殺された朝鮮人の遺骨を発掘し追悼する会、ころから、２０２１年）
・『民衆暴力──一揆・暴動・虐殺の日本近代』（藤野裕子、中央公論新社、２０２０年）
・「東京 破壊と創造 関東大震災と東京大空襲」（ＮＨＫ、２０２２年8月29日放映）
・中條克俊「関東大震災直後に何が起きたか？」（『歴史地理教育』歴史教育者協議会、２０２３年6月号）
・『大正の朝鮮人虐殺事件』（北沢文武、鳩の森書房、１９８０年）


**中国人虐殺事件関連**


・『史料集　関東大震災下の中国人虐殺事件』（監修者今井清一、編者仁木ふみ子、明石書店、２００８年）


**新聞各紙─平民新聞・社会主義関連紙**


・『日刊平民新聞』（明治社会主義史料集第4集、編著者労働運動史研究会、解説長谷川博、明治文献資料刊行会、１９６２年）
・『直言』（明治社会主義史料集第1集、編著者労働運動史研究会、解説塩田庄兵衛、明治文献資料刊行会、１９６２年）

・『光』（明治社会主義史料集第２集、編著者労働運動史研究会、解説西田長寿、明治文献資料刊行会、１９６２年）
・『新紀元』（明治社会主義史料集第３集、編著者労働運動史研究会、解説隅谷三喜男、明治文献資料刊行会、１９６２年）
・『大阪平民新聞』（明治社会主義史料集第５集、編著者労働運動史研究会、解説岸本英太郎、明治文献資料刊行会、１９６２年）
・『週刊社会新聞Ⅰ』（明治社会主義史料集第６集、編著者労働運動史研究会、解説大原慧、明治文献資料刊行会、１９６２年）
・『週刊社会新聞Ⅱ』（明治社会主義史料集第７集、編著者労働運動史研究会、解説大原慧、明治文献資料刊行会、１９６２年）
・『東京社会新聞』（明治社会主義史料集第８集、編著者労働運動史研究会、解説林茂、明治文献資料刊行会、１９６２年）
・『熊本評論』（明治社会主義史料集別冊Ⅰ、編著者労働運動史研究会、解説絲屋寿雄、明治文献資料刊行会、１９６２年）
・『世界婦人』（明治社会主義史料集別冊Ⅱ、編著者労働運動史研究会、解説宮川寅雄、明治文献資料刊行会、１９６２年）
・『週刊平民新聞』（明治社会主義史料集別冊Ⅲ、編著者労働運動史研究会、解説田中惣五郎、明治文献資料刊行会、１９６２年）
・『平民新聞論説集』（林茂、西田長寿編著、岩波文庫、１９６１年）

■新宿地域史

・『地図で見る新宿区の移り変わり―淀橋・大久保編』（新宿区教育委員会（文化財郷土資料担当）編集発行、１９７９年）
・『新宿町名誌』（新宿区教育委員会（担当社会教育課）、１９７６年）
・村田静子「角筈女子工芸学校と府立第五高等女学校」（『地図で見る新宿区の移り変わり―淀橋・大久保編』所収）
・大内力「百人町界隈」（『地図で見る新宿区の移り変わり―淀橋・大久保編』所収）
・『新宿区の民俗（３）新宿地区編』（新宿区民俗調査会調査、新宿歴史博物館、１９８４年）
・『新宿区の民俗　淀橋・大久保地区』（新宿区民俗調査会調査、新宿歴史博物館、１９９３年）
・『淀橋誌考』（加藤盛慶著、武蔵郷土史料学会、１９３１年）
・『新宿の今昔』（芳賀善次郎、紀伊国屋書店、１９７０年）
・宮沢聡「幸徳秋水、堺利彦と新宿」（『研究紀要第２号』所収、新宿歴史博物館、１９９４年）
・『新宿　女たちの十字路―区民が綴る地域女性史』（新宿・新宿区地域女性史編纂委員会、ドメス出版、１９９７年）
・『新宿・大久保文士村界隈』（茅原　健、日本古書通信社、２００４年）
・『新宿　歴史に生きた女性１００人』（折井美耶子・新宿女性史研究会、ドメス出版、２００５年）
・『内藤新宿昭和史』（武英雄、紀伊国屋書店、１９９８年）
・『新宿区教育百年史』（新宿区教育委員会・編集発行、１９７６年）
・『新宿の地図』（新宿区教育委員会、新宿歴史博物館、１９７９年）

・『新宿ゆかりの文学者』（新宿歴史博物館編集発行、２００７年）
・『新宿風景―明治・大正・昭和の記憶―』（新宿歴史博物館編集発行、２００９年）
・『新宿風景2―1枚の写真そして未来へ』（新宿歴史博物館編集発行、２０１８年）
・『淀橋浄水場史』（編集東京都水道局、１９６６年）
・『新宿裏町三代記』（野村敏雄、青蛙房、１９８２年）
・『しみじみ歴史散歩　新宿うら町おもて町』（野村敏雄、朝日新聞社、１９９３年）
・『新宿っ子夜話』（野村敏雄、青蛙房、２００３年）
・『生活マニュアル　わがまち　かしわぎ』（柏木コミュニティ実行委員会編集発行、１９８９年）
・『四谷第五の百年』（新宿区立四谷第五小学校、同幼稚園発行、１９７５年）
・『新宿駅80年の歩み』（新宿歴史博物館蔵）
・『加藤嶺夫写真全集　昭和の東京1』（加藤嶺夫、川本三郎・泉麻人監修、株式会社デコ、２０１３年）
・『写真が語る　新宿今と昔』（新宿区役所企画部広報課編集・発行、１９８４年）
・『目で見る新宿区の１００年』（北沢友宏、根本次郎、いしわたり康、桝本誠二、郷土出版、２０１５年）
・『新宿の1世紀アーカイブス』（佐藤嘉尚編著、生活情報センター、２００６年）
・中條克俊「新宿の今昔―新宿裏町人生探訪」（『歴史地理教育』２０１５年4月号、歴史教育者協議会）

## 巻末資料1 「柏木団」メンバーの居住地変遷と活動内容

| メンバー | 居住地変遷 |
| --- | --- |
| 福田英子 | 淀橋町角筈738番地1898～1912。1912年夏横浜へ転居して、石川三四郎と同居。 |
| 石川三四郎 | 淀橋町角筈738番地1898～1905年8月。淀橋町角筈762番地05年8月～11年、11年夏に呼吸器の病気を治すために横浜へ転居。ヨーロッパ亡命13年3月1日非合法出国横浜港からベルギーブリュッセルへ～20年秋に帰国。翌年末には2度目の渡欧、1年後に帰国。 |
| 堺利彦 | 淀橋町角筈738番地（福田英子隣家）01年12月～巣鴨監獄04年3月27日～6月20日「嗚呼増税」筆禍事件で逮捕、淀橋町角筈738番地～04年8月6日（角筈に2年9か月住む）。麹町区有楽町2丁目1番地（有楽町平民社）04年8月6日～05年8月、麹町区由文社、06年10月淀橋町柏木343番地。淀橋町柏木314番地07年3月末～11月。柏木104番地07年11月～08年6月22日赤旗事件逮捕（8月29日判決懲役2年）東京監獄・千葉監獄08年6月23日～10年9月22日。出獄後四谷区南寺町6番地、左門町13、須賀町24、麹町区麹町8-24。 |
| 幸徳秋水 | 神楽坂母の兄弟小野道一宅1891年7月、母多治同居。麻布1899年7月千代子と結婚。麹町区有楽町2丁目1番地有楽町平民社宅03年10月～12月。淀橋町柏木89番地03年12月～巣鴨監獄05年12月28日～7月28日淀橋町柏木89番地～05年11月14日（柏木に約2年住む）。米国留学シアトル・オークランド・サンフランシスコ05年11月14日～06年6月23日。帰国後に講演ゼネラルストライキ紹介。高知中村に帰省7月～9月7日上京。麹町由文社堺宅から大久保百人町84番地06年9月20日～07年10月27日（大久保に約1年1か月住む）。高知中村07年10月～08年7月22日。赤旗事件の報告により中村から和歌山新宮大石誠之助・箱根内山愚堂を訪ね、8月14日東京芝浦竹芝館に投宿。淀橋町柏木926番地（柏木平民社、金曜社、日本平民社）1908年8月15日～9月30日。巣鴨村巣鴨2040番地（巣鴨平民社）08年10月1日～09年3月18日。千駄ヶ谷町903番地（千駄ヶ谷平民社）1909年3月18日～10年3月22日。天野屋旅館10年3月22日～途中帰京～10年6月1日幸徳が湯河原門川駅で逮捕。東京監獄10年6月2日～11年1月24日東京監獄で絞首刑。64年7月15日日本弁護士会が東京監獄跡地富久児童公園に幸徳ら290余人の「刑死者慰霊」塔建立。 |

| | |
|---|---|
| 森近運平 | 東京市神田区三崎町３丁目１番地１９０５年11月末～06年８月。堺の勧めがあって、05年11月末、妻繁子、長女菊代と家族そろって上京して、平民舎ミルクホール経営、06年２月に社会主義政党として合法的に日本社会党が結成されるとミルクホールが事務所となる。妻繁子が過労と病弱の為、平民舎ミルクホールを廃業。「柏木団」の住む柏木へ転居。淀橋町柏木３４７番地06年８月～07年３月（柏木に約８か月間住む）。07年３月下旬に大阪へ戻り、６月に宮武外骨の援助（合計で５０００円）で半月刊『大阪平民新聞』創刊。07年11月に『大阪平民新聞』を『日本平民新聞』と改題。08年５月20日に大阪平民社を柏木９２６番地の金曜社（柏木平民社）に移転。淀橋町柏木９２６番地（柏木平民社）08年９月23日～９月３０日（９月２１日に岡山から単身上京）。巣鴨村２０４０番地（巣鴨平民社）08年10月１日～11月25日。09年３月に幸徳の直接行動論の意見相違と幸徳・管野のフリー・ラブの関係から岡山県高屋に帰り、高等園芸（温室）にいそしむ。10年６月14日に岡山・井原両警察刑事に拘引され、東京へ護送。11年１月18日大審院で死刑判決。１月24日、東京監獄で絞首刑。 |
| 管野須賀子 | 牛込区田町２の16の三宅方１９０６年10月。大久保百人町２１２番地、淀橋町柏木３４２番地07年１月末か２月初～５月。伊豆初島１９０７年５月～７月。淀橋町柏木３４２番地07年７月～秋10月。淀橋町柏木１４２番地07年12月末頃～08年９月末（この間房州千葉保田の吉浜海岸秋良清七方で転地療養）。淀橋町柏木３６５番地（清国留学生寮神谷荘）08年秋９月から１９０９年３月。千駄ヶ谷町９０３番地（千駄ヶ谷平民社宅）09年３月18日～10年３月22日。湯河原天野屋旅館10年３月22日～５月１日（単身帰京）、千駄ヶ谷平民社の大家増田謹三郎方10年５月１日～５月17日寄食。東京監獄10年５月18日～１月25日東京監獄で絞首刑。 |
| 山川均、守田有秋 | 淀橋町柏木３５２番地１９０７年４～11月。柏木３５５番地07年11月～12月。柏木３５２番地07年12月～１月。柏木９２６番地08年１月～５月※柏木９２６番地には、１９０８年８月25日より柏木平民社、日本平民社、金曜社が入る。 |
| 山川均、大須賀里子 | 淀橋町柏木３８０番地（金曜社）大須賀里子と結婚して同居08年５月～６月22日。08年６月22日赤旗事件逮捕・８月29日判決懲役２年。東京監獄・千葉監獄08年６月23日～10年９月22日。 |

| | |
|---|---|
| 荒畑寒村 | 淀橋町柏木３４２番地１９０７年1月末か2月初に管野須賀子とわずかな期間同棲。淀橋町柏木３２６番地08年春、寒村は『大阪日報』をやめて帰京、管野宅ではなく村木源次郎らのいる「按摩屋」、前田方の一部屋に合宿。08年6月22日赤旗事件逮捕、8月29日判決懲役2年、東京監獄・千葉監獄08年6月23日～10年2月上旬。大久保３５２番地出獄後、武蔵野吉祥寺２１１５、14年10月、大久保百人町３０７番地15年10月。 |
| 荒畑寒村、村木源次郎、佐藤悟、宇都宮卓爾、百瀬晋 | 淀橋町柏木３２６番地（「按摩屋」、前田方の一部屋に合宿）１９０８年4月～08年6月22日（赤旗事件逮捕）。 |
| 小暮礼子 | 柏木１０４番地1（堺宅）08年4月～１９０８年6月22日赤旗事件逮捕。出獄後、運動から退く。 |
| 神川松子 | 大久保戸山ケ原？年～１９０８年6月22日赤旗事件逮捕。出獄後、運動から退く。 |
| 坂本清馬 | 淀橋町柏木９２６番地（柏木平民社）１９０８年8月15日～9月30日。巣鴨村巣鴨２０４０番地（巣鴨平民社）08年10月1日～09年1月31日、幸徳の嫉妬心から絶縁状態となる。 |
| 大杉栄、堀保子 | 淀橋町柏木３４２番地１９０７年2月初旬、淀橋町柏木３１８番地08年1月3日。大杉1月17日金曜集会屋上演説事件逮捕、巣鴨監獄1月20日～3月26日。淀橋町柏木３２６番地08年1月下旬大杉入獄により保子のみ、大杉出獄後同居。淀橋町柏木３０８番地08年5月下旬。大杉08年6月22日赤旗事件で逮捕・8月29日判決懲役2年半、閉廷後「無政府党万歳」三唱、東京監獄・千葉監獄08年6月23日～10年11月29日。淀橋町柏木３６５番地（清国留学生寮神谷荘）08年9月、大杉入獄により保子のみ。大久保村大久保百人町２１２番地09年4月1日、大杉入獄により保子のみ。11月大杉父・東死去により6人の弟妹を引き取る。10年11月29日大杉出獄後同居、神奈川県鎌倉郡腰越日坂７８９番地9号の1、11年11月15日～12年3月、保子の保養のため。大久保百人町３５２番地（近代思想社）12年3月29日～14年2月。鎌倉郡鎌倉坂ノ下22番地14年2月6日～4月。鎌倉町長谷新宿87番地14年4月30日～5月末または6月初。大久保町大久保百人町３５２番地（近代思想社・大久保平民社）14年5月末または6月初～15年9月。小石川区武島町4番地15年9月30日～12月。神奈川県三浦郡田越村逗子桜山1　15年12月15日～16年3月3日離婚前提で保子が逗子を出る、同年12月19日大杉と離婚。 |

| 大杉栄、伊藤野枝 | 離婚後、大杉は菊富士ホテルから本郷区菊坂町９４番地１９１７年３月24日～７月。北豊島郡巣鴨仲２５８番地17年７月５日～12月。９月長女魔子誕生。南葛飾郡亀戸町２４００、17年12月～18年７月。北豊島郡滝野川町田端２３７番地18年７月８日～19年２月。滝野川町西ヶ原谷戸３１３番地19年２月３日～４月。千葉県東葛飾郡葛飾村小栗原10番地19年４月23日～６月、本郷区駒込曙町13番地19年６月19日～20年４月。鎌倉郡鎌倉町小町瀬戸小路２８５、20年４月30日～21年11月。逗子町逗子９６６番地（借家だが元島津公住居、家賃は無料）21年11月23日～22年10月、門の外に２坪ほどの監視小屋。駒込片町15番地（労働運動社）22年10月８日～１９２３年８月。23年５月１日にパリ郊外のメーデーに参加、逮捕。淀橋町柏木３７１番地23年８月５日～９月16日、大杉栄、伊藤野枝、橘宗一が東京憲兵隊本部で扼殺される。 |
|---|---|
| 南助松 | １９０７（明治40）年２月はじめに足尾銅山に坑夫の「暴動」がおき、南はその中心的存在だった。08年初春、「足尾銅山暴動事件」後に静養のため淀橋町柏木３０８番地に短期間住む。 |
| 林小太郎 | 同志の南と同じく、１９０８年春、「足尾銅山暴動事件」後に淀橋町柏木３０８番地に短期間住む。 |
| 竹内余所次郎 | 淀橋町柏木60番地１９０５年？～？（21年にブラジル移住）竹内愛山堂／社会主義の同志の薬剤師、由文社発行「社会主義研究」の発行所は竹内余所次郎の自宅淀橋町柏木60番地。 |
| 張継 | 淀橋町柏木３６５番地（清国留学生寮神谷荘）１９０７年？～08年１月？ |

《参考》主に山川均、幸徳秋水、堺利彦、管野須賀子、大杉栄、荒畑寒村、森近運平の全集、自伝等ならびに週刊『平民新聞』、日刊『平民新聞』、『大阪平民新聞』（後の『日本平民新聞』）より作成した。

## 巻末資料2　柏木団の年度別 居住地一覧

| 年度／出来事 | 角筈 | 柏木 | 大久保 | 千駄ヶ谷 |
|---|---|---|---|---|
| 1898（明治31年）<br>幸徳が萬朝報記者 | 福田英子<br>石川三四郎 | | | |
| 1899<br>堺が萬朝報記者 | 福田英子<br>石川三四郎 | | | |
| 1900<br>治安警察法制定、社会主義協会結成 | 福田英子<br>石川三四郎 | | | |
| 1901<br>5月最初の社会主義政党の社会民主党結成、即禁止 | 福田英子<br>石川三四郎<br>堺利彦 | | | |
| 1902 | 福田英子<br>石川三四郎<br>堺利彦 | | | |
| 1903<br>11月週刊『平民新聞』創刊、有楽町平民社 | 福田英子<br>石川三四郎<br>堺利彦 | 幸徳秋水 | | |
| 1904<br>2月日露戦争<br>4月「嗚呼増税」筆禍事件 | 福田英子<br>石川三四郎<br>堺利彦 | 幸徳秋水 | | |
| 1905<br>2月「小学教師に告ぐ」筆禍事件<br>10月平民社解散、11月幸徳渡米 | 福田英子<br>石川三四郎 | 幸徳秋水、竹内余所次郎 | | |
| 1906<br>2月日本社会党創立大会 | 福田英子<br>石川三四郎 | 堺利彦、森近運平 | 幸徳秋水<br>管野須賀子 | |

| | | | | |
|---|---|---|---|---|
| 1907<br>1月日刊『平民新聞』創刊、新富町平民社<br>2月「足尾銅山暴動事件」<br>4月日刊『平民新聞』全紙面を赤版にして75号をもつて廃刊<br>8月日本社会主義夏期講習会記念園遊会（十二社）<br>8月イギリス独立労働党の創立者のケア・ハーディが柏木の堺宅に宿泊 | 福田英子<br>石川三四郎 | 堺利彦、管野須賀子、荒畑寒村、森近運平、大杉栄、堀保子、張継 | 幸徳秋水 | |
| 1908<br>1月金曜集会屋上演説事件<br>6月赤旗事件<br>8月柏木平民社<br>9月巣鴨平民社 | 福田英子<br>石川三四郎 | 堺利彦、幸徳秋水、管野須賀子、荒畑寒村、森近運平、大杉栄、堀保子、深尾韶、村木源次郎、佐藤悟、宇都宮卓爾、百瀬晋、守田秋水、山川均、大須賀里子、小暮礼子、坂本清馬、南助松、林小太郎、張継<br>徳永保之助、森岡永治、戸恒保三、竹内善朔 | 神川松子（大久保<br>戸山） | |
| 1909<br>3月千駄ヶ谷平民社 | 福田英子<br>石川三四郎 | | 堀保子 | 幸徳秋水<br>管野須賀子 |
| 1910（明治43年）<br>5月大逆事件<br>8月韓国併合 | 福田英子<br>石川三四郎 | | 荒畑寒村<br>堀保子 | 幸徳秋水<br>管野須賀子 |
| 1911<br>1月幸徳ら12人が絞首刑 | 福田英子<br>石川三四郎 | | 荒畑寒村、大杉栄<br>堀保子 | |

| | | | | |
|---|---|---|---|---|
| 1914<br>10月月刊『平民新聞』創刊・即日発売頒布禁止、大久保平民社 | | | 荒畑寒村、大杉栄<br>堀保子 | |
| 1923（大正12年）<br>9月大杉栄・伊藤野枝・橘宗一虐殺事件 | | 大杉栄、伊藤野枝 | 荒畑寒村 | |

## 巻末資料3　週刊『平民新聞』

1　平民社創立者　　幸徳秋水、堺利彦
2　平民社創立年　　1903（明治36）年11月15日
3　週刊『平民新聞』創刊　　1903（明治36）年11月15日
4　発行所　東京市麹町区有楽町2丁目1番地平民社（岩波文庫「平民新聞論説集」は有楽町3丁目11番地）
5　発行兼編集人　堺利彦、印刷人幸徳秋水
6　目的　非戦論、社会主義的社会変革を主張すること
7　社員　石川三四郎（1903年11月萬朝報社より）、西川光二郎（1804年1月に二六社より）
8　執筆者　創立者、社員以外に安部磯雄、木下尚江、斯波貞吉、伊藤銀月、細野伊太郎、片山潜、金子喜一、田岡嶺雲、村井知至、野上啓之助、小泉三申、挿絵画家に平福百穂、小川芋銭など。
9　定価　1部3銭5厘
10　紙幅　縦約39糎　横27糎／8ページ建て　※ほぼタブロイド判
11　紙面　第1面・社説、重要論文、英文欄
　　その他「日本之新聞」「世界之新聞」「社会運動彙報」「文壇・演壇」、小説、論説、詩歌など。
12　発行部数　初号と第53号（『共産党宣言』掲載）8千部、その他は3700～4500部
13　『平民新聞』廃刊　1905（明治38）年1月29日第64号（赤刷り）
14　平民社解散年　1905（明治38）年10月9日（弾圧のため）

## 巻末資料4　日刊『平民新聞』

1　新富町平民社創立者　石川三四郎、西川光二郎、竹内兼七、幸徳秋水、堺利彦
2　日刊『平民新聞』創刊　１９０７（明治40）年1月15日
3　発行所　東京市京橋区新富町6丁目7番地平民社
4　目的　社会主義の日刊新聞および書籍雑誌を発行すること。
5　発行兼編集人　石川三四郎、印刷人　深尾　韶(しょう)
6　執筆者　石川三四郎、深尾韶、堺利彦が編集担当。　若手の荒畑寒村が「雑報」「議会」「市政」「警察」「裁判」の担当をしている。
　また、社会主義思想（堺利彦）に共感した元巣鴨監獄看守の岡野辰之助が「校正」を担当したのが新鮮である。社員は経営、編集合わせて24人。執筆陣は、気鋭の大杉栄など多数。多彩な顔ぶれであった。挿絵画家に、荒畑と交流のあった竹久夢二がいる（夢二の下宿に荒畑寄宿）。
7　定価　1部1銭、1か月25銭
8　紙幅　縦約52糎（センチ）、横37糎　8ページ建て　※ほぼ現在の新聞紙大
9　紙面　第1面・社説にあたる「論評」、「平民小品」、「平民俳句」、「平民短歌」、第2面以下に「日本之新聞」「世界之新聞」「社会運動彙報(いほう)」「日本社会党公報」など。「目白の花柳界」「妖婦下田歌子」（深尾韶が担当）は女子教育の在り方に触れているが、暴露的なスキャンダル記事でもあり、人々の興味を引いた。
　日本社会党内の直接行動派（山川いわく「革命派」幸徳・堺・山川ら）と議会政策派（山川いわく「改良派」片山・西川ら）の思想的対立、幸徳「余の思想の変化」（第16号１９０７年2月5日号）によって運動方針の見解の相違が表面化して、さらに日本社会党の禁止（１９０７年2月22日）によって運動の基盤はくずされてしまった。そして訳文「青年に訴ふ」（第63号１９０７年3月31日）が新聞紙条例の朝憲紊乱の罪に問われ、日刊『平民新聞』は１９０７（明治40）年4月14日の第75号を全紙面赤刷りにして廃刊した。

## 巻末資料5　半月刊『大阪平民新聞』

| |  |  |
|---|---|---|
| 1 | 大阪平民社創立者 | 森近運平（1905年3月20日創立） |
| 2 | 大阪平民社本社 | 大阪市北区中之島宗是町（森近宅） |
| 3 | 半月刊『大阪平民新聞』創刊 | 1907（明治40）年6月1日 |
| | | ※1907年11月5日の第11号から紙名を『日本平民新聞』と改題。 |
| 4 | 発行所 | 大阪市北区上福島3丁目185番地大阪平民社 |
| 5 | 目的 | 社会主義思想を広め、解放運動を組織すること。 |
| 6 | 発行兼編集人 | 森近運平 |
| 7 | 定価 | 1部5銭　半年分12部55銭　1年分24部1円5銭 |
| 8 | 紙幅 | 縦30糎（センチ）横20糎／各号16ページ建て |
| 9 | 紙面 | 論説（森近運平、大石禄亭、山川均、金子喜一、大杉栄、幸徳秋水）の他に「論壇・論評」「翻訳研究資料」「通俗講和」「探訪調査、時事」「小説、詩歌」「雑誌瞥見（べっけん）・新刊紹介」「内外同志の運動と消息」「雑感・雑報」「英文欄」と多彩であった。 |
| 10 | 『日本平民新聞』 | 休刊1908年5月20日号外発行をもって、休刊（事実上の廃刊）。 |
| | | 日本平民社の本社が淀橋町柏木926の金曜社（後の柏木平民社）に移転。 |
| 11 | 大阪平民社解散式 | 1908年5月22日 |

## 巻末資料6　月刊『平民新聞』

月刊『平民新聞』
（1914年10月15日～1915年3月15日）

| | | |
|---|---|---|
| 1 | 大久保平民社創立者 | 大杉栄、荒畑勝三 |
| 2 | 大久保平民社本社 | 東京府豊多摩郡大久保町大久保百人町352 |
| | 月刊『平民新聞』創刊 | 1914年10月15日。即日発売頒布禁止。月刊『平民新聞』は全6号。4号以外は発売頒布禁止となる。 |
| 3 | 発行人 | 荒畑勝三 |
| 4 | 発行所 | 武蔵野吉祥寺2115（引っ越した荒畑宅を東京府下にすると雑誌発行の保証金が安くなるため） |
| 5 | 発行兼印刷人 | 大杉栄 |
| 6 | 印刷所 | 福音印刷合資会社東京支店 |
| 7 | 目的 | 週刊『平民新聞』、日刊『平民新聞』、半月刊『大阪平民新聞』（改題『日本平民新聞』）の3時代を通過した後の新規まき直しの労働運動の機関誌とする。（『近代思想』第2巻第11・12号、1914年9月1日）。 |
| 8 | 執筆者 | 大杉栄、荒畑寒村 |
| 9 | 紙幅 | 四六倍判 |
| 10 | 紙面 | 8頁 |
| 11 | 月刊『平民新聞』廃刊 | 1915年3月15日。 |

## 巻末資料7　関東大震災直後に何が起きたか

関東大震災直後に何が起きたか

| 年月日 | 国内の動き | 埼玉県内の動き |
| --- | --- | --- |
| 1923（大正12）年<br>9月1日<br>午前11時58分 | ●関東大震災発生<br>東京、神奈川、千葉、埼玉、静岡、山梨、茨城を襲ったM7・9の日本災害史上最大の震災。死者10万5385人、全潰全焼流出家屋 29万3387戸（内閣府「中央防災会議報告書」）<br>●自然発生のデマ・流言<br>「富士山の噴火」「東京湾に津波襲来」<br>●警察による流言・虚偽認情報<br>「9月1日夕方、曙町交番が自警団に来て『各町で不平鮮人が殺人放火して居るから気をつけろ』」（『報知新聞』10月28日夕刊） | ●「朝鮮人が・・」の流言が埼玉県南部に伝わる。 |
| 9月2日 | ●1日晩から2日深夜1～2時に、旧四ツ木橋土手近くで騒ぎがあり、20～30人の朝鮮人が民衆によって殺害される。⑴朝鮮人虐殺事件が各地で始まる教育史料出版）。9月2日以降、⑵中国人虐殺事件が起こる。3日には、大島町（現江東区）で軍隊や自警団によって300～400人以上の中国人が殺害された「大島町事件」が起こる。<br>●戒厳令の布告<br>東京市と周辺五郡に戒厳令を施行したことにより、軍隊が出動。軍隊による虐殺が各地で起こる。 | ●埼玉県内務部長の通達<br>事前に内務省警保局の情報を知り、埼玉県は独自に通達を作る。「不逞鮮人暴動に関する件」が各町村へ流れる。「不逞鮮人の盲動」（けしからん悪い朝鮮人が暴れ回る）があると流し、人々にデマ・流言を信じさせた。横浜からもデマ・流言が広がり始める。 |

| | | |
|---|---|---|
| 9月3日 | ●内務省警保局が各地方長官に虚偽情報を打電「朝鮮人は各地に放火し、不逞の目的を遂行せんとし、現に東京市内に於いて爆弾を所持し、石油を注ぎて放火するものあり。既に東京府下には一部戒厳令を施行したるが故に、各地に於いて十分周密なる視察を加え、鮮人の行動に対しては厳密なる取締を加えられたし」（呉鎮守府副官宛9月3日午前8時15分）。軍隊・警察および関東各地に結成された自警団が⑴**朝鮮人虐殺事件**を引き起こす。マスコミが朝鮮人暴動のデマ報道を流す。朝鮮人虐殺の人数は死体が隠蔽されたこともあって実数はわかっていない。<br>●金子文子と朴烈が保護検束される。その後「爆弾を入手しようとした」と逮捕され、大逆罪に問われ⑶**金子文子・朴烈事件**が起こる。 | ●デマ・流言が埼玉県北部に伝わる。列車に乗っていた朝鮮人が降ろされて深谷駅で朝鮮人1人が殺される。「アイゴー、アイゴー」と懇願しても殺されてしまった、という証言あり。 |
| 9月4日 | ●労働運動家の河合義虎、平沢計七ら10人が、以前から労働争議で対立関係にあった亀戸警察署に捕らえられ、4～5日に、戒厳令によって出動した習志野騎兵第13連隊によって刺殺された⑷**亀戸事件**が起こる。 | ●片柳村（現さいたま市）で自警団が朝鮮人1人姜大興（カンデフン）を竹槍で殺害。<br>●警察が、県南に住むまたは東京から避難してくる朝鮮人を保護検束して、徒歩や自動車で群馬県方面に移動させることにする。護送された朝鮮人約60人が熊谷で虐殺される。<br>●午後、神保原で群衆に車を止められ、朝鮮人約42人が虐殺される。生き残った朝鮮人と警察に保護されていた朝鮮人88人が本庄警察署で虐殺される。 |

| | | |
|---|---|---|
| 9月5日 | | ●寄居で朝鮮アメを売っていた具学永が寄居警察に保護されていたが、群衆に襲われ虐殺される。<br>●東北弁の発音から朝鮮人と間違えられた秋田生まれの日本人青年１人が妻沼町で虐殺される。<br>●児玉、桶川、戸田でも虐殺があった。<br>※県内で虐殺された朝鮮人の合計人数は２３３人から２４０人と推定される。 |
| 9月6日 | ●香川県からきた売薬行商９人が虐殺される⑸**福田村事件**が起こる。 | ●埼玉県内務部長「県民ノ自重ヲ望ム」を各郡長に通牒。 |
| 9月12日 | ●在日中国人を救済する僑日共済会長の中国人王希天が殺害される⑵**王希天事件**が起こる。全体で「２百数十名を超え７５０名」（日本弁護士連合会が２００３年にまとめた調査結果）の中国人が殺害されたと推定されるが、実数は不明。 | |
| 9月16日 | ●アナキスト（無政府主義者）の大杉栄、妻伊藤野枝、甥の橘宗一が憲兵大尉甘粕正彦らに虐殺された⑹**大杉栄・伊藤野枝・橘宗一虐殺事件**が起こる。 | |

「埼玉県内の動き」は『かくされていた歴史――関東大震災と埼玉の朝鮮人虐殺事件―増補保存版』（編集・発行関東大震災60周年朝鮮人犠牲者調査追悼事業実行委員会、１９８７年）等より作成。表中の⑴～⑹は本文中にある関東大震災直後に起きた6つの社会的事件を示す。

## 巻末資料8　朝鮮人虐殺事件の犠牲者

| 調査人 | 人数 | 出典 |
|---|---|---|
| ①日本政府 | 231人。「被害人員表」で「庁名」をあげ「東京36人、横浜2人、浦和94人、千葉74人、宇都宮7人、前橋18人、合計231人」とする。 | 司法省刑事局報告書『震災後ニ於ケル刑事犯及之ニ関連スル事項調査書』 |
| ②『報知新聞』 | 519人 | 1923年10月20日付 |
| ③『読売新聞』 | 300人 | 1923年10月21日付 |
| ④『東京朝日新聞』 | 432人 | 1923年10月21日付 |
| ⑤崔承万（在日本東京朝鮮基督教青年会総務） | 2613人（1923年10月末までの中間報告）※ただし、慰問班の虐殺数は5000人と推定。 | 「日本関東震災時わが同胞の苦難」（『極熊筆耕――崔承万集』金鎮英、1970年） |
| ⑥吉野作造（政治学者） | 2613人 | 「朝鮮人虐殺事件」（『圧迫と虐殺』1924年） |
| ⑦『独立新聞』 | 6661人（1923年11月末までの最終報告） | 「本社被虐殺僑日同胞特派調査員第一信」（『独立新聞』1923年12月5日）（在日本関東地方罹災朝鮮同胞慰問班の最終調査報告） |
| ⑧山田昭次（立教大学名誉教授） | 「数千人に達したことは疑いないが、これを厳密に確定することはもはや今日では不可能」 | 『関東大震災時の朝鮮人虐殺―その国家責任と民衆責任』（創史社、2004年） |

| | | |
|---|---|---|
| ⑨工藤美代子（作家） | およそ600人から800人（ただし、日本に住む朝鮮人を「テロ行為、ゲリラ部隊と認定」） | 『関東大震災「朝鮮人虐殺」の真実』（産経新聞出版、2009年）、『SAPIO』（2009年、5月13日号） |
| ⑩内閣府中央防災会議（災害教訓の継承に関する専門調査会） | 「殺傷事件による犠牲者の正確な数は掴めないが、震災による死者数の1～数パーセント」としている。震災の死者10万5385人（同「第一編　発災とメカニズム」）から計算すると、最少1053人から最大9484人と考えられる。 | 『1923 関東大震災報告書【第1・第2編】』（内閣府の「中央防災会議報告書」2008年、3月） |

注　1923年9月7日から禁止されていた朝鮮人問題の報道が10月20日に解禁。②～④の新聞各社の報道の数字は山田昭次『関東大震災時の朝鮮人虐殺—その国家責任と民衆責任』（創史社、2003年）による。

工藤美代子『関東大震災「朝鮮人虐殺」の真実』（産経新聞出版、2009年）は、朝鮮人暴動は「噂ではないのだ。実際に放火や殺人、強姦事件が震災発生直後に起こったのである。自己防衛の正当性が認められねばならない」として、朝鮮人暴動に対する正当防衛を主張し、さらに「被殺者総合計6661人」（『独立新聞』1923年12月5日付）は「嘘の数字を羅列」したもので不正確だとした。

巻末資料９　朝鮮人虐殺事件はどのように記述されているか？

中学校歴史教科書（２０２０年検定済）８社

| 教科書出版会社名 | 記述内容 |
|---|---|
| 東京書籍<br>歴史にアクセス<br>「関東大震災」 | １９２３（大正12）年9月1日、東京、横浜（神奈川県）を中心にマグニチュード7.9の大地震がおそい、これらの地域は壊滅状態になりました。被害は、全壊約11万戸、死者・行方不明は約10万５０００人になりました。混乱の中で、「朝鮮人や社会主義者が井戸に毒を入れた。暴動を起こす」といった流言が広がり、多くの朝鮮人、中国人や社会主義者などが殺されました。／一方で、震災は都市改造のきっかけにもなり、復興の中で、東京や横浜は近代的な都市として生まれ変わりました。<br>写真「関東大震災後の浅草（着色写真）」 |
| 帝国書院<br>未来に向けて・環境<br>「大都市を襲った関東大震災」<br>※文中の「根拠のないうわさ」は事実誤認であり、内務省警保局が各地方長官に打電した「朝鮮人は各地に放火・・」という虚偽情報が、うわさの根拠である。 | １９２３（大正12）年9月1日、神奈川県西部を震源とするマグニチュード7.9の大地震が東京や横浜を直撃しました。各家庭で昼食の準備をしている時間であったため、またたく間に大火となり、死者・行方不明者10万５０００人以上、被災者３４０万人以上という大きな被害を出しました。死者の約9割は、火災が原因だったといわれています。住宅や工場が都市に密着していたことが、被害を大きくしました。こうした反省から、大震災後に後藤新平らを中心に復興計画が立てられ、道路を広くし、避難用の公園を設けるなど、計画的にまちづくりが進められていきました。／一方、震災直後の混乱のなかで、「朝鮮人が暴動を起こす」という根拠のないうわさが流れ、自警団をつくった住民によって朝鮮、中国の人々や社会主義者が殺される事件も起こりました。<br>写真「関東大震災で廃墟と化した浅草」（サンフォト提供）／「後藤新平」（解説付き）／「大通りの建設」<br>文献「震災当時の日記」（「日記に読む近代日本」要約・抜粋） |

|  |  |
| --- | --- |
| 教育出版<br>歴史の窓<br>「関東大震災」 | 1923年9月1日、関東地方を大地震が襲い、東京・横浜をはじめ、関東一円は地震と火災による大きな被害を受けました。被災した家屋は約37万戸、死者・行方不明者は10万人以上に達しました。混乱のなかで、「朝鮮人が暴動を起こす」などの流言が広がり、住民の組織した自警団や警察・軍隊によって、多くの朝鮮人や中国人が殺害される事件が起こりました。また、社会主義者や労働運動家のなかにも、殺害された人がいました。関東大震災からの復興の過程で、鉄筋コンクリート造りの建物が増えるなど、首都・東京の景観は大きく変わっていきました。<br>写真　「関東大震災直後の東京・日比谷」 |
| 日本文教出版<br>歴史＋α<br>「関東大震災」 | 1923年9月1日、関東大震災が起こり、東京や横浜は壊滅状態となりました。被災者は約340万人、死者・行方不明者は10万人をこえました。この混乱のなかで、朝鮮人が井戸に毒を投げこんでいるといったデマが住民や警察によって広められました。住民が組織する自警団や軍隊・警察によって、多くの朝鮮人のほか、社会主義者や中国人が殺害される事件が起こりました。事件の背景には、突然の被災による精神的混乱、朝鮮人に対する差別意識などがあったものと考えられます。／なお、震災復興事業により、東京や横浜は都市計画に基づいて整備され、町の景観も大きく変わりました。<br>写真　「関東大震災のようす」（1923年東京） |
| 育鵬社<br>本文 | 1923（大正12）年9月1日、関東地方で発生した大地震は東京・横浜という人口密集地を直撃しました（関東大震災）。この地震は死者・行方不明者10万数千人、焼失家屋約45万戸という大被害をもたらしました。交通や通信がとだえた混乱の中で、朝鮮人や社会主義者が、住民たちのつくる自警団などに殺害されるという事件もおきました。震災後の東京は、後藤新平らによって新たな都市計画が進められました。<br>写真　「関東大震災」（1923年9月）<br>「写真は発生直後の東京・日比谷交差点。発生が正午直前で、多くの家が火を使う時間帯だったため、あちこちで火災が発生し燃え広がった。」 |

|  |  |
| --- | --- |
| 自由社<br>本文<br>虐殺の記述なし | 1923（大正12）年9月1日、関東地方で大地震がおこりました。東京や横浜など各地で発生した火災で、多数の民家や、重要な建造物、文化施設など多数が消失し、死者は10万人5000人に達しました。（関東大震災）。関東大震災の結果、日本の経済は大きな打撃を受けましたが、地震の多い日本で近代都市をつくるために得た教訓は多く、耐震設計や都市防災の研究が始まりました。<br>写真「都心の被災状況」<br>「東京都心は壊滅的な打撃を受けましたが、その後、世界最大規模の帝都復興計画が練られました。今日の主要な幹線道路は、このときに設計されたものです。（江戸東京博物館蔵）」<br>／「後藤新平の東京復興」 |
| 学び舎<br>本文<br>「関東大震災―いわれなく殺された人びと」 | 1923年9月1日、マグニチュード7・9の大地震が関東地方を襲った。建物がくずれ、強風を巻き起こす火災が発生して、死者・行方不明者は10万5000人にのぼった。東京市や横浜市では、多数の顔身が被災し、多くの避難民が出た。／地震後、「朝鮮人が攻めてくる」などの流言が広められ、軍隊・警察や、住民がつくった自警団によっておびただしい数の朝鮮人が虐殺された。数多くの中国人や、日本人の社会主義者も殺害された。／植民地だった朝鮮から働きに来ていた曺仁承（当時21歳）は、避難した（旧）四ツ木橋（東京都）の近くで、消防組員につかまった。警察署で彼は、逃げようとした朝鮮人8人が切り殺されるのを見た。警察署に連れていかれる途中の橋の上には、多くの死体があった。60年後、曺仁承は橋があった場所を訪れて語っている。／「ここで、朝鮮人が3人たたき殺されたんだ。それを見たら、ほんとうに空が真っ黄色でね。息がとまってね。どうすることもできなかった。・・・人間が人間を殺すのは、よっぽどのことじゃないとできないよね。何もしないのに、働いて食うのに精一杯の朝鮮人にそんなことして、いくさでもないのに」<br>絵「関東大震災」（『朝鮮人虐殺の図』国立歴史民俗博物館蔵）<br>「虐殺された朝鮮人の人数」<br>約230人（当時の政府調査）や、約2610人（吉野作造調査）、約6650人（日本にいた朝鮮人たちによる調査）などがある、虐殺された人数はさだまっていない。 |

| 山川出版<br>本文<br>「関東大震災」 | １９２３（大正12）年9月1日、マグニチュード7・9の大地震が発生し、東京・横浜（神奈川県）などの大部分が被害を受けて壊滅的な状況に陥った（関東大震災）。死者・行方不明者は10万人以上を数え、被害総額は60億円をこえた。／被災地では軍隊を中心に治安維持が行われたが、震災の大混乱の中でさまざまな根拠のないうわさが飛び交い、特に朝鮮や中国の人々に対する暴行や殺傷事件が数多く発生した。とりわけ、朝鮮の人々による抵抗運動への恐怖と、民族的な差別意識があった。軍隊や警察、一般民衆から組織された自警団も加害者になったが、その多くは罪に問われなかった。また、軍内部では社会主義運動への危機意識が高まっていたこともあり、震災の混乱の中で社会主義者が殺害・弾圧される事件も起こった。<br>写真「関東大震災の被害」（「震災の復興事業を通じて東京や横浜は近代的な都市へと生まれ変わった」） |
|---|---|

（注）傍線は筆者が虐殺事件に関する文章に引いた。

## 巻末資料10 「関東大震災・朝鮮人虐殺・もうひとつの大逆事件」の学習プラン

単元「大正デモクラシーの時代」の「関東大震災」を自主編成

| 時数 | 自作テキスト「社会科だより№1～16」№ | テーマ | 主な学習内容 |
|---|---|---|---|
| 1 | 1 | 日本の朝鮮観はいつ変わったのだろうか？ | 幕末・明治維新の「征韓論」から朝鮮人差別の根源について考える。 |
| | 2 | 安重根と伊藤博文 | 安重根が伊藤博文を射殺した理由と日本側と朝鮮側の人物観の相違について考える。 |
| 2 | 3 | 石川啄木と韓国併合 | 石川啄木の目から韓国併合について考える。 |
| | 4 | ふたりの柳―柳寛順と柳宗悦 | 三・一独立運動に立ち上がった朝鮮のジャンヌ・ダルク柳寛順と日本人の柳宗悦と福沢諭吉のアジア観について考える。 |
| 3 | 5 | 関東大震災と流言 | 関東大震災直後の流言と朝鮮人虐殺の事実について学ぶ。 |
| | 6 | 9月1日、日本は「防災の日」で、在日コリアンにとっては「追悼の日」。 | NHKニュース「朝鮮人虐殺慰霊碑バスツアー」の視聴を通して、埼玉県内の朝鮮人虐殺について考える。 |
| | 7 | 当時の深谷署長竹沢武作さん、朝鮮人60人を保護 | 朝鮮人虐殺に身体を張って反対した竹沢武作深谷署長に学ぶ。 |
| 4 | 8 | 大逆罪とは何であったのか？ | 大逆罪とは何かを学び、戦後の大逆罪の存廃（吉田茂首相発言）について考える。 |
| | 9 | もうひとつの大逆事件―金子文子・朴烈事件 | 金子文子・朴烈事件について学び、「人間は完全に平等」とは何かについて考える。 |
| | 10 | あなたは布施辰治を知っていますか？ | 人権弁護士布施辰治の朝鮮人への温かいまなざしを知り、布施辰治の人権意識・生き方に学ぶ。 |
| 5 | 11 | あなたは福田村事件を知っていますか？ | 福田村事件を、部落差別・朝鮮人差別・行商人等の職業差別・よそ者差別の視点から考える。 |
| | 12 | あなたは亀戸事件と大杉栄・伊藤野枝・橘宗一虐殺事件を知っていますか？ | 労働運動活動家と社会主義者がなぜ弾圧されたのかについて考える。 |

| | | | |
|---|---|---|---|
| 6 | 13 | あなたは『巡査の居る風景―1923年の一つのスケッチ』を知っていますか？ | 朝鮮人の側から描いた中島敦の作品から、朝鮮人差別と朝鮮人虐殺事件について考える。 |
| | 14 | 日本の朝鮮植民地支配に対して朝鮮民衆はどうしたか？ | 日本の植民地支配に対する朝鮮民衆の義兵運動を日本軍が「討伐」した事実について考える。 |
| 7 | 15 | 1923年9月1日<br>関東大震災と朝鮮人虐殺事件をふり返る | 流言蜚語の根源が、戒厳令と内務省の打電にあったことを学び、そのことについて考える。 |
| 8 | 16 | 今までの学習のまとめ<br>朝鮮人差別を乗り越えるにはどうしたらよいのだろうか？ | NHK「お会いしませんか」の視聴と朝鮮学校生への差別落書きについて考え、朝鮮人差別をなくすにはどうしたらよいかを考える。 |

# もうひとつの大逆事件　わたしはわたし自身を生きる金子文子の略年譜

| 年月日 | 金子文子のできごと |
|---|---|
| 1903（明治36）年 | 1月25日、父佐伯文一と母金子きくのとの間に文子誕生。出生届は出されず。「無戸籍者」となる。 |
| 1907（明治40）年4歳 | 父文一が母の妹たかのと一緒に生活し始め、駆け落ちする。母はいろいろな男たちと同居を繰り返す。 |
| 1910（明治43）年7歳 | 無戸籍の文子は学校に入学できなかったが、母が頼み込み地域の小学校に通学できるようになる。 |
| 1912（大正元）年9歳 | 山梨県諏訪村（牧丘町）で、祖父母・叔父一家と暮らす。父方の祖母が、朝鮮に住む娘夫婦の岩下家の養女として文子を引き取りに来る。文子は植民地朝鮮で生活を始める。祖母から精神的な虐待を受け、岩下家で「女中」扱いとなる。朝鮮人のおかみさんから麦ご飯をもらい「人間の愛というものに感動」する。 |
| 1916（大正5）年13歳 | 祖母の体罰にいたたまれず、自殺を試みる。 |
| 1917（大正6）年14歳 | 高等小学校を卒業するが、約束であった女学校へは進学できず。岩下家の物置小屋の土間に住まわされる。 |
| 1919（大正8）年16歳 | 三・一朝鮮独立運動を目の当たりに見る。4月12日、朝鮮から山梨に戻される。その後、父文一に叔父（母の弟）との婚約を強制される。 |
| 1920（大正9）年17歳 | 女子師範学校進学をめざす。叔父は入学願書の捺印を拒否して、「文子の素行が悪い」と父に因縁をつけて、婚約を破棄する。<br>4月、勉学のために東京へ出る。夕方4時30分から夜中の12時半まで新聞捌売りをし、女子医専をめざし午前は正則英語学校、午後は研数学館に通う。 |
| 1921（大正10）年18歳 | 11月、社会主義者がよく来る日比谷の料理屋、通称「社会主義おでん」こと「おでん屋岩崎魚善」に「女給」として住み込む。 |

|  |  |
|---|---|
| 1922（大正11）年19歳 | 2月、朴烈（パク・ヨル）の力強い表現力に感動し、文子は知人に交際したい旨を伝える。<br>3月、朴烈が岩崎おでん屋を訪ねてくる。思想的に合意する。<br>4月または5月、文子は朴烈と同棲する。社会運動を始め、運動誌『太い鮮人』などを発行する。 |
| 1923（大正12）年20歳 | 4月、研究団体である不逞社が組織される。6月、不逞社第4回例会、中西伊之助出獄歓迎会を開く。 |
| | 9月1日、関東大震災<br>9月3日、文子、朴烈が自宅（渋谷）で世田谷警察署に保護検束される。<br>10月20日、治安警察法違反により予審で起訴されるが免訴。 |
| 1924（大正13）年21歳 | 2月15日、爆発物取締罰則違反で追起訴。 |
| 1925（大正14）年22歳 | 5月30日、大逆罪であることを予審判事から告げられ、文子はそれを肯定する。<br>夏・秋ころに獄中手記『何が私をこうさせたか』の執筆に入る。<br>11月12日、布施辰治が弁護人として選任される。 |
| | 9月30日、東京控訴院立松判事の意見書が大審院に送られる。「天皇、皇太子に対し危害を加えんとしたことが刑法第73条後段、爆弾の使用を共謀が爆発物取締罰則第4条に該当」 |
| 1926（大正15）年23歳 | 3月23日、2人の結婚届が牛込区役所に出され受理される。<br>3月25日、大審院「死刑」判決。文子は「万歳」と叫ぶ。<br>4月5日、政治的判断で無期懲役の減刑が文子、朴烈に通知される。<br>7月23日、文子が獄中死（密殺説がある）。 |

（鈴木裕子編『わたしはわたし自身を生きる』梨の木舎）より作成

# あとがき

新宿柏木に生まれ育ったぼくは、『わがまち　かしわぎ』というミニコミ誌で大杉栄・伊藤野枝の自宅が柏木にあったことを偶然知りました。何となく調べていくうちに、大杉以外にも山川均、堺利彦、福田英子、幸徳秋水、管野須賀子と、次々に柏木の住人の存在がわかってきました。いつのまにか、本腰を入れての「柏木団」調査になりました。わがまち柏木が、理想社会の実現を追い求めた人たちが集まり、初期社会主義運動発祥の地といってもよい歴史的な場所であったことがそのうちにわかってきました。関東大震災直後の大杉栄・伊藤野枝・橘宗一の3人が甘粕正彦ら憲兵隊によって拉致、連行された場所がぼくの住んでいたところから目と鼻の先であったことがわかった時には、びっくり仰天しました。そこで、関東大震災直後の朝鮮人虐殺事件をはじめとした中国人虐殺、社会主義者虐殺、日本人虐殺を改めて調査、探究することになりました。

ここまでの話を聴いてくれた梨の木舎代表の羽田ゆみ子さんは、タイトルを『君たちに伝えたい④ぼくが生まれた新宿、柏木団の人々と関東大震災。』にしましょうと提案してくれました。このタイトルで、「ぼく」と「柏木団」と「関東大震災」がつながりました。

２０２３年はその関東大震災から１００年です。管見の限りでは、今までに関東大震災直後の虐殺事件に関して4回の国会審議がありました。ちょっと振り返ってみましょう。

１９２３年12月15日、衆議院本会議で永井柳太郎議員が内務省警保局発信の誤電信文をとり挙げて「政府自ら出した所のこの流言蜚語に対して責任を感じないか」と政府に迫ると、当時の山本権兵衛総理大臣は苦し紛れに次のように答弁しました。

「政府は起こりました事柄に就いて目下取調進行中でござります。最後に至りましてその事柄を当議場に愬える時もござりましょう。本日はまだその時にあらざるものと御承知を願います。」(『官報号外』１９２３年12月16日)

ところが、日本政府は、今までに国会の場で朝鮮人虐殺事件の取り調べの結果発表も公式な謝罪も一切していません。

それから40年後、１９６３年1月26日の参議院本会議で野坂参三議員（日本共産党）が「関東大震災では多数の在日朝鮮人を虐殺」したことに触れて「朝鮮人民に対するこのような非道の数々について、総理は真剣に反省しておられるか」と質問しています。この質問に対して、池田勇人首相（当時）は「朝鮮を併合してからの日本の非行に対しては、私は寡聞にして十分存じておりません」とうそぶきました。

池田答弁から60年後、２０２３年5月23日の参議院内閣委員会で杉尾秀哉議員（立憲民主党）が朝鮮人虐殺、中国人虐殺の政府対応や責任をただす質問をしました。本書でも取り上げた内閣府中央防災会議の報告書（２００８年3月）が国の公的記録であること、日弁連の朝鮮人、中国人に対する虐殺の真相解明と謝罪の内閣総理大臣宛勧告（2003年）をふまえて、「記録の精査と謝罪すべきは謝罪して」と杉尾議員がただしますと、文科省、警察庁、国家公安委員長の答弁は同じ言葉の繰り返しでした。

「政府といたしましては、政府内に事実関係が把握することのできる記録が見当たらなかったのであり、仮に資料を確認しても内容を評価することは困難である」

テレビでその場面の国会中継を眺めていましたが、官僚の巧妙かつ狡猾な答弁とその厚顔にあらためて驚きました。検定済の中学校歴史教科書8点のうち7点、高校歴史総合教科書12点のうち9点、日本史探究教科書7点のうち7点が朝鮮人虐殺、中国人虐殺の記述がある（文科省大臣官房学習基盤審査官の答弁より）にもかかわらず、「記録が見当たらなかった」とは何でしょうか。「教科書記述はあるけれど、記録はなかったんだよ」と子どもたちに話せということになります。

谷公一国家公安委員長に至っては「政府内で事実関係を把握することができる記録が見当たらなかったということでございまして、更なる調査ということは考えていない」と突き放し、そこには、謝罪どころか真相究明に向けて歴史と向き合う政府の姿勢はまったく見られませんでした。

4回めの国会審議となる6月15日には、参議院法務委員会で福島みずほ議員（社民党）が中国人虐殺事件と朝鮮人虐殺事件について質問しました。内務省警保局が全国各地方長官宛に打った誤電信文は防衛相防衛研究所が保管していることは認めましたが、この誤電信文が「虐殺のきっかけになったか」と見解を求めました。これに対して警察庁幹部は「事実関係を把握できる記録が見当たらない。お答えすることは困難だ」と答弁しました。(「共同通信」2023年6月15日)。

以上が100年前から現在までの4回の国会審議ですが、ぼくは2023年のふたつの国会中継を眺めながら、改めて教育現場の先生方を心から応援したくなりました。とりわけ、2022年度に設置された高校の新しい科目「歴史総合」(地歴科)と23年から実施されている「公共」(公民科)の授業実践に期待しています。

世界と日本の近現代史を「統合」する「歴史総合」の柱の一つに「B 近代化と私たち」があります。とかく日本の近代化は礼賛されがちですが、その負の側面にこそ子どもたちは多くを学びます。

主権者教育を担う「公共」では、柱の一つに「B 自立した主体としてよりよい社会の形成に参画する私たち」があります。ここでは①「思想・良心の自由と表現の自由」が尊重される社会について、②在日コリアンをはじめ外国にルーツを持つ子どもたちとの共生社会についてグループワークをすることができます。前者の「自由」は、わからないように形を変えて規制が強まってきています。後者で今問われているのはダイバーシティ(多様性)であり、「違っても仲よく」ではなく、「違うから仲よく」を子どもたちに呼びかけたいものです。「知ることが交流の第一歩」は、元埼玉朝鮮初中級学校長の安重根(アン・ジュングン)(歴史上の人物と同姓同名)さんの言葉で、ぼくの座右の銘にもなっています。

今こそ理想社会実現に向けての「教育の力」が求められています。本書がその一助となれば、この上なくうれしいです。

最後になりましたが、本書をまとめるにあたって編集では長谷川建樹さん、ＤＴＰでは永田眞一郎さん、装丁では宮部浩司さん、印刷では武村宗仁さん、営業では西川恵美子さんにお世話になりました。梨の木舎代表の羽田ゆみ子さんには闘病中であるにもかかわらず、たくさんのアドバイスと励ましをいただきました。妻知子が終始応援してくれたことは心の支えになりました。みなさまに、心よりお礼申し上げます。

中條克俊

２０２３年盛夏

著者プロフィール
中條克俊（ちゅうじょう・かつとし）
1956年東京都新宿区柏木（現北新宿）生まれ。新宿区立淀橋第七小学校、淀橋中学校（いずれも廃校）、都立新宿高校に学び、埼玉大学卒業後1981年より埼玉県公立中学校教員（朝霞市、社会科）となり、戦争と平和を研究テーマに、地域の掘り起こしに専念した。2017年3月に定年退職後、駿河台大学、国士舘大学、立教大学の非常勤講師を経て、2021年より中央大学文学部特任教授（教職課程担当）。歴史教育者協議会会員（副委員長）。
主な著書に『中学生たちの風船爆弾』（1995年、さきたま出版会）、『君たちに伝えたい、朝霞そこは基地の街だった。』（2006年、梨の木舎）、『君たちに伝えたい②朝霞、キャンプ・ドレイク物語。』（2013年、梨の木舎）、『君たちに伝えたい③朝霞、校内暴力の嵐から生まれたボクらの平和学習。』（2017年、梨の木舎）がある。
主な論考に「関東大震災直後に何が起きたか」（紀要『教師教育研究』第4号、2013年6月、早稲田大学教師教育研究所発行）、「社会科教育とアクティブラーニング―ＩＣＴ活用授業・グループ討論授業の実践とその自己分析」（『駿河台大学教職論集』第２号第１分冊 、2017年2月、駿河台大学教職課程委員会）、「教育における実践力とは何か」（紀要『教職研究』第33号、2019年12月、立教大学教職課程発行）、「パンデミックと大学授業実践（教職課程）―オンライン授業にどう対応したか―」（『教育学論集』第64集、2022年3月、中央大学教育学研究会）、「大学生と平和学習―大学生との対話―」（『教育学論集』第65集、2023年3月、中央大学教育学研究会）がある。

君たちに伝えたい④
ぼくが生まれた新宿、柏木団の人々と関東大震災。
―金子文子・伊藤野枝・管野須賀子・福田英子・大杉栄・山川均・幸徳秋水・堺利彦

2023年8月15日　初版発行

著　者：中條克俊

装　丁：宮部浩司

発行者：羽田ゆみ子

発行所：梨の木舎
〒101－0061
東京都千代田区神田三崎町2－2－12 エコービル1階
Tel.03-6256-9517　fax.03-6256-9518
eメール　info@nashinoki-sha.com
http://nashinoki-sha.com

ＤＴＰ：具羅夢

印刷所：株式会社 厚徳社

| | | | |
|---|---|---|---|
| 30. 改訂版 ヨーロッパがみた日本・アジア・アフリカ―フランス植民地主義というプリズムをとおして | 海原峻著 | 3200円 | |
| 31. 戦争児童文学は真実をつたえてきたか | 長谷川潮著 | 2200円 | |
| 32. オビンの伝言 ―タイヤルの森をゆるがせた台湾・霧社事件 | 中村ふじゑ著 | 2200円 | |
| 33. ヨーロッパ浸透の波紋 | 海原峻著 | 2500円 | |
| 34. いちじくの木がたおれぼくの村が消えた―クルドの少年の物語 | ジャミル・シェイクリー著 | 1340円 | |
| 35. 日本近代史の地下水脈をさぐる ―信州・上田自由大学への系譜 | 小林利通著 | 3000円 | |
| 36. 日本と韓国の歴史教科書を読む視点 | 日本歴史教育研究会編 | 2700円 | 品切 |
| 37. ぼくたちは10歳から大人だった ―オランダ人少年抑留と日本文化 | ハンス・ラウレンツ・ズヴィッツァー著 | 5000円 | |
| 38. 女と男　のびやかに歩きだすために | 彦坂諦著 | 2500円 | |
| 39. 世界の動きの中でよむ　日本の歴史教科書問題 | 三宅明正著 | 1700円 | |
| 40. アメリカの教科書に書かれた日本の戦争 | 越田稜著 | 3500円 | |
| 41. 無能だって？それがどうした?! ―能力の名による差別の社会を生きるあなたに | 彦坂諦著 | 1500円 | |
| 42. 中国撫順戦犯管理所職員の証言―写真家新井利男の遺した仕事 | 新井利男資料保存会編 | 3500円 | |
| 43. バターン　遠い道のりのさきに | レスター・I.テニー著 | 2700円 | |
| 44. 日本と韓国の歴史共通教材をつくる視点 | 歴史教育研究会編 | 3000円 | 品切 |
| 45. 憲法9条と専守防衛 | 箕輪登・内田雅敏著 | 1400円 | |
| 47. アメリカの化学戦争犯罪 | 北村元著 | 3500円 | |
| 48. 靖国へは行かない。戦争にも行かない | 内田雅敏著 | 1700円 | |
| 49. わたしは誰の子 | 葉子・ハュス-綿貫著 | 1800円 | |
| 50. 朝鮮近代史を駆けぬけた女性たち３２人 | 呉香淑著 | 2300円 | |
| 51. 有事法制下の靖国神社 | 西川重則著 | 2000円 | |
| 52. わたしは、とても美しい場所に住んでいます | 基地にNO！アジア・女たちの会編 | 1000円 | |
| 53. 歴史教育と歴史学の協働をめざして ―ゆれる境界・国家・地域にどう向きあうか | 坂井俊樹・浪川健治編著 | 3500円 | |
| 54. アボジが帰るその日まで | 李熙子・竹見智恵子著 | 1500円 | |
| 55. それでもぼくは生きぬいた ―日本軍の捕虜になったイギリス兵の物語 | シャーウィン裕子著 | 1600円 | |
| 56. 次世代に語りつぐ生体解剖の記憶 ― 元軍医湯浅さんの戦後 | 小林節子著 | 1700円 | |
| 57. クワイ河に虹をかけた男―元陸軍通訳永瀬隆の戦後 | 満田康弘著 | 1700円 | |
| 58. ここがロードス島だ、ここで跳べ、 | 内田雅敏著 | 2200円 | |
| 59. 少女たちへのプロパガンダ ―「少女倶楽部」とアジア太平洋戦争 | 長谷川潮著 | 1500円 | |
| 60. 花に水をやってくれないかい？ ― 日本軍「慰安婦」にされたファン・クムジュの物語 | イ・ギュヒ著/保田千世訳 | 1500円 | |
| 61. 犠牲の死を問う―日本・韓国・インドネシア | 高橋哲哉・李泳采・村井吉敬/コーディネーター内海愛子 | 1600円 | |

## 中條克俊の本

梨の木舎

### 朝霞、そこは基地の街だった。

**自由をつくる　君たちに伝えたい ❶**

**中條克俊** 著　　A5 判／ 195 頁／ 1800 円＋税

戦後の復興をささえた基地の姿を、そこに暮した人々をたずね、資料からあきらかにする。中学校教師が丹念に調べた朝霞の占領時代史―「聞き取り作業を進めるなかで日本の片隅にあって『基地の街』と呼ばれた朝霞の占領時代とそれにつづく『戦後』の歴史の一つひとつに、日本と世界をそして今の時代を考えさせるヒントが散りばめられていたことがわかってきた。それらを若い人たちにも伝えたいと強く願うようになった。」（あとがきより）

978-4-8166-0608-3

---

### 朝霞、キャンプ・ドレイク物語。

**自由をつくる　君たちに伝えたい ❷**

**中條克俊** 著　　A5 判／ 194 頁／ 1800 円＋税

朝霞、ＪＡＺＺが流れる街の歴史を掘り起こす。若者たちに伝えたい、かつての「基地の街」の歴史と現在――。2012 年秋、基地跡地に「朝霞の森」がオープンした。ここは戦後、キャンプ・ドレイクと呼ばれた米軍基地があり、極東のインテリジェンス（諜報活動）を全面的に担ったという。「基地の街」が背負った歴史を著者はここで暮らしてきた人びとに話を聞きながら、明らかにしていく。

978-4-8166-1902-1

---

### 朝霞、校内暴力の嵐から生まれたボクらの平和学習。

**君たちに伝えたい ❸**

**中條克俊** 著　　A5 判／ 200 頁／ 1800 円＋税

1981 年、着任した中学は「日本1の荒れる学校」だった。窓ガラスはなく、天井には穴、トイレにはドアがない、オートバイで３階廊下を走る！なぜ荒れるのか? どうしたらいいのか? 非行を克服し、学校を再建させた、朝霞からの発信。　**目次：**１章 校内暴力の嵐を乗り超えて／２章 戦争は最悪の非行です。／３章 すべての学習は平和学習／おわりに――「負の歴史」に学ぶ

978-4-8166-1307-4